pbp

michel lobrot

l'animation
non-directive
des
groupes

353

petite bibliothèque payot

106, boulevard saint-germain, 75006 paris

TABLE DES MATIÈRES

Je dédie ce livre à Vicky.

CHAPITRE PREMIER

MES ORIGINES

Parler de soi-même.

Écrivant les premières lignes de cet ouvrage, il me prend l'envie de ne pas écrire un livre abstrait. Pas un livre théorique mais un livre plein de moi-même et de mon sang. Nietzsche, à peu près : « Seuls valent les livres qu'on écrit avec son sang. »

Voilà quinze ans que je fabrique des livres de théorie, avec un certain succès. Et cela ne me suffit plus. Je veux revenir à l'époque où j'écrivais des choses personnelles, où je me mouillais.

Je ne veux pas fuir la théorie. La théorie aussi engage mais elle vous engage en elle plus que vous ne l'engagez en vous. Elle vous suce et vous aspire et vous dévore et vous n'existez plus qu'en elle. Euclide, comme Einstein, étaient engagés tout entiers dans leur pensée et leur pensée les englobait, les prenait, les aspirait, mais ne les exprimait pas. Ils ne se retrouvaient pas eux-mêmes dans leur théorie. Ils ne retrouvaient même pas l'effort qu'ils avaient fait pour la découvrir. Ils étaient entièrement aliénés dans leur théorie. Ils étaient dévorés, digérés, dépossédés. Ils étaient objet et cet objet leur était étranger.

Cela peut à la rigueur marcher en physique et dans les sciences de la nature. Cela ne peut plus marcher dans les sciences de l'homme. Parler de l'homme sans parler de soi-même, c'est comme parler d'une humanité dans laquelle on ne serait pas, dont on serait exclu et qui vous serait étrangère. Certes on n'est pas l'humanité mais on en est aussi plus qu'une partie. On en est la partie qu'on connaît le mieux, qu'on connaît de l'intérieur et à laquelle on colle. C'est comme si le physicien devenait pierre, atome, jaillissement de particules. Il ne peut pas être cela, sinon par la partie la plus extérieure et la plus indifférente de lui-même. Le spécialiste des sciences de l'homme est au contraire toujours son propre objet. Même s'il se porte sur l'humanité un regard froid et objectif, il ne peut pas oublier qu'il se regarde lui-même toujours.

Faire comme s'il n'en était pas ainsi, comme si on regardait des choses qui ne vous concernent pas, c'est non seulement mentir mais se limiter. Cette limitation, on la trouve chez la plupart des grands théoriciens de l'homme, Marx et Freud y compris. Le premier nous aurait épargné bien des méprises et bien des illusions et bien des déviations et bien des malheurs historiques s'il nous avait dit comment il vivait lui-même la lutte des classes, quel sens cela avait pour lui et comment cela l'aidait à résoudre ses problèmes personnels. On nous dira que cela n'ajoute ni n'enlève rien à la lutte des classes, qui reste ce qu'elle est, c'est-à-dire un phénomène social. C'est précisément ce que je nie. La lutte des classes, avant d'être un objet, une chose, comme une pierre ou un atome, est une réalité vécue et ressentie par quelqu'un. Cela permet de la mettre en perspective. La mettre en perspective, cela veut dire la regarder d'une certaine manière et poser à son sujet un certain nombre de problèmes essentiels. Ces problèmes ne sont pas automatiquement résolus du fait qu'ils sont posés de cette manière. Ils sont du moins posés et un problème bien posé est déjà à moitié résolu. L'attitude intellectuelle s'en trouve modifiée et cela est capital. D'où cette idée à laquelle j'arrive : l'expérience interne, vécue, oriente la pensée, qui a besoin de ce guide pour ne pas s'égarer et pour poser les questions pertinentes.

Quant à Freud, nous y reviendrons. J'essaierai de régler mes comptes avec Freud. Une grande partie de cet ouvrage sera consacrée à cela. Mais d'ores et déjà je puis dire que Freud aurait dû parler de *son* complexe d'Œdipe, de *ses* problèmes avec son père et avec sa mère, de *ses* rapports avec la société et ne pas se contenter de faire des théories qui restent profondes et même géniales mais qui omettent l'essentiel. Je ne fuirai donc pas la théorie et la rigueur qu'elle implique mais j'essaierai d'aller au-delà et de parler aussi de moi. Non pas, comme on vient de le voir, pour me donner le plaisir de m'étaler et pour satisfaire la curiosité de ceux qui attendent des anecdotes afin de se rassurer par la vue des faiblesses de l'auteur, mais pour mieux poser les problèmes, pour les poser plus correctement.

La découverte de l'animation.

Ces déclarations de principe étant faites, passons au sujet qui nous occupe : l'animation.

Avant toute autre chose, avant toute définition, avant tout élaboration, je ne peux pas oublier une chose fondamentale, puisque c'est la raison pour laquelle j'écris ce livre, à savoir que je suis un animateur.

J'ai découvert l'animation à travers un certain nombre d'avatars historiques, si je puis dire. Ces avatars peuvent être vus d'une manière anecdotiques et descriptive, ce qui n'a pas grand intérêt, sinon pour le récit lui-même, qui risque d'être pauvre, car je suis un mauvais conteur. Ils peuvent être vus aussi comme significatifs de quelque chose que je peux essayer de comprendre.

Il est probablement significatif que j'aie découvert l'animation à travers le métier de professeur, c'est-à-dire comme une certaine manière possible d'exercer le métier de professeur. Certes, je n'en suis pas resté là, et l'animation m'apparaît maintenant comme un métier autonome qui dépasse de loin le métier de professeur. Je suis pourtant parti de là.

Déjà, avant de connaître la psycho-sociologie, la dynamique de groupe, la non-directivité, j'essayais de vivre mon métier de professeur d'une manière différente de celle dont la vivent la plupart des enseignants. J'ai été quatre ans professeur de philosophie et deux ans professeur de psycho-pédagogie avant d'être nommé professeur de psychologie au Centre-National-de-psychologie-spéciale où j'ai découvert l'animation. Durant ces six années, je me suis senti mal à l'aise dans ma peau d'enseignant et j'ai essayé de casser le cadre dans lequel on m'enfermait.

Mes tentatives à cette époque sont assez misérables. Je fais parler mes élèves, je parle avec eux, je parle de leurs

problèmes. J'entretiens des relations personnelles avec eux.
Je les aime et je me fais aimer d'eux. J'ai horreur de faire
des cours, et pourtant j'en fais, mais sans respecter les programmes. J'invite les élèves chez moi. J'organise des « parties ». Les élèves se confient à moi et je les aide. Dans mon
premier poste, mes élèves ont tellement d'estime pour moi
qu'ils en oublient mes idées athées et anti-conformistes et
parlent de moi au curé de la ville comme d'un homme proche
de lui. Le curé vient me voir et éprouve une cruelle déception.
Je ne suis manifestement pas ce qu'il attendait.

Tout cela me paraît maintenant bien dérisoire, bien mala-
droit. Il n'y avait là dedans rien de pensé, rien de systématique. Je n'avais pas le courage d'aller jusqu'au bout et
d'envoyer promener le sacré rapport maître-élève avec son
cortège de bonnes intentions et de savantes manipulations.
Je me mettais moi-même dans mes cours. C'était vraiment
ma pensée, avec mes préoccupations et mes problèmes. Mais
pourquoi cette pensée ne se présentait-elle pas pour ce qu'elle
était et prenait-elle la forme d'un chemin tout tracé que les
élèves devaient apprendre et comprendre? Pourquoi se vou-
lait-elle source unique de formation alors qu'elle n'était rien
d'autre qu'une information sur mes conceptions et mes perceptions?

J'étais en attente d'autre chose et cette autre chose me fut
révélée quand je fis la connaissance de la dynamique de
groupe en 1959. Je compris très vite, en l'espace d'un ou deux
ans, qu'il y avait là une idée révolutionnaire, qui contenait
une profonde vérité et qui allait me permettre d'être enfin en
accord avec moi-même.

Je passe sur la suite, tant je suis fatigué de l'avoir mainte
et mainte fois racontée : la formation du groupe de « pédagogie institutionnelle », l'idée d'auto-gestion pédagogique, la
décision d'entreprendre des expériences dans ce sens. Désor-
mais mes élèves ne seraient plus « conduits » par moi dans le
chemin de la connaissance mais se conduiraient eux-mêmes.
Cette connaissance, j'allais très vite découvrir que c'était surtout la connaissance d'eux-mêmes qu'ils voulaient et devaient
acquérir. Je bascule sans le savoir dans le « groupe de diagnostic ». Mes classes deviennent des « groupes de diagnostic »
dans lesquels l'aspect d'acquisition du savoir devient secon-

daire voire absent. Peu importe, si cela correspond au besoin et à la volonté de mes élèves. Le besoin, le vouloir, le désir redeviennent primordiaux. Je me transforme en « jardinière d'enfants » qui aide des bébés à faire leurs premiers pas dans la voie de la communication et de l'interaction. Je découvre Carl Rogers et sa conception de l'empathie, nous y reviendrons. J'ai trouvé ma voie et je ne suis pas près de l'abandonner. J'ai quarante ans. Il était temps.

Les raisons de la découverte.

Pourquoi cette illumination face à la non-directivité et à la dynamique de groupe? D'autres les ont aussi rencontrées et n'ont pas été séduits comme je l'ai été. Pourquoi?

Je pourrais dire qu'elles répondaient à mes convictions. Cela pourtant n'est qu'à moitié vrai. La critique intellectuelle — théorique — que j'ai faite de l'autorité n'est venue qu'après, surtout ces dernières années, avec un livre comme *Pour ou contre l'autorité.* J'avais, à cette époque, des idées de gauche, proches de l'anarchisme, qui me rendaient méfiant à l'égard de toutes les formes de directivisme. Mais ces idées n'étaient pas encore aussi fortes, aussi structurées qu'elles le sont aujourd'hui. Cela n'explique pas l'enthousiasme que j'éprouvais face à la dynamique de groupe et à la non-directivité à ce moment-là.

La seule explication possible est dans ma personnalité. J'avais, et j'ai probablement encore, une personnalité qui se trouvait en accord avec tout cela. J'espérais trouver là-dedans la satisfaction d'un certain nombre de mes aspirations.

Cela limite-t-il la découverte, comme le pensent certainement bon nombre de mes lecteurs? Je ne le pense pas. La chose qu'on découvre comme valeur pour soi peut aussi devenir valeur pour d'autres, si elle se situe dans un domaine assez essentiel. A ce niveau-là, il n'est plus vrai de dire que l'objet est bon parce qu'on l'aime, mais il faut dire qu'on l'aime parce qu'il est bon. Il existe des « preferenda », des valeurs à découvrir, qui sont source de bonheur d'une manière universelle. Et même la chose qui n'est bonne que pour vous, à cause de son caractère limité et particulier, n'est pas bonne seulement à cause des caractères que vous lui attribuez mais aussi à cause de ses caractères intrinsèques. Je reviendrai plus loin sur le problème de la projection qu'un certain freudisme a considérablement obscurcie.

Déjà en effet, à cette époque, je répugnais fortement à obliger, à contraindre, à commander, à punir, à sanctionner. Tout cela me paraissait misérable et à la limite odieux. Avec ma première femme, Simone, nous avions fait un pacte de liberté totale et nous tentions de le faire passer dans la pratique, en étant aussi transparents que possible l'un vis-à-vis de l'autre. Si cela n'a pas marché, c'est que je ne lui apportais pas l'affection et la présence dont elle avait besoin. Il en est quand même resté une grande amitié, qui a profité à nos deux filles.

Je répugnais aussi à haïr, à repousser, à me mettre en colère. Il m'était difficile de ne pas accepter quelqu'un, de ne pas le comprendre, de ne pas l'écouter. Encore maintenant, j'ai tendance à me mettre d'emblée du côté de l'autre, même contre moi-même. Je comprends tellement ses réactions, ses points de vue, ses attitudes, que je me trouve désarmé quand il s'agit de me défendre et d'affirmer mes propres désirs.

Il n'y a pas là-dedans que des côtés positifs, loin de là. Cette manière de renoncer à soi-même, de se faire son propre bourreau, de se culpabiliser n'est qu'une forme de névrose et découle directement du christianisme.

Voilà le grand mot lâché : le christianisme. On peut qualifier de chrétiennes les valeurs auxquelles j'adhérais et, sous ce prétexte, les repousser et les stigmatiser. Certains ne s'en priveront pas. Je vais même leur donner des arguments en leur disant que je suis passé par le christianisme, que je suis rentré dans l'ordre de Saint-Dominique à l'âge de dix-huit ans et n'en suis sorti qu'à vingt-quatre, après avoir tenté de vivre à fond l'expérience ascétique et mystique. Il est vrai que lorsque j'en suis sorti, j'étais devenu incroyant et homosexuel et que j'avais acquis à l'égard du christianisme une hostilité énorme, qui ne devait pas se démentir par la suite. Mais j'y ai quand même plongé et il n'est pas possible qu'il n'en soit pas resté quelque chose.

Les choses ne sont pas simples et je vais essayer de les clarifier en faisant deux réflexions que je vais ensuite développer. La première consistera à dire que le christianisme n'est pas le mal absolu, même si on le refuse. La deuxième qu'il est plus une conséquence qu'une cause : on y adhère à cause de ce qu'on est et c'est cela qu'il faut expliquer.

Premièrement, le christianisme n'est pas le mal absolu. Il a véhiculé historiquement des valeurs incontestables, auxquelles on peut parfaitement rester fidèle, tout en rejetant la construction religieuse proprement dite. Je répugne à ce manichéisme qui consiste à diviser le monde en Bien et Mal, noir et blanc, et à se mettre soi-même du côté du Bien. Au départ religion de pauvre, de misérable, d'esclave, le christianisme, comme beaucoup d'autres religions, a pour fonction de fournir des espérances, qui sont évidemment de fausses espérances : l'Au-delà, le ciel, le bon Dieu, etc. Plus profondément, il provient d'une méfiance à l'égard de la sexualité et du corps qu'il cherche à réprimer par tous les moyens, et crée ainsi l'angoisse, que l'euphorie corporelle peut seule neutraliser. Cette angoisse, il cherche, dans un second temps, à la calmer en proposant précisément ses promesses illusoires, qui ne font paradoxalement qu'augmenter cette angoisse.

Voilà pour le négatif, et il est grand. Je n'aurai pas trop de ma vie pour lutter contre cela. Mais il y a le positif. Cette religion de pauvres affirme aussi les valeurs des pauvres, et en particulier l'amitié, l'entr'aide, la communion, la participation. Le christianisme affirme la relation humaine, bien avant que la dynamique de groupe ne le fasse. Il a le sens de la communauté, de l'acceptation de l'autre, et il sait, dans sa sagesse profonde, à la suite de son fondateur que le fait de « tendre l'autre joue », bien loin d'être du masochisme, n'est qu'une manière comme une autre de ne pas croire à la méchanceté de l'autre et de le lui faire savoir. L'autre en effet n'est pas méchant, n'est jamais méchant, et le nier, c'est s'enfoncer dans un circuit paranoïaque dont il est impossible de sortir, et qui vous rend à votre tour méchant, cent fois plus méchant que lui. Tous les grands destructeurs de l'humanité — les Hitler — sont des paranoïaques qui passent leur temps à vouloir se protéger et protéger leur peuple contre des ennemis réels ou imaginaires qui veulent soi-disant les réduire à leur merci et leur enlever leur « espace vital ». Cela peut naturellement être vrai, cela ne résout rien. Cela ne sert qu'à vous enfoncer dans une escalade de violence qui, à la longue, vous détruit vous-même. Tout le problème est de limiter les actes de défense à leur strict minimum, de manière à ne pas rompre la communication. Si celle-ci est coupée, il n'y a plus de solution possible.

Le monde moderne, dans son évolution pathologique vers la bureaucratie, le totalitarisme, la violence, repousse de plus en plus ces valeurs affirmées par le christianisme. Et c'est pourquoi il voit dans celui-ci le mal par excellence. La solution ne consiste évidemment pas à revenir au christianisme, entaché de trop de vices et de trop d'insuffisance, mais de réaffirmer les valeurs chrétiennes d'amour et d'acceptation, en les désacralisant. C'est ce que font la Dynamique de Groupe et la non directivité.

La deuxième remarque est que l'adhésion au christianisme, comme à n'importe quelle idéologie, n'est qu'une conséquence de l'évolution personnelle qui s'explique elle-même davantage par les influences parentales, les conditionnements sociaux, les expériences précoces. Cela se vérifie pour moi comme pour tout le monde.

A douze-treize ans, je suis hostile au christianisme que je vois à travers mes tristes expériences de collège. A dix-huit ans, j'entre chez les Dominicains. Que s'est-il passé entre les deux ? Rien d'autre que l'attitude castratrice de ma mère à l'égard de mes pulsions sexuelles naissantes, qui m'empêche de me réaliser pleinement dans le domaine corporel et qui me jette dans la religion. Celle-ci m'apparaît non seulement comme le seul remède possible contre l'angoisse mais aussi comme la seule voie pour réaliser mes ambitions intellectuelles.

Par cette influence de ma mère — particulièrement efficace à cause des moyens affectifs employés par celle-ci — s'expliquent mon penchant à la solitude, à la retraite, mon manque de combativité, et surtout ma difficulté à affirmer mes besoins et mes désirs face à autrui (forme négative de la non-directivité). Il me faudra vingt ans après ma sortie de chez les Dominicains pour reconquérir la capacité à m'affirmer pleinement et fortement ainsi qu'une sexualité entièrement libérée. Le point où j'en suis actuellement, dont je suis fier, est le résultat d'un combat sans merci livré contre les forces de répression, combat qui m'a obligé à faire trois mariages

successifs et à multiplier les expériences dangereuses et dou-
loureuses.

Mon penchant à comprendre autrui et à établir avec lui
des relations fortes et positives s'explique, à mon avis, par
de tout autres causes. La vie religieuse a joué accidentellement dans cette évolution un rôle déterminant.

A quinze ans, je rencontre un prêtre qui se prend d'amitié
pour moi et avec lequel j'entretiens des relations que peu
d'adolescents ont l'occasion d'expérimenter. Je le vois quotidiennement et je parle avec lui des heures entières. Il se livre
profondément à moi et je me livre à lui. J'expérimente la
communication en profondeur.

Mais il y a plus. Étant chez les Dominicains, à une époque
où les autres jeunes commencent à s'insérer dans la vie active,
comme on dit, et où ils sont obligés d'acquérir la méfiance à
l'égard des rapports spontanés et personnels, je tombe tuber-
culeux et suis dispensé pendant des années des activités
communes. Je reste dans ma cellule, vacant et libre comme
l'air, et peux faire strictement ce dont j'ai envie. Je dévore
toute la bibliothèque et les ouvrages les plus fondamentaux :
la Bible, Homère, Dante, les tragiques grecs, Platon, Aristote,
etc. ; je lis tout, je suis assoiffé de lecture. Mais surtout je parle,
je m'entretiens avec mes confrères en religion, je discute
indéfiniment et de la manière la plus libre, et je noue à travers
cela des amitiés solides, durables, dont je garde encore
maintenant un souvenir ému. Peu de jeunes ont l'occasion de
faire une expérience relationnelle aussi longue et aussi intense.
C'est cela, sans aucun doute, qui m'a ouvert sur autrui, et qui m'a
donné cette passion pour les gens que je n'ai pas cessé d'avoir par
la suite. C'est cette expérience de groupe sauvage, dans une
communauté fermée, isolée du monde, et avec la plus grande
liberté pour nouer et dénouer les relations dont j'avais envie.

Rien d'étonnant, dans ces conditions, que mes lectures
innombrables m'aient amené à réfléchir sur le christianisme,
m'aient fait découvrir la vérité simple du message évangélique
et m'aient finalement jeté dans l'incroyance et l'athéisme.
Rien d'étonnant aussi que les contacts en profondeur avec
d'autres hommes m'aient mené à l'homosexualité, dont je me
suis d'ailleurs entièrement libéré après ma sortie de chez les
Dominicains.

Le tournant d'une vie.

Cette période entre vingt et un et vingt-six ans a été pour moi déterminante. C'est à ce moment là que j'ai fait la découverte des valeurs qui devaient guider ensuite toute mon existence. Elle englobe les événements les plus importants de ma vie : mon rejet du christianisme, ma découverte du sexe à travers l'homosexualité, ma sortie de chez les Dominicains, l'expérience de la bohème et presque de la vie de clochard après ma sortie de chez les Dominicains, ma rencontre avec ma première femme et mon premier mariage. Cela fait beaucoup de choses et beaucoup d'expériences en un temps assez court. Je suis convaincu que cette période de dix-huit à vingt-six ans est pour beaucoup un carrefour, où se prennent des orientations qui ensuite ne se démentiront plus. C'est la campagne d'Italie de Stendhal, le voyage en Afrique du Nord d'André Gide, etc. Il faut que je réfléchisse encore à cette période si je veux comprendre pourquoi j'ai été séduit plus tard, quelque dix ans après, par le métier d'animateur.

A vrai dire, je n'ai jamais cessé d'être obsédé par cette période de ma vie. Vers les années 50, alors que j'étais marié, que j'avais un jeune enfant et que je commençais dans le fond d'une province une carrière professorale, je me mis à écrire ce que j'avais vécu chez les Dominicains. Je le fis rapidement, dans l'enthousiasme, et cela donna un ouvrage qui n'a jamais été publié, bien que j'aie presque eu grâce à lui un prix littéraire (sur manuscrit). Ce livre fut mon premier livre et je le regarde aujourd'hui comme une œuvre maladroite et pleine de naïvetés.

Quand cela fut fait, j'établis à l'égard de mon passé et de cette période de ma vie une espèce de black-out, silence total que je ne rompais qu'avec les plus intimes. J'en avais honte, effroyablement honte. Je rougissais rien que d'y penser. Non pas certes de l'expérience sexuelle dont j'aurais plutôt été fier, mais d'avoir été moine. Je ne pouvais supporter l'image de moi avec une robe blanche, faisant des prières et invoquant la Vierge Marie. Moi le laïc, l'anarchiste, l'esprit libre, je ne pouvais croire que j'avais été *cela*. Ce n'était pas moi. Ce ne pouvait être moi.

Et pourtant je l'avais vécu et j'en étais imprégné. Cette idée que je repoussais de toutes mes forces conscientes réapparaissait dans mes rêves et me faisait faire du somnambulisme. Sans cesse, presque chaque semaine, je faisais le rêve de la « sortie de chez les Dominicains », rêve rituel, indéfiniment le même, rempli d'angoisse. Je me voyais d'abord chez les Dominicains, avec la robe, au chœur ou ailleurs, malheureux, souffrant. J'avais la foi. Je croyais. Puis j'entreprenais de m'en aller, de me sauver, de fuir, et finalement j'y réussissais à travers des péripéties variées. Les événements changeaient mais le scénario était toujours le même. Au bout d'un certain nombre d'années, le rêve se transforma et devint un rêve claustrophobique, dans lequel je me voyais enfermé dans une pièce et faisais des efforts désespérés pour en sortir. Je me retrouvais alors en sueur et haletant soit dans le couloir soit dans la pièce même en train de chercher une issue. Une nuit, à Strasbourg, dans un hôtel, je me blessai à la jambe en arrachant la glace du cabinet de toilette. Je ne fus délivré de cette obsession onirique qu'en la racontant en détail à un médecin. Elle disparut et n'est jamais plus reparue. Je l'ai évoquée longuement au cours de ma psychanalyse.

Quand je relis aujourd'hui les pages de cet ouvrage autobiographique dans lequel je raconte ma sortie de chez les Dominicains, j'éprouve de l'irritation. Le style inspiré qui était le mien à cette époque me fatigue. Mais je réussis quand même à retrouver l'expérience qui est derrière et que j'ai essayé de traduire à ma manière.

Cette expérience, je l'ai dit, fut une authentique expérience de groupe, dans une collectivité qui attachait beaucoup d'importance aux valeurs communautaires. Je suis surtout frappé de constater à quel point j'étais impliqué dans les relations nombreuses que j'avais avec certains de ces hommes. Il y en a bien une dizaine avec lesquels je ne cessais de me confronter, que j'essayais de comprendre et qui essayaient de me comprendre. Il y avait des « jeunes » qui étaient à mon égard dans une position de disciples, mais il y en avait aussi de beaucoup plus vieux que moi. Ils étaient tous très disponibles, n'étant pas pris dans des structures familiales et sociales qui auraient occupé tous leurs instants.

J'ai subi là une sorte de dépucelage relationnel, très compa-

rable au dépucelage sexuel, qui me paraît indispensable pour
tout le monde. C'est une idée sur laquelle je reviendrai et qui
me paraît fondamentale que celle de la nécessité de faire l'expérience d'une valeur existentielle, sans quoi on reste aveugle et
sourd à cette valeur. On ne l'a pas touchée, on ne l'a pas
rencontrée, et c'est pour vous comme si elle n'existait pas.
Elle manque à votre existence, et son absence crée en vous un
déséquilibre grave qui peut, dans certains cas, devenir pathologique, mais on ne sait pas qu'elle vous manque. On en ressent
seulement un besoin vague, très vite réprimé par les dangers
d'en faire l'expérience.

La possibilité de faire ce genre d'expérience explique sans
aucun doute une attitude que j'eus à la fin de ma vie religieuse,
et qui est restée longtemps mystérieuse à mes yeux, à savoir
une révolte violente contre ce qu'on appelait la « Sainte
Obéissance ». En découvrant les relations, je découvris aussi
la liberté dans les rapports humains. Je ne compris plus au
nom de quoi on pouvait justifier qu'un homme impose à un
autre homme sa volonté, même camouflée derrière la volonté
de Dieu. Il y avait là quelque chose qui me heurtait profondément. Cela me paraissait d'autant plus intolérable que ça
ne pouvait être justifié, dans la vie religieuse, par des impératifs techniques, comme ça l'était dans la vie sociale — ce qui
ne veut pas dire que ces impératifs techniques ne soient pas
eux-mêmes de magnifiques alibis. Le seul argument qu'on
pouvait faire valoir était que cette obéissance permettait
d'anéantir la « volonté propre ». Mais pourquoi anéantir la
« volonté propre », et avec elle le désir, la force irrésistible du
désir ? Cela me paraissait de plus en plus incompréhensible.

En fait, c'est ma sensibilité qui se transformait et non pas
seulement mes idées ou mes convictions. Je devenais de plus
en plus allergique aux valeurs que ma famille bourgeoise
m'avait inculquées. Ce qu'elle considérait comme sale, impur,
morbide, désordonné, je me mettais à l'aimer. J'étais bien dans
un processus expérientiel et non pas seulement dans un processus intellectuel.

Ce changement de sensibilité je l'exprimais dans tous un
ensemble de productions poétiques que je réalisai après ma
sortie de chez les Dominicains et dont certaines seulement
ont été publiées. En voici trois qui me paraissent significa-

tives de mon évolution à cette époque. Je ne les transcris pas ici pour des raisons littéraires mais pour faire comprendre cette évolution.

Quelques productions poétiques.

Assez...

Assez des délicatesses et des raffinements d'autrefois
Et des rideaux encordonnés pendant prétentieusement dans des salons prétentieux
Et des marquises pomponnées se dandinant délicieusement dans des jupons délicieux
Et des grandes orgues solennelles maniées solennellement par des artistes solennels
Nous voulons la réalité toute nue
Nous ne sommes pas pudibonds
Et nous aimons les gros traits épais et forts, en pleine pâte, tout noirs, qui vous crachent au visage leurs formes anguleuses
Et l'encre lourde qui bave sur des cahiers baveux
Et la graisse salissante sur des mains salies
Et les salopettes... et les casquettes maculées.
Nous n'avons pas les mains blanches
Et nous sommes les fils de la Terre
Et nous nous foutons des ventres avantageux des nuages du ciel d'azur qui crachent charitablement leur pluie charitable
Et nous sommes de la race des rampants, car nous savons le goût de la terre noire qui est le goût du lait de notre mère
Et nous sommes des arbres solides enfoncés solidement dans une terre solide
Nous avons remisé nos ailes.

En creux.

Il me semble parfois que je suis construit en creux comme les boîtes à conserve pour que ça s'emboîte. Je suis un creux, vous savez ce trou que ça fait par devant entre les deux bras, c'est ça mon creux et il faut que je mette quelque chose dedans. Si il n'y a rien dedans ça ne va plus je suis tout seul, c'est triste d'être tout seul, alors mon creux il s'ennuie et il me dit : dis donc, tu ne pourrais pas penser à moi. Oui mais ça ne tombe pas comme ça, non ça ne tombe pas comme ça, on ne prend pas les hommes comme les oiseaux au piège, tu voudrais que je piège les hommes. Je ne peux pas. C'est triste, mais je ne peux pas. Alors parfois il me dit : Mets-y n'importe quoi, je ne sais pas moi, un oreiller, un traversin, un édredon, quelque chose quoi, que ça bouche le trou. C'est pas

beau tu sais un trou comme ça par devant ; on dirait un blessé de
guerre qui aurait reçu un vache d'obus dans la poitrine, un mutilé
de guerre, quoi, ça ne se montre pas, on a de la pudeur ou on en a
pas. Faut pas montrer ça. Qu'est-ce qu'ils diraient s'ils voyaient
cela, ils rigoleraient tu sais, ils diraient : tiens, il a un creux par
devant, il se balade avec un creux par devant. Non, tu sais, il ne
faut pas montrer ça. Qu'est-ce que tu veux que j'en fasse de ce
creux, je ne peux tout de même pas le colmater, avec quoi, le colmater ? Faudrait appeler le maçon, tu te rends compte un mur par
devant, non c'est pas possible, je ne veux pas d'un mur par devant,
alors mets-y une femme ; un femme tu voudrais pas, ils appellent
ça faire l'amour, et bien mets-y un homme, ah non, ils me traite-
raient de pédé. Et bien mets-toi y toi-même ; j'ai essayé, mais je ne
peux pas, alors y a pas moyen, non y a pas moyen, ça alors c'est une
sale histoire.

Le rat.

Le rat qui s'enfuit dans l'ordure baveuse
Ne sait où il s'en va, mais sait que la laveuse
Ne laissera rien de tous ces excréments
Qui sont sa nourriture, celle de ses enfants...
Il faut en profiter tant que l'ordure est là,
Faire provision en fouillant dans le tas,
Et gratter, gratter, sans perdre une minute
En fourrant son museau dans les plus grandes buttes.
L'ordure n'est pas sale car le rat s'en nourrit
Et toute nourriture est bonne à qui en vit...
Rat, tu es mon ami, qui sais transfigurer
L'ordure en un trésor et la merde en purée ;
Rat, tout est beau pour toi, comme il en est pour moi.
Voici la formule pour vivre comme un roi :
Vivons comme des rats.

L'importance des accidents.

Résumons-nous. A regarder attentivement cette période de
ma vie qui s'étend de 14 à 26 ans, elle m'apparaît pleine d'événements exceptionnels et pour ainsi dire d'accidents, au sens
heureux et malheureux du terme.

C'est d'abord à 14 ans la rencontre de l'Abbé L. et l'amitié
extraordinaire que je noue avec lui. Une telle amitié entre un
adolescent et un adulte — et pas n'importe quel adulte (il
était écrivain, poète, musicien, militant politique) — est une
chose rare.

C'est ensuite la guerre, dont je n'ai pas parlé jusqu'ici, mais qui a marqué profondément les hommes de ma génération. J'ai 15 ans lorsque la guerre éclate et 21 ans lorsque survient la libération. Toute mon adolescence est marquée par la guerre et l'occupation. J'ai eu faim ; j'ai pleuré de faim. J'ai eu froid, à une époque de travail intense pour préparer les examens finaux. Les dangers et les menaces de toutes sortes, les queues, les restrictions, les bombardements resserrent les liens familiaux, rendent les parents plus compréhensifs, plus affectifs, moins préoccupés par la bonne éducation. On pense plus à survivre qu'à autre chose. Le monde est bouleversé et les valeurs traditionnelles vacillent.

C'est la rentrée chez les Dominicains et surtout le fait que j'y tombe gravement malade et suis obligé de mener une vie à part pendant des années durant lesquelles je peux faire les choses dont j'ai envie : lire, connaître des amis, réfléchir, méditer. L'atmosphère intellectuelle, d'une très haute qualité, qui régnait chez les Dominicains m'a aussi été profitable.

Mon propre cas confirme une théorie que je me suis forgée au cours de mes recherches en éducation, à savoir qu'il n'y a pas encore aujourd'hui, qu'il n'y a probablement jamais eu, de système éducatif valable, capable de former et d'épanouir la personnalité, car tout système éducatif est fait pour étouffer et pour asservir, sans pour autant donner les connaissances et les aptitudes qu'il prétend donner. La seule chose positive et enrichissante qui puisse arriver à un être jeune, en période de formation, est de connaître un certain nombre de situations exceptionnelles, accidentelles, qui, en modifiant les conditions ambiantes, permettent des rencontres, des expériences qui ne sont pas possibles normalement.

Ce qui signifie en clair qu'il n'y a actuellement de formation valable possible que dans la déviance. Tout ce qui a été produit depuis des siècles et des siècles en fait d'artistes, de savants, de chercheurs, d'hommes d'action, l'a été dans et par la déviance. Si l'on regarde par exemple le XIXe siècle, on s'aperçoit que les personnalités créatives proviennent de trois sources. La *première* et la plus importante est la communauté juive qui produit les hommes les plus remarquables (Marx, Freud, Kafka, Einstein, etc.). Ce n'est d'ailleurs pas n'importe quel individu de cette communauté qui émerge. Ceux qui le font

viennent tous de cette partie de la communauté juive située
en bordure du monde germanique (Pologne, Hongrie, Roumanie, Tchécoslovaquie, Autriche, Alsace), qui se libère du
judaïsme traditionnel, qui sort du ghetto et s'installe dans les
quartiers non-juifs, qui renie ses origines, échange son nom
juif contre un nom germanique, etc. Le père de Marx, par
exemple, s'appelait Levi et avait voulu se germaniser en prenant le nom de Marx ; il s'était converti au protestantisme et
avait rejeté une bonne partie des traditions juives. Les individus juifs qui se distinguent des autres et se développent
d'une manière exceptionnelle sont des déviants par rapport à
leur propre communauté dont ils veulent secouer le joug,
mais aussi des déviants par rapport à la communauté chrétienne dans laquelle ils ne sont pas vraiment acceptés. Ils
restent marginaux par rapport aux deux communautés et
échappent de ce fait aux répressions et aux normes de l'une et
de l'autre.

La *deuxième* catégorie, située plutôt dans le monde anglo-saxon, est formée des enfants et petits-enfants de pasteurs
ou pasteurs eux-mêmes. Il y a peu d'exceptions à cette règle.
Les listes que j'ai établies sont étonnantes. Cela s'explique, à
mon avis, par le fait que, dans un monde dominé par l'argent,
le commerce, le « business », la propriété, les pasteurs continuent à affirmer des valeurs spirituelles étrangères à ce monde
et en rupture avec lui, des valeurs qui ne sont plus guère
reconnues et qu'on a tendance à suspecter ou à caricaturer.
Mais par choc en retour, ceux qui représentent ces valeurs sont
eux aussi ébranlés dans leurs convictions et portés au libéralisme, au laxisme, au modernisme, du fait précisément qu'ils
vivent dans un monde qui leur est hostile. Ils n'appartiennent
donc ni au monde dominé par les valeurs économiques, ni au
monde dominé par les valeurs religieuses, comme c'est le cas
dans les pays latins. Ils sont à cheval sur deux cultures et
étrangers à l'une et à l'autre.

Enfin, la *troisième* catégorie est formée par ceux qui, dans
les pays latins, appartiennent aux anciennes classes dominantes qui ont perdu leur signification historique, depuis
l'arrivée au pouvoir de la bourgeoisie. La plupart des écrivains
romantiques, des poètes de la fin du XIXe siècle, étaient issus
de familles d'officiers, de petite aristocratie ruinée et de gentils-

hommes provinciaux, en porte-à-faux par rapport au monde
moderne dans lequel ils ne pouvaient pas s'intégrer. Qu'on
pense à Georges Sand et son père officier de Napoléon, à
Victor Hugo, dans la même situation, à Baudelaire et à son
beau-père général, à Verlaine, Rimbaud, etc.

Moi aussi, j'appartenais de par mes origines à une catégorie
sociale qui se trouve de plus en plus en porte-à-faux dans le
monde moderne dominé par la bureaucratie, celle des profes-
sions libérales. Mon grand-père était un médecin connu, espèce
de savant qui a contribué à répandre en France l'acupuncture,
et son fils, le frère de ma mère, est lui aussi médecin. Il n'était
pas question pour moi de me lancer dans l'industrie ou l'admi-
nistration, qui me faisaient horreur. Mais voici que, par une
série d'accidents, et particulièrement à cause de l'influence de
ma mère, je suis rejeté vers le secteur le plus traditionnel et
le plus suranné de ce monde, le secteur religieux. J'aurais pu
devenir un bon religieux intégré dans l'univers de la bonne
conscience. Mais voici que, par une nouvelle série d'accidents,
j'échappe aussi à ce monde, que je finis par renier et par
rejeter complètement. Je n'appartiens donc ni à l'univers
technologique et technocratique, ni à l'univers religieux. Je
suis hors cadre, marginal. Ma marginalité me permet d'être
ce que je suis.

... « Et voici pourquoi votre fille est muette. » Tout ce que
je dis là probablement n'explique rien, pas plus d'ailleurs que
ce que pourrait dire un psychanalyste qui ferait appel au
« Deus ex machina » du complexe d'Œdipe ou à mes relations
sexuelles inconscientes avec l'Abbé L. J'ai pourtant l'impression de survoler réellement quelque chose et d'apercevoir
quelques articulations, comme dans une photographie aé-
rienne. Il resterait à analyser plus en détail, à remonter pa-
tiemment des filons, à creuser. Je ne peux pas le faire ici. Je
comprends seulement à travers cette réflexion que mon goût
actuel pour l'animation n'est pas étranger aux événements
qui ont traversé ma vie entre 15 et 26 ans. Quand je suis
sorti de ce voyage à travers la mer Rouge, j'avais appris à
aimer ce que j'aime encore maintenant : le respect de l'autre,
le prix immense de chaque être, l'envie de comprendre ceux
qui m'entourent, le désir d'aider sans contraindre, la liberté
dans les relations.

Les grandes lignes d'une évolution.

Mon évolution n'est évidemment pas terminée quand, à vingt-sept ans, je me marie et m'exile en province avec ma femme. Bien au contraire, elle ne fait que commencer. Le départ est pris et, je le crois, dans la bonne voie. Il reste à marcher.

Cette évolution se poursuit sur trois plans. Sur un premier plan, il s'agit d'une évolution intellectuelle. Je n'en parlerai pas ici. Sur un deuxième plan, il s'agit d'une évolution sexuelle et sentimentale, dont je parlerai en détail dans un ouvrage ultérieur, si j'en ai le courage. Enfin sur un troisième plan, il s'agit d'une évolution sur le plan des relations sociales, des rapports avec les autres, des attitudes face à l'autorité, à la société, aux responsabilités. Ce troisième aspect de mon évolution étant très lié à mon métier d'animateur, j'essaierai de l'analyser, sans pouvoir naturellement entrer dans les détails.

Par rapport à ce troisième aspect, mon expérience des groupes, soit comme participant, soit comme animateur, a joué un rôle déterminant. C'est elle qui m'a le plus appris et le plus transformé. C'est à travers elle que je suis devenu un autre homme.

Il faut distinguer, par rapport aux effets de cette expérience, ce qui concerne mon métier d'animateur et l'apprentissage que j'en ai fait, et ce qui concerne mon changement personnel. J'aborderai maintenant seulement le deuxième point, réservant pour la fin du chapitre de traiter le premier et de voir quel animateur je suis devenu et comment.

Par rapport au premier point, c'est-à-dire mon évolution personnelle, trois choses ont eu sur moi une influence déterminante, à savoir : ma rencontre avec C. Rogers et la non-directivité, l'expérience que j'ai faite comme participant dans les groupes d'action ou les organismes dont j'ai pu faire partie professionnellement comme l' « Institut des Sciences de l'Éducation », enfin mon engagement politique et mes activités de militant dans des cadres divers.

Découverte de la communication et de C. Rogers.

Il est naturellement difficile de dissocier les trois influences précédentes. Elles se complètent et se soutiennent mutuellement. Je peux cependant essayer de les analyser séparément.

La plus importante est sans aucun doute l'expérience de la communication avec autrui, que j'avais déjà commencée entre vingt et trente ans et qui s'est poursuivie quand j'ai pu participer à des groupes non-directifs. C'est dans cette perspective que s'intègre l'apport de C. Rogers.

Cette expérience peut être définie comme une expérience de participation et de pénétration réciproque. Quand on s'implique dans la relation avec autrui et qu'autrui s'implique dans la relation avec vous, on se trouve envahi par les affects qui remplissent sa subjectivité et on l'envahit à son tour avec les affects qui remplissent votre propre subjectivité. Cet envahissement réciproque peut aussi être décrit en terme de prise. On « prend » l'autre et l'autre vous « prend ». En terme courant, on dit qu'on le « saisit » et qu'il vous « saisit ». Ces expressions sont significatives et expriment bien ce dont il s'agit. Le rapport qui s'établit alors est un rapport qui ressemble beaucoup au rapport sexuel au niveau physique dans lequel la pénétration du vagin par un pénis permet à celui-ci d'occuper pour ainsi dire celui-là et d'être capturé par lui dans le même moment. La possession étant réciproque n'aboutit pas à une domination de l'un sur l'autre mais à un échange : le pénis apporte sa présence et le vagin fait de même dans le même temps et à travers la même action.

Le plaisir qui résulte de cette action et qui s'impose à quiconque l'accomplit ne résulte pas tellement de la transformation réciproque qui se trouve alors opérée, du fait que chacun des partenaires devient réellement l'autre et altère ainsi sa propre subjectivité, que de l'effort qui est demandé pour arriver à cette transformation. Il s'agit en fait d'un ajustement à un monde qui vous est étranger et qui vous échappe par définition et cet ajustement exige une recherche, des tâtonnements, des échecs et des réussites qui augmentent la sensation d'exister, d'être actif et d'avoir un pouvoir.

D'une manière plus concrète, cette pénétration réciproque a

des exigences difficiles à réaliser : il faut s'assurer que l'autre est prêt à recevoir votre message ou à envoyer le sien, il faut vérifier qu'il vous écoute ou qu'il s'adresse à vous, il faut qu'il y ait réception du message, il faut chercher à savoir si cette intégration a bien été faite et si elle ne change pas la nature et la signification du message. Tout cela peut, à beaucoup de points de vues, faire penser à un jeu, dans lequel il y aurait des actes conjoints et successifs d'envoi et de réception. Cependant le terme de jeu est inexact, dans la mesure où il ne s'agit pas d'activité sensorielles et motrices intéressant seulement les organes corporels mais d'activités d'ordre intellectuel, affectif qui engagent la personnalité tout entière. C'est la personne entière qui « se livre », comme on dit, grâce à une attitude d'abandon qui ne constitue en rien une perte mais qui apporte au contraire un prodigieux enrichissement.

Le besoin que j'avais de m'impliquer dans des relations avec d'autres ne fait qu'augmenter à travers mes expériences de groupe. Il me pousse à faire toujours de nouvelles expériences et même dans des lieux et des moments qui ne sont pas faits spécialement pour cela. J'ai de plus en plus besoin d'autrui et de sa présence et cela constitue pour moi une source de frustrations possibles, mais ces frustrations sont positives dans la mesure où elles m'amènent à chercher des présences et des contacts nouveaux, différents de ceux qui se présentent spontanément. La solitude, que je valorisais beaucoup quand j'étais jeune, m'intéresse de moins en moins, et seulement dans la mesure où elle me permet d'autres activités dans lesquelles les autres ne sont pas directement impliqués. Je cesse d'en faire un idéal et j'abandonne ainsi ce dangereux romantisme de l'isolement dans lequel se complaisent tant de nos contemporains.

La doctrine de C. Rogers que je découvre vers 1965 n'est pas à proprement parler une doctrine de la communication, mais plutôt une doctrine de l'acceptation. Empathie et acceptation inconditionnelle — notions clefs de la doctrine rogérienne — sont indispensables à toute communication authentique mais ne suffisent pas à la définir. Elles connotent des attitudes de respect mais non d'implication. L'autre a le droit d'exister, le droit d'être ce qu'il est, même s'il me menace et que je me défends contre lui, même si je n'approuve pas ses

choix ; il est autonome, libre et je ne dois rien faire pour
l'écraser et le supprimer. Cette position fondamentale, je
l'exprime en l'écoutant, en participant à ses sentiments, ce
qui est la preuve évidente que je ne veux pas le rejeter. Mais
en même temps, il est seul à résoudre ses problèmes et d'une
certaine manière je ne lui apporte rien, sinon ma bienveillance ;
je ne pénètre pas en lui et il ne pénètre pas en moi. Nous
sommes radicalement seuls. La communication n'est pas
conçue par Rogers comme une confrontation et une interaction,
mais uniquement comme un reconnaissance, ce qu'elle est en
effet à un certain point de vue, puisqu'elle consiste à se centrer
sur l'autre en tant qu'autre.

En fait, ce que Rogers préconise, c'est le rejet de la violence,
c'est-à-dire d'une forme de comportement qui vise à supprimer
l'autre, ou ses sentiments ou ses actes, sans qu'il soit lui-même
d'accord et sans qu'il procède lui-même à cette suppression.
Ce qui ne veut pas dire encore une fois qu'on se laisse léser par
lui s'il vous attaque, ou qu'on approuve ses conduites. Cela
signifie seulement qu'on n'entreprend rien pour l'empêcher
d'exister tel qu'il est et tel qu'il le désire, et qu'on tente de
résoudre les conflits non pas par la destruction mais par la
négociation.

Quel est l'intérêt de telles attitudes qui apparaissent comme
des capitulations et des formes de faiblesse ? Il s'agit en
réalité d'une nouvelle éthique, qui permet d'échapper à l'angoisse face à autrui et face à ses comportements, et de sortir
de l'impasse de l'agressivité, dans laquelle nous enfonce de
plus en plus le monde moderne. L'intuition géniale du rogérisme c'est que la peur d'autrui et les menaces qu'on brandit
pour répondre à ses menaces réelles ou supposées ne servent
à rien, sinon à nous enfoncer plus profondément dans ces sentiments mêmes auxquels on cherche à échapper. La peur ne
débouche que sur la peur et le conflit sur le conflit. On ne peut
dans cette voie qu'escalader toujours davantage et s'enfoncer
dans une espèce d'enfer sans issue. Le seul moyen d'en sortir
est de prendre carrément une autre voie, celle de la compréhension et de l'ouverture, qui seule est efficace pour résoudre le
problème que précisément on cherche à résoudre. L'autre en
effet n'est plus alors renvoyé à ses peurs et à ses angoisses qui
renforcent ses attitudes d'hostilité, mais entrevoit quelque

chose de positif qui à la fois le rassure et le rapproche de vous. La voie est ouverte pour quelque chose d'autre qui n'est plus uniquement négatif.

Certes, cela ne suffit pas, et la solution rogérienne ne va pas jusqu'à préconiser les fortes interactions, dans lesquelles on se trouve entraîné dans une grande aventure et qui vous apporte les plus profondes satisfactions. Elle s'arrête au seuil du monde de la relation et se contente d'en définir la condition fondamentale qui est, paradoxalement, la liberté de l'autre et son autonomie. Cela est nécessaire pour que la relation ne devienne pas une façon de se dévorer mutuellement et une destruction réciproque. Rogers s'arrête aux préliminaires, ce qui explique qu'il s'intéresse surtout à la psychothérapie qui demande qu'on favorise l'expression du patient sans entrer en interaction avec lui. Sa méthode va plus loin que la psychanalyse, qu'en même temps elle précise et fait avancer. Elle pousse jusqu'au bout cette non-directivité qui était déjà au cœur de la méthode freudienne.

L'éthique rogérienne, qui correspondait déjà à certaines tendances de ma personnalité, est devenue une conviction raisonnée qui n'a pas cessé de m'animer depuis que je l'ai rencontrée. J'ai essayé de la faire passer dans ma vie personnelle et cela m'a amené souvent à des comportements qui étonnaient mon entourage.

Le plus difficile dans cette voie n'est pas d'acquérir la confiance envers autrui, d'une manière systématique et pour ainsi dire *a priori*, mais de ne pas répondre à sa méfiance. On arrive assez facilement à considérer que les autres ne constituent pas des menaces pour vous lorsqu'ils agissent dans leur intérêt et en suivant leurs préoccupations propres sans trop se centrer sur vous. Par contre, lorsqu'ils vous considèrent comme des menaces pour eux et qu'ils vous mettent en accusation, ayant envers vous cette attitude que vous ne voulez pas avoir envers eux, il devient difficile de les accepter. Autrement dit, il est aisé de ne pas être agressif, mais il est moins aisé de ne pas répondre à l'agressivité qu'on dirige contre vous. La menace devient tellement évidente qu'il est difficile de ne pas la considérer comme telle.

Comment arrive-t-on à ces attitudes d'acceptation qui ne sont ni rationnelles ni spontanées ? La doctrine rogérienne ne fournit aucune solution. Elle se contente de les préconiser.

La solution qui consiste à exprimer systématiquement tout ce qu'on pense et tout ce qu'on sent, sans discrimination, est la pire des solutions. Elle correspond à une certaine éthique qui se répand de plus en plus actuellement et qui valorise à outrance l'expression des sentiments, sans se préoccuper de l'accord avec autrui. L'expression des sentiments peut être la pire des choses si elle aboutit à augmenter les menaces et à manifester une hostilité qui ferait mieux de ne pas se manifester. La retenue et le silence peuvent aussi être des valeurs s'ils correspondent à un désir d'harmonie et d'entente.

Par contre, l'expression des sentiments et des états intérieurs commence à prendre une valeur positive si elle est faite dans un désir de négociation et d'apaisement, dans le but d'exprimer un conflit auquel on veut trouver une solution. Encore doit-elle se faire dans ce cas avec beaucoup de prudence et de circonspection.

Cette expression des sentiments devient la meilleure des choses et réellement le seul moyen de changer d'optique et de psychologie, quand elle est faite dans un but de communication, gratuite si l'on peut dire. C'est alors et alors seulement que l'autre change de visage et devient un partenaire et un compagnon après avoir été un étranger et un ennemi. Le pire est l'indifférence, car elle signifie l'absence de liens et d'implications. L'indifférence est la voie qui conduit à la haine, à la jalousie et à la violence. Nous retombons sur la communication, que nous abordions au début. Celle-ci est réellement la solution aux problèmes posés par les rapports humains. Elle seule permet d'arriver à l'empathie et l'acceptation inconditionnelle, qui apparaissent ainsi autant comme des effets que comme des conditions.

L'expérience de travail.

L'expérience que j'ai faite dans les groupes avec des gens qui m'étaient étrangers au départ et avec qui je n'avais pas de liens quotidiens s'est très vite accompagnée d'un autre type d'expérience, avec des gens auxquels j'étais lié par des liens de travail, de vie en commun, de partage de certains biens.

Cette expérience n'aurait rien été si elle s'était faite dans les groupes qu'on rencontre dans la vie courante, je veux dire des groupes fortement hiérarchisés, polarisés uniquement sur une certaine production, dirigés autoritairement. Ces groupes-là n'apportent pas grand-chose à leurs participants sinon l'expérience de la dépendance, de la frustration et de la méfiance.

Dès 1968, je m'efforce de créer avec des amis un nouveau type d'institution dans laquelle les responsabilités devaient être entièrement partagées, qui ne devait comporter aucun directeur en titre, qui allait fonctionner en auto-gestion, comme on dit. L'institution que nous créons ensemble s'appelle l'« Institut des Sciences de l'Éducation » et a pour but de proposer à la clientèle des expériences de groupes selon des formules variées. En 1970, je suis nommé officiellement professeur à la Faculté de Vincennes, après avoir été pendant douze ans au Centre National de Beaumont-sur-Oise où l'on forme des enseignants pour l'enfance inadaptée. A la faculté de Vincennes, le département des Sciences de l'Éducation auquel je m'intègre fonctionne selon une formule de participation poussée au moins au niveau du corps professoral.

Les difficultés rencontrées sont considérables. Des conflits et des désaccords surgissent, qui finissent avec le temps par être surmontés, grâce à l'amitié qui nous lie et qui nous permet de ne pas devenir des ennemis et de ne pas nous entre-dévorer. Je vérifie là ce que je disais plus haut, à savoir que la communication libre et gratuite sur le mode de l'amitié crée des liens qui ensuite permettent de surmonter les conflits. Cela ne se passe évidemment pas dans les institutions ordinaires, dans lesquelles les conflits très violents ne peuvent se résoudre à cause de l'éloignement des participants les uns vis-à-vis des autres. On en reste à un fonctionnement formel et bureau-cratique de peur que ces conflits ne surgissent et ne fassent éclater l'institution.

La plus grosse difficulté rencontrée n'est pourtant pas celle-là. Elle provient surtout du fait que les membres de ces institutions nouvelles investissent trop peu de temps et d'énergie en elles, à cause de leurs occupations ordinaires qui leur prennent la plus grande partie de leur temps et de leurs forces. Ils n'y viennent travailler que peu et manquent de loisirs pour assister aux innombrables réunions qu'on est obligé de faire pour faire fonctionner l'institution. On finit très vite par rencontrer des problèmes économiques, qui exigeraient le recours à des solutions audacieuses qui prendraient elles-mêmes beaucoup de temps pour être trouvées. L'institution entre en crise et finit par disparaître.

A travers ces mésaventures, j'apprends la modestie et la patience. Je me rends compte que, dans le monde où nous vivons, on ne peut pas espérer traduire dans la vie quotidienne toutes ses idées et ses aspirations. Si l'on est prêt soi-même, les autres ne le sont pas, et cela empêche d'avancer. Je me détourne de plus en plus du radicalisme et des positions extrémistes — gauchistes ou autres. Plus exactement, j'apprends à situer le radicalisme là où il doit être situé, c'est-à-dire au niveau de mes attitudes et non au niveau de mes attentes. J'apprends à ne dépendre que de moi-même, comme disaient les philosophes d'autrefois, et à n'attendre des autres que ce qu'ils peuvent donner et ce que je peux obtenir d'eux.

Dans la même ligne, j'acquiers la conviction que l'autogestion, que j'ai prônée dans mon livre *La pédagogie institutionnelle*, n'est pas pour aujourd'hui, car elle constitue un projet trop général, trop global pour pouvoir être réalisée rapidement. Je suis sûr qu'elle arrivera et que j'aurai contribué à son avènement. Mais je sais maintenant que cela demandera du temps.

L'engagement politique.

Une dernière influence qui a beaucoup contribué à l'évolution de ma personnalité est celle de mes engagements politiques ou d'une manière générale de toutes mes activités militantes.

Cela aussi est venu tardivement chez moi, comme tout ce dont je viens de parler. J'ai attendu l'âge de trente-cinq ans pour m'y mettre. Pratiquement, c'est mon retour à Paris, en 1958, après cinq années de province comme professeur de philosophie puis de psycho-pédagogie, qui a constitué le tournant important. C'est à ce moment que j'ai découvert la non-directivité, C. Rogers et que je me suis mis à écrire presque sans discontinuer.

Entre vingt-cinq et trente-cinq ans, c'est-à-dire durant les dix années qui ont suivi ma sortie de chez les Dominicains, non seulement j'ai abandonné la presque totalité des idées de ma famille et de mon milieu, mais j'ai évolué politiquement de plus en plus vers la gauche. J'ai même été tenté un moment par le parti communiste mais il m'a suffi de quelques réunions pour m'apercevoir que je n'avais pas envie de m'inféoder à cette nouvelle église.

Ce qui a déclenché mon entrée effective dans l'action politique est la guerre d'Algérie. J'ai senti à cette occasion que je ne pouvais plus rester inactif et je suis entré au P. S. U., qui m'apparaissait comme un parti nouveau, jeune, dynamique, moins rigide que les autres, avec des idées que j'approuvais pour la plupart.

En 1960, je me mets à militer activement au P. S. U. Je prends part aux nombreuses manifestations qui ont lieu pour mettre fin à la guerre d'Algérie. Je me bats. Je m'engage.

Je me sens solidaire de tous ceux qui souffrent et qui sont écrasés et exploités de par le monde. Cela est nouveau pour moi. Je sors de l'indifférence que j'avais jusqu'alors dans ce domaine et j'acquiers une sensibilité nouvelle, qui me surprend moi-même. Je me sens proche de ces Algériens qui luttent pour leur liberté et leur dignité. J'éprouve de la colère devant la dureté, la férocité froide et égoïste de la classe bourgeoise.

J'apprends aussi le courage physique, la détermination, la solidarité dans la lutte, toutes choses qui m'étaient assez étrangères jusque-là. La découverte de ces valeurs simples, un peu élémentaires, est importante pour moi qui ai tendance à me perdre dans l'intellectualité et la sophistication.

Cependant il y a beaucoup de choses qui ne me plaisent pas dans ce monde de la politique, choses auxquelles je deviens progressivement allergique, et qui amèneront ma sortie du P. S. U. En 1968, j'ai abandonné complètement toute activité militante après un court passage dans un parti néo-trotskyste, « Socialisme ou barbarie ».

Ce que je supporte mal dans le monde de la politique, c'est l'aspiration au Pouvoir qu'on y sent partout, même chez ceux qui combattent le Pouvoir actuel et qui veulent un nouveau type de société. Les magouillages électoraux, les intolérances dans les discussions, les haines entre personnes me dégoûtent et je ne peux les approuver.

L'aspiration au Pouvoir, le goût de l'autorité sont tels dans cet univers que cela se traduit au niveau des idées et des conceptions. Tout se ramène en définitive à la prise du Pouvoir et à l'affirmation, sans cesse répétée, qu'on ne peut rien changer sans une transformation globale de la société et sans un bouleversement révolutionnaire. Cela m'apparaît comme une erreur. Cette conception mécaniste des choses aboutit à nier l'autonomie des personnes et des groupes et à croire qu'ils ne sont jamais que des pièces dans une machine. Elle contredit les faits, qui ont largement prouvé, depuis cent cinquante ans, qu'il est possible d'opérer des changements substantiels et des progrès importants dans des sociétés aliénées, à condition naturellement de lutter sans cesse et de mettre en place des dispositifs qui protègent les avantages acquis. Je suis de plus en plus persuadé que le changement social passe par le changement en profondeur des individus, qui sont les vrais moteurs du système, et que le macro-social s'enracine dans le micro-social. Cela ne supprime pas la nécessité d'actions plus globales pour faire sauter certains verrous qui bloquent une société entière ou de très larges secteurs de celle-ci, mais ces actions globales, généralement accompagnées de violence, ne sont que des préparations, des préliminaires, des conditions et ne constituent en rien le changement social lui-même. Ils exigent, il est vrai, une action militante, à laquelle je ne veux pas consacrer ma vie. Ce n'est rien d'autre que l'acte d'un citoyen qui participe aux affaires publiques. Ce n'est en rien une activité de spécialiste.

Ces vues, que je me forge peu à peu, se confirment en 1968. Les transformations qui se produisent alors dans les mentalités et dans les institutions, et qui sont considérables, s'accompagnent d'un échec dans la tentative de prise du Pouvoir. Cet échec, loin de devoir être déploré, est une excellente chose. Qu'est-ce que la Gauche aurait fait du pouvoir si elle l'avait pris?

L'évolution que je suis en train de décrire et qui rejoint celle que j'ai déjà décrite dans le paragraphe précédent m'amène à rejeter de plus en plus toutes les formes de messianisme, quelles que soient leur origine et leur visée. Toutes ces doctrines ne font en effet rien d'autre que de promettre à l'homme le salut comme une chose qui viendrait d'ailleurs, qui surviendrait un beau jour et qu'on pourrait dater dans un nouveau calendrier. J'acquiers la conviction que le salut de l'homme est en lui-même et qu'il ne peut s'en remettre en définitive qu'à lui seul. On peut naturellement l'aider, et cette aide résulte, il est vrai, d'un dispositif institutionnel, mais elle n'a de valeur à son tour que dans l'acte même de la personne qui demeure le seul facteur instituant.

CHAPITRE II

MON EXPÉRIENCE D'ANIMATEUR

La psycho-sociologie.

Je reviens maintenant à un sujet plus directement lié au thème de ce livre : mon expérience d'animateur.

Cette expérience a été fortement influencée par mes conceptions sur l'animation et d'une manière générale sur la psycho-sociologie, dont il faut que je parle dans un premier temps.

Quand je rencontre la Psycho-sociologie, vers 1958, grâce à Georges Lapassade et à Claude Faucheux, celle-ci m'apparaît sous les formes qu'elle avait à cette époque, et qu'elle a quelque peu abandonnées depuis, c'est-à-dire très centrée sur les petits groupes et sur les relations interpersonnelles.

La conception qu'on se faisait de la formation en groupe à cette époque acceptait deux principes, qu'on considérait comme quasiment intangibles. Le premier était que le groupe ne devait pas dépasser 12 à 15 personnes, le second était qu'il devait rester identique du point de vue de sa composition tout au cours de son évolution. On n'admettait pas en effet que des participants puissent y rentrer ou en sortir et on était très ferme sur les horaires et sur le découpage du temps. En réalité ces deux principes procédaient eux-mêmes d'une idée sous-jacente, concernant le pouvoir des participants. Ce pouvoir, qu'on acceptait à l'intérieur du groupe, était refusé à l'extérieur. On n'imaginait pas que les participants puissent avoir un droit de décision quelconque par rapport à la composition du groupe, à sa durée, à la succession des séances, au choix de l'animateur, etc., autrement dit par rapport à l'institution même qui organisait et proposait ce groupe. Ils étaient

cantonnés dans leurs petits groupes. Leur liberté s'arrêtait
aux limites du goupe.

Le premier à avoir réagi contre cet *a priori* rigide et limi-
tatif est Georges Lapassade. Il en fait, dès 1958, une critique
de type politique, tendant à montrer que cette conception,
d'inspiration américaine, vise en fait à empêcher les participants d'avoir un pouvoir institutionnel et aboutit à neutraliser l'impact de la psycho-sociologie sur les structures sociales.
Elle a pour but de faire progresser les participants dans leurs
rapports avec les personnes mais non avec les institutions.
Elle a des visées récupératrices, dans la mesure où elle cherche
à assurer un meilleur fonctionnement des groupes existants,
sans remettre en question leur existence, leur rôle et leur
insertion dans la structure sociale globale.

Avec la violence qui le caractérise, Georges Lapassade
propose un nouveau fonctionnement des organismes psycho-
sociologiques consistant à permettre aux participants d'orga-
niser eux-mêmes les groupes dont ils feraient partie, de prévoir
leur durée, etc. Cela revenait à introduire dans la psycho-
sociologie la notion d'auto-gestion. La pratique auto-gestion-
naire se précise à travers les expériences successives faites à
Royaumont entre 1958 et 1965 et surtout à travers un certain
nombre d'expériences cruciales faites en 1968.

Je participe, pour ma part, à ce mouvement d'une part
en analysant au niveau théorique la notion d'auto-gestion à
travers mon ouvrage *La Pédagogie institutionnelle*, paru en
1965, et d'autre part en proposant d'introduire l'idée institutionnelle dans l'école elle-même et dans le fonctionnement de
l'école. Cela revenait à étendre cette idée, car la pratique auto-
gestionnaire dans l'école ne concerne plus seulement des
activités comme celles du « groupe de diagnostic », mais toutes
les activités de formation pour lesquelles un nouveau modèle
se trouve proposé.

Les idées d'auto-gestion et de pédagogie institutionnelle
ont fait leur chemin et ont rencontré un succès croissant,
puisque même l'UNESCO a fait de la « Pédagogie institutionnelle » sa doctrine officielle en Espagne entre 1968 et
1973. Pour ma part, c'est d'abord dans ma pratique scolaire
que je l'ai fait passer jusqu'en 1969 quand j'étais professeur
à Beaumont-sur-Oise, et ensuite dans ma pratique psycho-

sociologique, à l'Université de Vincennes après 1969, en faisant systématiquement des expériences de « grands groupes ».

Ces dernières expériences méritent d'être précisées car elles constituent en fait une révolution dans la psycho-sociologie. Elles consistent, pour le psycho-sociologue, à accepter de travailler avec un grand groupe, ce qui ne veut pas dire seulement à favoriser les mêmes phénomènes que ceux qui pourraient se passer dans un petit groupe, mais à permettre aux grands groupes de devenir un lieu instituant dans lequel on décide de la division du groupe, de son histoire, de sa durée, de sa vie. Nous avons multiplié les expériences à Vincennes à partir de 1969.

Cette évolution vers une conception institutionnelle a chez moi des racines spécifiques et n'a pas la même origine que par exemple chez Georges Lapassade. Chez ce dernier, la conception institutionnelle procède d'une volonté systématique d'agitation et de contestation. Elle vise à perturber les institutions sociales, à provoquer des crises, à susciter des conflits. Georges Lapassade est plus intéressé par la révolte contre l'autorité que par son abolition radicale ; c'est pourquoi il évolue maintenant vers une exaltation de l' « analyse institutionnelle » promue au rang de moyen privilégié pour dénoncer et attaquer les hiérarchies et les structures. Il n'est donc pas très éloigné de certaines conceptions anarchistes ou des doctrines de Gérard Mendel, dans le sens de la socio-psychanalyse.

Chez moi au contraire l'idée institutionnelle procède directement de l'idée non-directive. Mon but n'est pas de favoriser la contre-dépendance et l'émergence des conflits, ce que fait Georges Lapassade, et ce qui aboutit à mon sens à un durcissement des positions et à une élévation de l'anxiété — cause de toutes les régressions —, mais de permettre aux gens de découvrir le besoin d'agir à un niveau global et les moyens pour le faire. Cela ne peut être obtenu, à mon avis, que par des expériences non-directives très poussées dans lesquelles les gens ont le pouvoir de prendre des décisions qui engagent des groupes entiers et des institutions, peuvent prendre des initiatives importantes, apprennent le sens des responsabilités. Cela ne peut se faire que dans un millieu conçu spécialement pour la formation et relativement protégé.

Une conséquence de cela, c'est que je me méfie de plus en plus des interventions sur des institutions réelles, qui ne consistent pas à sortir les gens de leur cadre pour leur permettre de se rencontrer autrement, mais qui visent seulement à l'analyse des conflits et des problèmes en suspens. Le résultat n'est le plus souvent ni la découverte de solutions, ni l'acquisition d'un surcroît de pouvoir (comme le croit G. Mendel), mais un accroissement considérable de l'hostilité, de la méfiance et même de la fermeture. La solution des conflits ne passe pas par un approfondissement de ces conflits mais par la découverte, chez les gens, de nouvelles attitudes, découverte qui ne peut se faire que dans un autre contexte.

Bataille sur un autre front.

Le front institutionnel, que je viens d'évoquer, n'est pas le seul sur lequel nous ayons eu à nous battre. Il en est un autre, qu'on pourrait situer à droite et non plus à gauche, sur lequel nous avons aussi livré des luttes. Je veux parler de la psychologie dite des profondeurs, où nous avons rencontré la psychanalyse et les psychanalystes.

L'affrontement avec la psychanalyse et les psychanalystes s'est produit au moins de trois façons différentes. Tout d'abord sur le plan de la théorie : notre rogérisme ne collait pas avec les conceptions psychanalytiques et nous étions amenés à critiquer celles-ci. Ensuite, sur le plan de la pratique proprement dite, les méthodes psychanalytiques venaient sans cesse contaminer l'animation de groupe et l'empêchaient d'être authentiquement non-directive. Enfin, sur un plan social, si l'on peut dire, les psychanalystes nous faisaient sentir leur mépris et le peu de cas qu'ils faisaient des expériences de groupe, considérées par eux comme de gentils amusements sans conséquence.

Au plan théorique, nous ne pouvons pas ne pas considérer la psychanalyse comme une invention géniale et révolutionnaire. L'idée non-directive vient d'elle. Freud a eu l'audace d'admettre qu'on pouvait laisser un patient galoper à son gré dans l'univers de ses fantasmes, avec une totale liberté et même en l'aidant à le faire, et que cela pouvait être profitable pour lui. Il a lancé cette idée à une époque où l'on ne concevait rien d'autre, en fait de thérapie, que les plus savantes et diaboliques manipulations, centrées sur l'hypnose, la suggestion, la magnétisation, et autres choses du même genre. Il est vrai que ce n'est pas Freud qui a eu cette idée. C'est Breuer, quand il a découvert par hasard la « talking cure » avec Anna O... Mais peu importe : Freud a repris la méthode et l'a développée, en la débarrassant très vite de ses oripeaux hypnotiques et autres.

Malheureusement nous ne pouvons pas être d'accord sur le but que Freud assigne à ce voyage, à ce « trip » merveilleux. Il ne s'agit ni plus ni moins pour lui que d'arriver à une condamnation et finalement à une destruction de toute une partie de nous-même, jugée archaïque, inadaptée et névrosante. Cette partie qu'il s'agit de ramener à la conscience, donc de connaître, au sens plein du mot, afin de la liquider, c'est notre sexualité infantile, les pulsions venues de l'enfance, le complexe d'Œdipe. Il faut retrouver l'enfance certes, mais pour s'en libérer.

Freud, on le sait, pensait que la sexualité infantile, refoulée dans l'inconscient sous la pression des censures sociales, était la vraie cause, la seule cause de la névrose, du fait que cette sexualité se transmuait pour ainsi dire, au niveau des contenus manifestes, en phobies, obsessions, angoisse, fantasmes de mort, rêves pathologiques, tics, etc., qui n'avaient plus rien de sexuel en apparence mais qui l'étaient en réalité (au niveau des contenus latents). D'où sa formule de *Trois essais sur la théorie de la sexualité* qui résume toute sa pensée : « La névrose est le négatif de la perversion. » L'enfant, qui est pervers par définition, du fait de son auto-érotisme, risque de demeurer dans l'adulte, qu'il rend à son tour pervers ou plus exactement névrosé, lorsqu'il arrive à celui-ci de vouloir refouler cette perversion. L'enfant fait le malheur de l'adulte.

Posons une question qui n'est presque jamais posée bien qu'elle constitue la question fondamentale. Reich est un des seuls à l'avoir posée. Pourquoi cet acharnement de Freud contre une sexualité dite œdipienne qui ne se traduit qu'exceptionnellement en conduites sexuelles manifestes (il est rarissime qu'un fils fasse l'amour avec sa mère), qui s'exprime surtout par de la tendresse, des caresses, de l'attachement et qui n'a pas cessé d'être condamnée et recondamnée par la morale universelle sous la forme de la prohibition de l'inceste?

La réponse ne fait aucun doute et je la donne sans hésiter. C'est que Freud était, comme tous les savants de son époque, obsédé par les perversions sexuelles dans lesquelles il voyait le mal par excellence, perversions qu'il expliquait, avec raison, par une tendance à l'auto-érotisme. Bien loin de voir, dans ces perversions, un enrichissement de la sexualité, il y voyait une déviation, et il était, ce faisant, en accord avec la morale traditionnelle, à qui il apportait des arguments psychologiques soi-disant scientifiques.

Je ne discuterai pas maintenant, au plan théorique, cette doctrine freudienne qui me paraît une erreur, réservant cela pour un autre chapitre. Je me contenterai de dire pour l'instant que je suis d'un avis diamétralement opposé. Je pense, à l'envers de Freud, que la cause de la névrose n'est pas le développement excessif de la sexualité infantile mais au contraire son insuffisance due aux répressions sociales diverses (qui ne peuvent en aucune manière être justifiées par le « Principe de réalité »). En conséquence, je suis persuadé que la guérison des névroses ne peut être obtenue que par un retour à la sexualité infantile et un approfondissement des valeurs de tendresse, de sensualité, de plaisir qu'elle véhicule. Le problème du névrosé ne réside pas dans les désirs refoulés qu'il a pour sa mère, mais au contraire dans son absence de désir, dans le fait qu'il n'arrive pas à voir dans sa mère un objet sexuel, à cause du respect que celle-ci lui impose, de l'image pure de « mère immaculée » qu'elle lui a continuellement offerte, des attitudes castratrices qu'elle a eues envers lui. S'il pouvait retrouver ses attitudes d'enfant envers la sexualité qu'il considère trop comme une fonction biologique (faire des enfants) ou comme une fonction sociale (le mariage), s'il pouvait démystifier cette mère pour laquelle il a probablement un attachement à base de crainte, de soumission et d'idéalisation, et s'il pouvait la considérer simplement comme une femme et retrouver les désirs secrets qu'il a eus pour elle, il sortirait enfin de sa névrose.

Toutes ces choses que je propose pour guérir le névrosé sont effectivement réalisées dans la cure psychanalytique, et cela constitue un paradoxe, car la cure psychanalytique le fait sans le savoir et sans le vouloir. Elle croit délivrer le patient de ses désirs infantiles alors qu'elle l'y replonge. Elle croit le sortir de son complexe d'Œdipe alors qu'elle le lui insuffle. Elle croit lui éviter la régression alors qu'elle la lui permet. Elle soigne efficacement avec une théorie qui contredit sa pratique et malgré cette théorie. Bien plus, elle voit dans le « transfert » du client sur le psychanalyste la résurgence (projection) de sentiments qui n'ont peut-être jamais existé, alors qu'il s'agit en fait de la découverte de sentiments nouveaux, inconnus pour une personne qui a des attitudes d'accueil et d'attention qui n'ont jamais été expérimentées. Ces sentiments nouveaux permettent précisément le retour à l'enfance (à une enfance qui n'est plus interdite), ce qui constitue le facteur curatif.

Le fait que la théorie psychanalytique soit fausse, malgré les problèmes qu'elle a posés et malgré le fait qu'elle a réhabilité la sexualité, n'est malheureusement pas sans conséquences pratiques. Le psychanalyste qui voit derrière toutes les paroles de son client des pulsions précises et l'influence d'événements de son enfance, que celui-ci doit à tout prix retrouver, ne peut qu'interpréter ces paroles à partir de sa « construction » à lui, comme l'appelle Freud, que le client ignore, puisqu'elle ne vient pas de lui et puisqu'il est censé ne pas en avoir conscience. Cela crée entre le psychanalyste et le client un malentendu qu'on pourrait qualifier de structural. Le client a l'impression que le psychanalyste veut lui imposer sa construction et sent, avec raison, que le psychanalyste n'est pas vraiment attentif à ce qu'il dit, dans les termes où il le dit et avec les sentiments qui l'habitent actuellement. Ce malentendu ralentit les effets de l'analyse et explique sans aucun doute que celle-ci puisse durer des années et des années sans produire d'effets notables.

Le problème est ici, comme dans le secteur institutionnel, d'introduire une authentique non-directivité. C'est ce qu'a essayé de faire Carl Rogers. La méthode qu'il préconise, qui consiste dans une écoute totale qui se manifeste comme telle (attitude de miroir qui parle), permet d'éviter les inconvénients de la conduite interprétative. Le client se sent suivi et accepté, d'une part parce qu'il ne se heurte pas au silence du thérapeute et d'autre part parce qu'il ne sent pas chez lui de construction a priori concernant le matériel qu'il apporte.

La doctrine rogérienne n'a eu malheureusement qu'une faible influence sur les animateurs de groupe. Ceux-ci, beaucoup plus impressionnés par le prestige des dogmes psychanalytiques, essaient d'imiter les psychanalystes et jouent comme eux aux mages interprétateurs. Ils prennent souvent une attitude d' « oiseaux empaillés » qui émettent de temps en temps — rarement — des sortes d'oracles, qui prétendent apporter la vérité sur la situation présente. Cette attitude pleine de morgue et de suffisance d'une part ne rassure pas les participants qui se sentent jugés et observés, et d'autre part provoque chez eux anxiété et agressivité.

Il est difficile de lutter contre de telles tendances étant donné le succès de la psychanalyse dans les milieux psychologiques et la manière dont elle traite tout ce qui lui est étranger. A elle, les profondeurs de l'homme, les mystères de l'inconscient ; les autres n'ont droit qu'à des broutilles sans importance. Cela est exprimé explicitement par D. Anzieu dans un de ses derniers ouvrages ; nous y reviendrons. A cet élément, il faut en ajouter un autre, à savoir la tendance des intellectuels à notre époque à se ranger derrière une doctrine comme derrière un drapeau et à classer tout le monde en fonction d'une étiquette doctrinale qu'on lui met sur le dos : marxiste, freudien, etc. Le freudisme ne peut donc être considéré comme un corps d'hypothèses, encore discutables et à vérifier, mais sans cesse présenté comme un dogme intangible qu'il faut prendre tout entier ou pas du tout, sous peine de passer pour un affreux incroyant. Il perd du même coup sa portée scientifique et devient tout simplement un credo. Le fait qu'on puisse, comme c'est mon cas, « faire une psychanalyse » et mettre en doute une bonne partie des « vérités psychanalytiques » paraît absurde et confiner à la mauvaise foi.

Plus récemment, sur le front du corporel et de l'instinctuel, que nous avons opposés tout à l'heure au front du politique, on a vu apparaître de nouvelles pratiques, d'origine américaine, qui jettent par dessus bord complètement et sans scrupule la non-directivité. Il s'agit de ces pratiques élaborées en Californie et spécialement à Esallen, qui s'appellent « bioénergie », « gestalt therapy », « groupe de rencontre », etc. Contrairement à ce qui se passe pour la psychanalyse qui offre une pratique valable avec une théorie fausse, il me semble que c'est maintenant la pratique qui est contestable avec une théorie souvent juste et acceptable, au moins sur un certain plan. Les conceptions de Reich ou de Pearl qui sous-tendent ces pratiques sont en effet souvent plus justes à mon sens que les conceptions freudiennes, qu'elles critiquent d'ailleurs avec raison. Malheureusement elles admettent, en même temps, certains postulats antérieurs à Freud et que Breuer avait fait siens dans sa doctrine de l'ab-réaction, en particulier que le psychisme est un réservoir d'émotions, d'affects et de pulsions qui ont besoin de se déverser à l'extérieur pour que le sujet puisse s'en libérer. Cette idée parfaitement mécaniste, qu'on trouve aussi chez Henri Wallon, représente la vie affective comme une simple masse d'énergie qu'il s'agit de « déverser » à l'extérieur, sans que le sens et la signification de cette extériorisation soient jamais considérés. On fait fi des découvertes les plus importantes de la psychologie moderne depuis William James concernant la vie affective, et en particulier de cette vérité que l'émotion est de nature centripète (ce que Sartre aussi avait découvert dans son « esquisse d'une théorie des émotions »). Cela signifie que le sentiment se nourrit de l'émotion et se renforce par elle, ou encore, comme le dit W. James, qu'on est triste parce qu'on pleure autant qu'on pleure parce qu'on est triste. Déclencher l'émotion par des procédés divers n'amène pas à se libérer, comme on le croit, du sentiment correspondant, mais au contraire à s'y enfoncer. Même si les larmes libèrent apparemment de la tension qui pousse à pleurer, elles renforcent en réalité la tristesse et l'anxiété. Alain avait très bien vu cela et l'avait analysé dans ses *Propos sur le bonheur*.

Ces pratiques dites californiennes visent donc, en premier lieu, à provoquer, par des techniques très efficaces et puissamment manipulatrices, des attitudes corporelles, des expressions émotionnelles, telles que cris, pleurs, appels, violences, etc., des impressions physiques. Les participants qui « jouent le jeu » et qui se soumettent à cette espèce de viol psychologique, ramènent à la surface d'eux-mêmes leurs pulsions et leurs affects les plus profonds, ce qui ne fait que les enfoncer dans leurs angoisses et leurs problèmes, comme je l'ai observé. Ils ressentent certes un soulagement passager, qui s'explique par la tendance de toute pulsion à s'actualiser, mais n'évoluent pas vers la paix et l'équilibre, bien au contraire.

Ces techniques ont le mérite de poser le problème de l'expression corporelle et émotionnelle dans la thérapie et l'animation de groupe. Il est évident que la capacité à s'exprimer est en soi une bonne chose et prouve de bonnes relations avec son corps, de même que l'expression elle-même permet la communication avec soi-même et avec autrui. Toutefois l'expression ne peut jamais être considérée comme une fin en soi. Elle peut être la meilleure des choses si elle procède d'une négociation du sujet avec lui-même et d'un choix conscient de sa part. Elle peut être la pire des choses si elle résulte d'une violence venue de l'extérieur, même si c'est une violence qu'il accepte pour une raison ou pour une autre. L'angoisse n'a jamais intérêt à s'exprimer, sauf si elle est supportable pour le sujet qui l'exprime et si elle devient la matière d'une expérience positive. Tout forcing du thérapeute et de l'animateur pour la faire sortir peut aboutir aux conséquences les plus désastreuses, même si c'est fait avec les meilleures intentions. L'angoisse ne se résout pas en « sortant. »

Une de mes préoccupations actuelles est d'introduire dans les groupes des possibilités d'expression corporelle et émotionnelle, sans jamais constituer un forcing, mais en permettant aux participants de les utiliser comme il leur plaît. Une expérience de groupe à point de départ corporel, que j'ai faite cette année (1973) au château de Mons, m'a montré que cela est possible.

Mon apprentissage d'animateur.

Je reviens au sujet qui m'occupe principalement dans ce chapitre : mon expérience d'animateur

Il ne suffisait pas que j'aie des conceptions qui m'apparaissaient valables de l'animation. Il fallait que je les mette en pratique. Il fallait que j'apprenne à devenir un animateur non-directif et un bon animateur. Comment s'est fait cet apprentissage ?

Un problème apparaît ici. Ai-je appris l'animation en étant participant dans des groupes ou en faisant de l'animation ? Beaucoup de spécialistes affirment actuellement qu'un animateur n'apprend son métier que lorsqu'il est participant de groupe. Je crois qu'il apprend son métier surtout lorsqu'il fait de l'animation. Les conduites qu'il adopte alors sont des conduites spécifiques qui peuvent s'apprendre et que je qualifierai de conduites d'aide. Elles ne découlent pas directement et sans transition des attitudes fondamentales acquises dans l'expérience des groupes.

Et cependant ces conduites présupposent lesdites attitudes fondamentales, ou du moins qu'on les adopte au moment où l'on fait de l'animation. Il s'agit donc de les développer en soi, et cela se fait surtout à travers l'expérience des groupes vécus comme participant. Cela dit, il ne faut pas être rigide et croire, comme le croient certains, qu'il est nécessaire d'avoir un très haut niveau d'empathie et d'acceptation personnelles pour pouvoir devenir animateur de groupe. Il faut surtout, pour y parvenir, vouloir être un animateur valable et efficace et être capable de mettre en jeu les attitudes favorables dans cette situation précise. Dans ce genre de situation, de telles attitudes sont heureusement plus faciles à pratiquer étant donné l'espèce de protection dont jouit l'animateur.

J'ai donc appris mon métier d'animateur autant dans les expériences de groupes vécues comme participant que dans la pratique de l'animation elle-même. Les premières m'ont permis d'acquérir certaines attitudes fondamentales qui dépassent le cadre de l'animation et qui sont valables dans toute la vie. La seconde a aussi contribué à l'acquisition de ces attitudes fondamentales, mais m'a surtout permis d'apprendre les conduites spécifiques qui caractérisent l'animation.

Il est peut-être utile de définir ces conduites spécifiques, au moins d'une manière générale, car j'y reviendrai dans un chapitre spécial concernant les méthodes d'animation.

Ces conduites spécifiques, je les regrouperai sous trois chefs, à savoir : centration sur le groupe, rejet du transfert et transparence institutionnelle.

1. Centration sur le groupe. La chose la plus difficile quand on anime un groupe est de se transformer en radar qui perçoit tout ce qui se passe dans le groupe, les sentiments exprimés ou non exprimés et surtout les désirs réels des membres du

groupe. En ce qui concerne ces derniers, ils sont souvent camouflés derrières les « demandes » qui peuvent dans certains cas exprimer les désirs réels, mais qui peuvent aussi dans d'autres cas les masquer et les trahir. Les demandes en effet sont des actes extérieurs qui sont soumis aux pressions du groupe lui-même ou des institutions externes. Par exemple, un participant peut demander quelque chose de précis à l'animateur — qu'il fasse des exposés par exemple — sans que cela corresponde en rien à son désir. Il s'agit seulement pour lui de se rassurer, et le désir qu'il exprime est de se rassurer. Le problème pour l'animateur est d'une part de chercher le vrai désir du participant, et d'autre part de savoir comment le rassurer. Les deux solutions extrêmes à éviter sont d'un côté de répondre exactement à la demande, par une espèce de soumission aveugle, et de l'autre de ne pas chercher à rassurer, sous prétexte que l'anxiété peut être une bonne chose. Dans les deux cas on aboutit à la frustration du participant et celle-ci ne peut pas à mon sens être une chose positive. Je ne crois pas à l'éducation par la frustration pour des raisons que j'ai exposées ailleurs (*Priorité à l'Éducation*).

Les désirs des participants peuvent se situer à deux niveaux, à savoir au niveau des buts poursuivis ou au niveau des procédures et des actions particulières. Il est important de s'adapter aux désirs des participants à ces deux niveaux, c'est-à-dire d'accepter les finalités qu'ils se proposent, mais aussi les démarches spécifiques qu'ils souhaitent adopter pour atteindre ces finalités. Beaucoup d'animateurs, soucieux d'auto-gestion et d'autonomie institutionnelle, sont surtout centrés sur les buts poursuivis par les participants et acceptent ces buts, mais deviennent directifs quand il s'agit de les réaliser, sous prétexte d'efficacité. Ils n'aboutissent qu'à produire l'ennui et le désintérêt chez les participants, même s'ils les sécurisent. Cela se passe chez beaucoup d'enseignants qui demandent aux élèves ce qu'ils veulent faire mais qui ensuite les contraignent à des tâches qui ne les concernent pas. Inversement, d'autres animateurs n'acceptent pas les buts des participants, à cause des exigences institutionnelles, mais essayent de les satisfaire par le rythme de travail, la manière d'aborder les sujets, le matériel utilisé. Cela ne suffit pas à impliquer vraiment les participants — enfants ou adultes —

dans leurs activités. L'essentiel, c'est-à-dire la motivation profonde, fait défaut et rien ne peut la remplacer. L'idéal est de combiner les deux, à savoir la non-directivité au niveau des fins et au niveau des moyens.

La non-directivité n'est qu'une condition de l'animation, qui permet d'éviter les relations de contrainte. Par elle-même, l'animation ne consiste pas à observer ou à se situer en marge du groupe ; elle consiste à intervenir. Les interventions de l'animateur définissent l'animation et assurent son influence, qui est indispensable, et qui ne le rend ni manipulateur ni autoritaire (sauf si l'on décrète a priori que toute influence est manipulation). Je reviendrai au chapitre des méthodes sur ce problème des interventions, qui exige de longs développements. Pour l'instant, j'insiste seulement sur le fait que ces interventions sont toujours au service des désirs des membres du groupe. Cela demande de la part de l'animateur une grande souplesse et une grande imagination. Il doit en effet posséder une gamme très étendue d'interventions possibles et les adapter aux circonstances. Autre chose est de répondre aux désirs d'un groupe qui cherche seulement à réaliser une communication entre ses membres, autre chose de répondre aux désirs d'un groupe qui veut travailler et produire quelque chose.

Cette centration de l'animateur sur le groupe exige de sa part un grand désintéressement et un oubli de ses propres désirs ou de ses propres volontés concernant le groupe. Cela ne signifie pas qu'il renie tous ses désirs, bien au contraire, mais qu'il exprime seulement, au moment où il anime, son désir d'animer et d'aider les participants. Ce désir est aussi un désir authentique. S'il n'existe pas chez l'animateur, il vaut mieux qu'il fasse un autre métier.

2. Rejet du transfert. On use et on abuse de ce terme de transfert dans le jargon psychanalytique. En fait, il recouvre des réalités très différentes et quasiment opposées. Il connote toute une série de désirs et de pulsions que les psychanalystes ont valorisés à l'excès, à savoir les désirs et pulsions projectifs. Ils entendent par là des affects qui s'adressaient initialement à une personne ou à une catégorie de personnes — par exemple le père et la mère — et qui sont collés, accrochés pour ainsi dire comme à un porte-manteau à une autre personne, qui n'a que peu de rapports avec les premières. Le mécanisme

de projection est mal connu, et il est difficile d'admettre qu'on puisse attribuer purement et simplement à un individu des caractéristiques attirantes ou repoussantes, sans que cela ait aucun rapport avec lui. En réalité, il s'agit très probablement plutôt d'une généralisation affective qui résulte, comme je l'ai montré ailleurs, de l'angoisse (cf. *Pour ou contre l'autorité*). L'individu qui se livre à des projections est ultrasensible à certains éléments de situation très répandus et donc très généraux, qui déclenchent en lui presque automatiquement des réactions de défense, telles que peur, agression, fuite, hostilité, dépendance, etc. Il ne réagit pas au psychanalyste par exemple en fonction de ce qu'est celui-ci dans sa singularité, mais en fonction de certaines caractéristiques très extérieures de celui-ci tels que statut social, âge, apparence physique, manière de parler, niveau économique, etc. L'assimilation à une personne qui possédait initialement les caractères déclencheurs est un phénomène second qui ne se produit d'ailleurs pas toujours.

J'appellerai transfert proprement dit le phénomène que je viens de décrire, auquel j'opposerai un autre type de réaction psychologique, de nature totalement opposée, dans la mesure où il ne s'agit plus en aucune manière de réaction stéréotypée à des stimuli anciens et bien connus, mais au contraire de réaction nouvelle à une situation nouvelle. Le sujet fait l'expérience, pour la première fois, d'attitudes chez l'autre qu'il n'avait jamais rencontrées ; par exemple de l'attitude empathique et accueillante du thérapeute ou de l'animateur. Ces attitudes chez l'autre étant adaptées à l'interlocuteur et centrées sur lui sont spécifiques et singularisées. L'individu qui en fait l'expérience s'attache très fortement à celui chez qui il constate ces attitudes et conçoit pour lui un véritable amour. Cet attachement est positif puisqu'il permet, comme je le montrerai, une ré-évaluation du matériel amené au jour au cours des séances. Il ne s'agit plus du tout dans ce cas d'un transfert, sinon par un usage abusif de ce terme.

Si on parle du transfert proprement dit, il se produit souvent dans les groupes à l'égard de l'animateur ou à l'égard du groupe lui-même, et constitue un des obstacles les plus importants au progrès des participants. Ceux-ci réagissent à des éléments tout à fait secondaires chez l'animateur, par exemple à sa situation d'observateur, où à son statut social, ou à son apparence physique et en conçoivent une forte agressivité, ou une forte dépendance. Ils se sentent menacés par l'animateur qu'ils assimilent à des personnages qui n'ont rien à voir avec lui et à qui ils attribuent un pouvoir et une puissance qu'il ne possède pas. Ils ont donc du mal à vivre la situation dans sa singularité et cela les rigidifie dans des positions stéréotypées qui les empêchent de profiter de cette situation.

J'ai été souvent l'objet, dans les groupes, de telles projections, et j'ai souvent été embarrassé par elles, ne sachant pas comment y répondre. La riposte que j'ai fini par découvrir et qui me paraît la seule adaptée consiste à accentuer au maximum mes attitudes de compréhension et d'ouverture, afin que les participants en aient pour ainsi dire l'évidence. J'essaie de neutraliser le transfert en faisant émerger les attitudes contraires que j'ai précisément décrites. Il faut du temps pour cela, mais j'y arrive dans la plupart des cas.

J'ai souvent vu des animateurs terriblement embarrassés par ces projections et y répondant par l'hostilité et la froideur, ou au contraire des animateurs ravis de les voir émerger et les entretenant à plaisir. Ces deux attitudes me paraissent fausses et je les évite le plus possible.

3. La transparence institutionnelle. Un des grand problèmes de l'animation, que j'ai souvent rencontré dans ma carrière, résulte du fait que l'animateur, et le groupe à travers lui, subissent des contraintes institutionnelles qui limitent leurs possibilités.

Ces limitations peuvent être de nature diverse. Une première forme consiste dans le rôle social que l'institution attribue à l'animateur et qui ne lui permet qu'un certain type d'interventions, par exemple des interventions centrées sur des tâches ou consistant à transmettre certaines informations. Une autre forme consiste dans les contraintes de temps, de lieu, de moyens matériels que l'institution impose à l'animateur et qui diminuent son efficacité. Par exemple, il ne peut voir son groupe que quelques heures par semaine, ou encore il n'est pas assez payé pour pouvoir se consacrer suffisamment à son groupe, etc. Une troisième forme consiste dans les contraintes de sécurité qui empêchent l'animateur de donner assez de liberté à son groupe et qui l'obligent par exemple à interdire certains passages à l'acte, certains déplacements, certaines manifestations. La pire les limitations est celle qui résulte de l'interdiction d'utiliser des méthodes non-directives, qui oblige l'animateur à biaiser, à se camoufler, à mentir pour pouvoir y arriver.

Dans tous ces cas, que j'ai tous rencontrés à un moment ou à un autre, le problème est de savoir comment on peut ne pas apparaître comme imposant soi-même ces limitations et donc comme un agent de l'autorité, ce qui aboutit à neutraliser très vite l'action qu'on veut avoir. La solution que j'ai découverte et que j'ai constamment pratiquée consiste à me désolidariser de l'institution et à lui renvoyer la responsabilité des limitations qu'elle impose. J'établis ainsi une connivence avec le groupe qui me perçoit comme étant avec lui et victime comme lui des abus institutionnels. J'analyse devant lui et avec lui les contraintes existantes et nous voyons ensemble ce que nous pouvons faire contre elles.

Cela ne m'empêche pas de faire par ailleurs une action militante visant au changement institutionnel. Cette action peut se faire à la rigueur avec les membres du groupe. Cependant il ne s'agit plus dans ce cas-là d'animation.

Les cadres de mon animation.

Je fais de l'animation depuis environ quinze ans, c'est-à-dire depuis 1958. Mon activité d'animateur s'est déroulée dans toutes sortes de cadres : institut de formation d'enseignants pour l'enfance inadaptée à Beaumont-sur-Oise, organismes privés spécialisés dans l'action psycho-sociologique, pour lesquels je travaillais et par lesquels je suis rétribué (I. F. E. P. P. tout spécialement), organisme que j'avais fondé en 1968 avec des amis et qui était notre organisme — l' « Institut des Sciences de l'Éducation » —, organisme international comme l'U. N. E. S. C. O., et enfin Faculté de Vincennes (Paris VIII) où je suis officiellement professeur depuis 1970. Mon expérience d'animateur varie naturellement avec le cadre dans lequel je me situe. En gros, je peux dire que les expériences les plus poussées et les plus novatrices que j'ai pu faire se sont situées soit dans le cadre de l'Institut des Sciences de l'Éducation, où nous avons multiplié les expériences de grand groupe, d'auto-gestion, de « boîte blanche » (réunions entre les animateurs ouvertes aux participants), de marathon, etc., soit dans le cadre de la Faculté de Vincennes où le public très particulier (étudiants remuants et contestataires) et les conditions de travail difficiles nous ont posé des problèmes délicats qu'il était intéressant de résoudre.

C'est à la Faculté de Vincennes que nous avons mis au point, mes collègues psycho-sociologues et moi, une formule de groupe qui nous satisfait assez. Nous proposons aux étudiants une série de 12 séances sur une période de 12 semaines, à raison de six heures d'affilée chaque semaine. Nous ajoutons à cet ensemble un marathon qui dure en général 24 heures de suite. Nous commençons aussi le semestre par une séance de grand groupe de deux jours qui réunit ensemble tous les groupes et tous les animateurs.

Le problème le plus délicat est celui de la validation offi-cielle de cette activité qui est censée donner un « crédit » (U. V.) qui peut s'intégrer dans une licence. La formule que j'ai adoptée consiste à donner le crédit à tout étudiant qui m'en fait la demande par une lettre personnelle. Je n'ai jamais rencontré de tricheur, à mon grand étonnement.

Cette expérience de Vincennes étant pour moi la plus diffi-cile est aussi celle qui m'a fait le plus évoluer. J'ai essayé de comprendre ma propre évolution à travers un « Journal d'ani-mateur » que je tiens depuis quelques années et dont je vais maintenant donner quelques extraits. Cela permettra au lecteur de se rendre compte des problèmes concrets qu'on peut rencontrer dans l'animation de groupe avec une méthode non-directive.

Journal du 26 mars 1971.

« Pourquoi ce journal ? Il ne s'agit pas d'un journal intime ou quelque chose de ce genre. Il s'agit de présenter à *un lecteur* mon expérience et mes observations d'animateur de groupe. Mais comme je veux éviter d'une part de me restreindre au simple traitement scientifique, qui laisse tomber une grande partie du réel, et d'autre part le simple récit des événements, comme je veux, en un mot, faire un exposé à la fois concret et

personnel, je préfère cette forme du journal. Elle me laisse plus
de liberté pour m'exprimer et me permet de laisser transpa-
raître ma subjectivité qui est naturellement sans cesse en jeu
quand j'anime ou quand je raconte une expérience d'animation.
Je ne veux pas masquer cette subjectivité, faire comme si
elle n'existait pas, ce qui est peut-être le meilleur moyen de
permettre au lecteur de voir quelle place elle tient dans les
faits que je rapporte et, par là, d'arriver à une réelle objectivité.

Par où commencer? Il y a tant de choses à dire et à dire
tout de suite, tant de choses qui me viennent à l'esprit quand
je pense aux groupes que j'anime ou que j'ai animés, aux
personnes de ces groupes, aux événements survenus. Et
d'autre part je ne veux pas *tout* dire. Je ne le veux pas parce
que je n'en ai pas le temps et que cela me fatiguerait. Je veux
faire de ce journal un plaisir, pas un emmerdement.

La première chose qui me vient à l'esprit aujourd'hui c'est
ce qui vient de se passer au dernier week-end et durant la
dernière séance (exactement hier soir) avec le groupe dit de
« Dynamique de groupe » de Vincennes. Pour la première fois
depuis dix ans que j'anime, je suis fortement remis en cause
dans mon rôle d'animateur. On me somme de m'expliquer, de
dire pourquoi je joue ce rôle, on me demande de « participer »
comme les autres et on déclare que je gêne le groupe en cherchant à l'aider ; un des participants — Jean — s'en prend à
mes conceptions, qu'il soupçonne, qu'il prétend soupçonner, et
les déclare incompatibles avec les siennes, ajoute que cela le
touche « d'une manière vitale » et aussi « mortellement ». Il
faut dire que le même Jean a déjà réagi souvent de cette manière violente et angoissée et pas seulement à mon égard. A
chaque fois, il déclare que la chose qu'il dénonce et à laquelle
il s'oppose le touche « mortellement », qu'il a envie de détruire
et détruire totalement. La première fois, c'était à l'occasion
d'un changement de salle ; je proposais qu'on aille dans une
école pour faire les séances étant donné la difficulté de trouver
des salles à Vincennes ; il s'opposait à cela pour des raisons
politiques. La deuxième fois, c'était après l'exposé d'un nouvel arrivant dans le groupe, sorte de hippie, sur une expérience
de vie communautaire ; Jean avait cru voir dans la manière de
vivre de Patrice une attitude de parasite, qu'il avait dénon-

cée avec violence comme la *pire* des exploitations possibles ;
la troisième fois c'était durant le dernier week-end quand
Claude — une fille — avait dit qu'elle « comprenait » ses
parents ; Jean n'admettait pas cette attitude de compréhension envers ses ennemis et il m'avait attaqué indirectement,
plus exactement il avait attaqué ma conception de l'empathie
en s'attaquant à elle.

Maintenant, il s'en prend directement à moi et avec la
dernière violence. Un moment, un faible moment, j'ai peur.
Mais il précise qu'il ne cherchera pas à me détruire physiquement. Et puis, je me sens plus fort, plus courageux depuis ce
jour où, à Draguignan, un participant s'est mis à délirer en
dehors du groupe et, au sommet de son délire, après s'être
déshabillé et avoir cherché à me séduire, a essayé de me tuer ;
je me suis retrouvé à l'hôpital avec une blessure à la tempe et
durement touché. Depuis, j'ai moins peur, je me sens plus
fort, plus indifférent à l'égard de ce qui peut m'arriver. Peut-
être que le courage n'est qu'une forme d'indifférence.

Je fais sentir à Jean que je ne fuis pas la discussion avec
lui mais que je ne la recherche pas, que je lui répondrai s'il
le désire, que, de toute façon, il aura du mal à m'ébranler
car je suis assez fort dans mes positions (à l'égard de la vie ou
de l'animation). Devant cette attitude, Jean renonce plus ou
moins à m'agresser. Il déclare qu'il ne veut pas parler à ma
place si je ne veux pas parler moi-même. Il ajoute que, de
toute manière, il sent que nos conceptions sont incompatibles
et que cela le met dans une angoisse terrible car il faut que l'un
ou l'autre « y reste ». Tout pour lui s'exprime en terme de vie
ou de mort, d'alternative absolue et de tout ou rien. Voyant
qu'il n'y a pas trop de chance de lutte avec moi, il se tourne
vers Christine qui vient de déclarer qu'elle sent chez lui une
similitude profonde avec elle. Cette similitude réside dans le
sentiment de ne pouvoir communiquer avec personne, d'être
seule et d'avoir en face de soi sans cesse des étrangers ou des
ennemis ; les mots sont vides et ne signifient rien ; il n'y a de
communication possible qu'en dehors des mots. La conception
inverse, que Jean pense être la mienne, il la résume en disant
que je vis de « leurres » et que je suis « piégé ». Son sentiment de
vide et de solitude, c'est la réalité, la vérité. Sur une intervention de Martine, il ajoute qu'il peut compenser cette solitude

dans des moments de plaisir intense, comme quand on mange
du saucisson, et il passe alors dans une autre sphère qui est
précisément celle du « leurre », qui a d'autant plus d'intensité
pour lui qu'il pense que ce n'est pas la réalité mais une absurde
inconscience. Estella, avec une espèce de maturité qu'elle a,
lui déclare que tout cela, ce sont des conceptions d'adolescent,
du romantisme facile, qu'elle a abandonné depuis longtemps.
Jean sent l'envie de lui répondre mais déclare que, s'il le fait,
il risque de se laisser aller à une violence excessive. Il renonce
à le faire. »

Journal du 21 avril 1971.

« Hier soir, groupe de « Pédagogie institutionnelle » qui alterne
avec le groupe de « Dynamique de groupe » chaque semaine et
qui dure, lui aussi, trois heures d'affilée. C'est un groupe d'enseignants de moyenne d'âge beaucoup plus élevée que le premier, dont je n'ai guère envie de parler. C'est un groupe qui
se débat avec ses blocages énormes et qui ne réussit pas vraiment à sortir de discussions théoriques qui sont plutôt des
échappatoires qu'autre chose. Lorsqu'il réussit à en sortir,
comme hier, c'est pour se réfugier dans une espèce d'agitation
fébrile et d'agressivité épidermique. Les personnes n'existent
pour ainsi dire pas dans ce groupe, sauf peut-être une femme
qui a de gros problèmes personnels, une très forte dépendance
à moi et qui est perçue comme « fasciste » et réactionnaire.
Hier soir, elle m'a agressé avec violence, après avoir dit qu'on
était « dans la merde », que tout cela ne servait à rien et qu'elle
ne venait pas pour avoir l'U. V. (l'examen). Elle a demandé
à quoi je servais, m'a accusé d'être passivement présent « en
fumant la pipe » et a fini en disant qu'elle avait parlé du
groupe dans un autre cours et que l'enseignant avait dit que
la « Dynamique de groupe » était une plaisanterie et que d'ailleurs je n'étais pas compétent pour mener ce genre d'expérience. Il faut signaler aussi que les phénomènes de Pouvoir
sont, dans ce groupe, considérables : le groupe a été littéralement dominé, depuis le début, par Jeanne, forte femme de
50 ans, véritable matrone qu'on a accusée hier d'être une
« bonne femme », qui n'arrête pas de parler avec une extrême
facilité sans qu'on puisse l'arrêter ; qui étale sa science psycha-

nalytique et qui fait de ce groupe une espèce de classe dont elle serait le professeur. Cela a été dit également hier soir. Le groupe n'a pourtant pas cessé, depuis le début, d'essayer de neutraliser Jeanne et l'a contestée de toutes les manières possibles. Jeanne, apparemment impassible et indifférente aux coups, a changé son attitude progressivement et a maintenant un type de rapports nettement meilleur avec les autres participants. Elle n'est plus la maîtresse souveraine du groupe.

Le groupe dont il me plairait plutôt de parler, c'est le groupe du mardi soir, groupe dit « de Recherche », composé seulement d'une douzaine de participants, la plupart d'entre eux ayant déjà fait des expériences de groupe et même étant animateurs dans divers organismes.

Je m'attendais à avoir de grandes satisfactions avec ce groupe, qui devait, dans mon attente, être plus « facile » que les autres. C'est le contraire qui s'est produit. Ce groupe a été, jusqu'il y a deux séances, en proie à des blocages proprement gigantesques que je n'ai jamais vus dans aucun groupe : je peux dire que pendant des séances et des séances, pratiquement tout le premier trimestre et le début du second trimestre, il ne s'est rien produit d'autre que du silence et un effort désespéré mais infructueux pour en sortir. Les participants ont déployé tout leur savoir, et pour certains d'entre eux, leur savoir technique, pour sortir de l'impasse : psychodrame, jeux divers, exercices de communication, etc. Tout cela était sans influence apparente. La situation n'a commencé à se débloquer que quand certains participants se sont mis à désigner nommément les membres du groupe qui les gênaient et les empêchaient de parler. Une ou deux personnes se sont mises à parler de leurs problèmes personnels. Enfin un conflit d'une extrême violence a éclaté entre un sous-groupe qu'on appelle le « trio » et une fille espagnole, Estella, à la personnalité très affirmée, qui va dans tous les groupes, et qui ne cesse de porter des accusations radicales frisant l'injure contre tous les participants un peu faibles et infantiles. Les attaques qu'elle a portées contre Dominique et Jacqueline, deux filles du trio, a amené celles-ci à réagir par la haine, l'injure, les larmes, à l'égard d'Estella, qui a été déconcertée par ces réactions et a dû quitter le groupe. »

Journal du 24 avril 1971.

« Groupe « Dynamique de groupe » (Groupe d'étudiants en opposition au groupe « Pédagogie institutionnelle » formé d'enseignants) hier soir. Seulement une dizaine de personnes sont là, sur un total de 25 ou plus. Le groupe avait déjà fondu beaucoup la semaine avant les vacances. Il y avait seulement une douzaine de personnes. J'éprouve de la déception en face de ce groupe fluctuant, sans stabilité. Il y a des éclairs, des moments extraordinaires de sincérité dans ce groupe, mais on a l'impression que les gens ne viennent qu'en fonction de leur fantaisie ou de leur inspiration. Ils ne s'accrochent pas au groupe, n'ont avec lui que des liens plutôt lâches. Ce sont des jeunes. Seulement quelques personnes plus âgées participent à ce groupe et elles sont plus stables, viennent régulièrement ; elles s'expriment aussi moins facilement. Je m'interroge sur la psychologie des jeunes, non sans quelque amertume. J'ai l'impression que les jeunes sont plus divisés, plus incohérents. Tantôt ils se lancent à corps perdu dans la communication, comme durant le week-end, tantôt au contraire ils la fuient, l'évitent ou au moins s'en passent, à moins qu'ils ne la trouvent ailleurs. Par ailleurs cette communication est plus affectivisée, plus personnelle que celle qui existe entre gens plus âgés. Daniel est un bon exemple : il étale ses fantasmes avec complaisance, mais ces fantasmes, ce n'est pas *lui*, comme on l'a dit hier. C'est une projection de lui dans un espèce d'idéal et de paradis. Lorsque les difficultés s'accroissent, lorsque la communication devient plus difficile, se produisent des « fuites » qu'on ne constate pas chez les gens. Il semble donc y avoir des alternances de moments privilégiés et d'attitudes de fuite, d'où cette impression d'incohérence. »

Journal du 4 août 1971.

« Journal d'animateur, journal pesonnel... Dans quel sens continuer...

Me voici à l'Ile du Levant, seul, sortant à peine du tunnel le plus noir que j'aie connu dans ma vie et obligé de faire un effort pour vivre... Raconter cela serait trop long et puis ce n'est pas terminé... Je n'ai pas envie...

Les corps qu'on voit ici m'aident un peu à vivre. Laideur, disait ce commentateur de la radio après une visite dans un camp de naturistes. Non, vérité. Et comme toute vérité, elle vaut mieux que le mensonge des vêtements, au moins dans la mesure où ceux-ci servent à voiler. Il y a des horreurs sans doute mais aussi de telles beautés, spécialement des femmes, des corps de femmes, des seins divinement beaux. Et cela se voit dans les rues, dans les magasins, cela se rencontre partout comme la chose la plus ordinaire. C'est la chose la plus ordinaire, oui. Mais l'ordinaire est l'extraordinaire comme la vérité dépasse la fiction. Curieuse chose de voir cela, d'admirer cela quand on est dans l'abstinence sexuelle la plus totale. Impossibilité presque absolue de faire l'amour depuis ma séparation d'avec Wanda.

Mon amour pour Wanda, la passion la plus forte de ma vie, passion qui me prend tout entier et ne me laisse pas un instant de répit, passion d'adolescent, dont pourtant j'étais bien incapable à 18 ans. Comment ne pas faire de romantisme quand on parle de cela?

A mon âge, 47 ans, on ne sépare plus le physique du psychologique. Tout est intégré. Cet amour n'est pas sexuel ou cérébral, et est les deux indissolublement. J'aime Wanda sexuellement, mais je l'aime aussi pour l'aventure à vivre ensemble, la vie à partager.

Négocier avec la douleur, chose que les psycho-thérapeutes devraient apprendre à leurs clients et que j'expérimente actuellement. Comment réagir en face de ces vagues d'angoisse et de déchirement qui me donnent envie de me suicider sur-le-champ? Que faire dans ces cas là? Et que conseiller à quelqu'un qui se trouve dans cette situation? Je remarque que le fait d'écrire cela m'apporte une grande sérénité. Peut être cela permet-il de transformer le cri en lumière, le sentiment pur en effort lucide et contrôlé.

Il faut *absolument* trouver des méthodes pour aider les gens à vivre leurs crises et leurs conflits, au lieu de se livrer à ce petit persiflage supérieur que pratiquent les psychiatres. Compréhension, empathie rogérienne? Je ne sais pas. Je n'ai pas rencontré une seule personne qui m'ait réellement aidé à vivre ce calvaire. Et pourtant, j'en ai parlé à plusieurs amis, je me suis, comme on dit, « raconté ». Peut-être qu'un psycho-thérapeute m'aurait été plus utile ? Peut-être. Il y a beaucoup de peut-être, trop. J'ai l'impression qu'on est actuellement désarmé en face de cela, sans moyens. On n'a même pas ces drogues qu'on possède pour calmer la douleur physique. Je pense à ces milliers de gens qui se suicident, à tous ces êtres qui avalent des doses massives de barbituriques. Que faire pour eux ?

Bien sûr la douleur ne peut être supprimée. Mais elle pourrait au moins devenir supportable au sens propre du mot, c'est-à-dire capable d'être supportée. Toute la psycho-thérapie jusqu'ici s'est centrée sur la guérison, guérison des névroses, etc. Il ne s'agit pas seulement de guérir mais d'aider à vivre. La pire des maladies n'est pas le désordre psychologique mais la *souffrance morale*. Et peut-être que le désordre psychologique n'est que le résultat de la souffrance morale. La maladie — objective si l'on peut dire — et la souffrance subjective, qui sont séparables dans le domaine physique, ne le sont plus dans le domaine psychologique. La maladie psychologique c'est la souffrance elle-même. Il n'y a pas d'en-soi de la maladie quand on touche les couches profondes de la personnalité.

Peut-être la solution, c'est l'apport massif fait à l'être qui souffre de plaisirs et de satisfactions. Et peut-être que la psychanalyse, en permettant l'afflux des souvenirs d'enfance, ou l'empathie rogérienne, en offrant la présence d'un être qui écoute et qui comprend, permettent cet apport, bien qu'elles se perdent dans des rationalisations sans fin. Mais elles ne suffisent pas. Il faudrait aussi faire intervenir davantage le corps. Alain, avec ses *Propos sur le Bonheur* dans lesquels il montre l'importance d'un bon équilibre physique dans les cas de crise morale, m'a beaucoup aidé. Et aussi l'expression corporelle. Et aussi l'Ile du Levant. Je me souviens de ces deux jours près de Paris avec J., dans cette propriété, de ce soir où on a dansé nus au milieu de centaines de gens. Cela m'a aussi beaucoup aidé. C'est probablement la voie, le sens dans lequel il faudrait chercher.

... Aujourd'hui je prends la décision de publier la plus grande partie de mon journal, sans chercher à le dépersonnaliser, comme c'était primitivement mon intention. Au fond, je réagissais comme ces gens qui, dans les groupes, ne cherchent qu'à se camoufler, à cacher ce qu'ils sont et ce qu'ils vivent. Pourquoi pas se déshabiller, tout simplement, ne pas *montrer son phallus* ?... Hier, cette femme qui disait à son mari en sortant du lieu réservé aux naturistes à l'Ile du Levant, lieu où l'on doit être nu : « Au fond, c'est plus facile pour vous, les hommes, de vous montrer comme cela »... »

Journal du 5 août 1971.

« Oui, je publierai ce journal, malgré la peur panique que cela me fait de penser que *n'importe qui* lira cela. Oui, n'importe qui, même les fascistes et les C. R. S., même les cons. Mais, dans un deuxième moment, je me reprends et je me dis : mais les fascistes et les C. R. S. sont des hommes, et je sais, par mon expérience de groupes, qu'il n'y a pas vraiment de salauds. Je ne suis pas un gauchiste paranoïaque, un de ces gens qui croient que l'humanité se divise en deux : d'un côté les bons (les gauchistes) et de l'autre le reste. Je publierai ce journal. Et tant pis pour ce qui arrivera. Tant pis si on crie à l'atteinte à la pudeur ou je ne sais quelle connerie de ce genre. Tant pis. Ce sera comme lorsque, dans un groupe, quelqu'un se met à parler vraiment de lui-même. Pourquoi ne parlerai-je pas, moi aussi, de moi-même.

Expérience de la solitude. La seule chose qui permet de la rompre : l'amour. Mais attention, pas de sentimentalité facile. L'amour qui lie deux êtres par le corps, par ce qu'il y a de plus involontaire en eux, peut aussi être la source la plus profonde de solitude si ces deux êtres ont peur l'un de l'autre et ne songent qu'à élever entre eux des murailles, comme ces voisins de palier qui désirent d'autant moins communiquer qu'ils sont physiquement plus proches. Par contre, l'amour peut devenir l'occasion, la voie ouverte à la communication.

Ce qu'il y a de plus difficile à supporter dans cette séparation d'avec Wanda c'est incontestablement cette solitude psychologique, plus peut-être que la privation sexuelle. »

Journal du 17 août 1971.

« Mes lectures s'accordent avec mes états d'âme : atroces. Après *L'aveu* d'Arthur London, *Biribi* de G. Darien. Peintures au-delà de toute imagination de la férocité, de la cruauté, du sadisme humain. C'est à faire frémir, à donner envie de se tuer pour protester contre l'existence de telles choses. Mais protester pourquoi et en face de qui?

Je sens que la « praxis » que nous sommes en train de mettre en place dans les groupes est la seule antidote contre de telles monstruosités, la seule possibilité de découvrir enfin non pas certes l'amour chrétien mais la relation à l'autre, le rapport humain. Nous sommes probablement, dans le domaine des rapports entre hommes, encore à l'époque préhistorique, comme on était, dans le domaine des rapports avec la Nature, jusqu'au XVIIᵉ siècle, quand les disettes et les épidémies ravageaient l'humanité à qui mieux mieux presque sans répit. Oui, nous sommes encore à l'âge des cavernes, et nos ancêtres s'étonneront qu'on ait pu vivre cela, supporter cela. Mais que faire sinon le supporter?

Je suis en train de construire une théorie psychologique qui intègre cela. Dans cette théorie, il y a deux problèmes centraux : le rapport avec la Nature, le rapport avec les autres. L'angoisse dans le rapport avec la Nature engendre la Religion et aussi l'exploitation de l'homme par l'homme. L'angoisse dans les rapports avec les autres engendre l'autorité, la férocité, la cruauté, le sadisme. La première est surtout le fait de la femme, la seconde le fait de l'homme. En réalité, c'est plus compliqué ; et il y a des tas de combinaisons possibles. Mais c'est la voie. Une voie extrêmement fructueuse qui permettra de faire une vraie théorie de la personnalité et de son développement.

... Cette inaptitude à sentir l'autre, à imaginer ses sentiments, à concevoir et comprendre ses réactions. Mais l'apprend-on à l'École? Non, on n'apprend à l'École que de sinistres conneries qui ne servent à rien et lavent le cerveau. »

Journal du 22 février 1972.

« Les dernières pages de ce journal sont du mois d'août 1971 et nous sommes en février 1973.

Un an de passé, au cours duquel rien ne s'est passé, semble-t-il.

Si, beaucoup de choses, de multiples choses se sont passées. Mon mariage avec Wanda retrouvée (! ! ?), une année nouvelle passée avec elle, la troisième, mon entrée en psychanalyse, et tout le reste, beaucoup de choses.

Envie de parler de Wanda, mais je ne peux pas, c'est trop riche et trop plein de souffrance. Une souffrance presque indéfinie dont je ne me sors pas. Quelque chose de terrible, d'indicible.

C'est ce que je découvre en psychanalyse actuellement : pourquoi, moi, Michel Lobrot, je me suis uni à un être qui me pose des problèmes tellement énormes... Oui, pourquoi ? C'est ce que je me disais hier : c'est l'application de ma théorie selon laquelle l'amour physique oblige à s'engager dans une relation avec un être que, d'une certaine façon, on ne choisit pas, qui est l'autre, l'inconnu...

Parlons d'animation, c'est plus calme.

Est-ce tellement plus calme ?

Une chose nouvelle s'est produite dans le groupe que j'anime à Vincennes depuis octobre 1972 : l'entrée dans ce groupe d'une bande de jeunes violents qui ont découvert qu'ils pouvaient exercer là leurs talents destructeurs et dominateurs. Il y a eu trois phases. La première : on sabote tout, on vous agresse tous, on met le feu. C'est loupé. Les participants ne réagissent pas, n'ont pas envie de se battre. Le plus perturbé, c'est moi et malheureusement je le montre. Cela me met dans une position de participant. La deuxième : on vous empêche d'exister, de communiquer, de faire ce que vous êtes venu faire. On amène des gens avec des tambourins. On amène n'importe qui. On tape sur les chaises, les tables, pendant des heures entières. On sécrète un discours infini que personne n'écoute et que personne n'entend parce qu'il n'a pas de sens, n'ayant d'autre sens que d'être un discours qui empêche autre chose de se passer. On crée une diversion aussitôt que quelque chose se passe. La troisième : puisque vous n'existez plus à cause d'eux (les animateurs), ces imbéciles, ou plutôt avec eux, on va vous faire vivre, *nous*. Venez avec nous, chez nous, ou plutôt n'importe où. Vous verrez ce que vous verrez. Il y aura de l'alcool, des femmes. On fumera du haschich, on se droguera. On partouzera. Ce sera formidable, divin. Ça marche un moment. Le groupe se coupe en deux : les « castrés » d'un côté, c'est-à-dire les plus faibles du groupe, essentiellement des femmes, qui restent avec nous. De l'autre côté, les leaders du groupe qui sont fascinés par ce Pouvoir qu'ils ne peuvent combattre et qui veulent affirmer leur virilité, qu'on leur offre d'affirmer glorieusement, le phallus en main. Quelle merveille! Mais c'est loupé, quand même loupé, car les « castrés » ne sont pas si castrés que ça, se réveillent, se rebellent et disent qu'ils veulent exister, et les fortiches sont déçus par ces offres alléchantes qui se révèlent n'être que des fantômes. Ils reviennent, hésitent, se dispersent, se plaignent. C'est l'échec de leur virilité.

Expérience la plus importante que j'ai faite en groupe depuis que je fais du groupe.

Je découvre ma fragilité, à quel point il m'est difficile de laisser exister l'autre sur le mode qu'il a choisi, même si ce choix n'est que le signe de son impuissance. Tentation de se mettre à la place de l'autre, de faire son bien malgré lui, ou à la rigueur avec lui, mais au moins que ce soit son bien. Deuxième point : je découvre que je suis pour quelque chose et que, si je ne peux faire ce quelque chose (animer), je m'ennuie, je crève d'ennui. Je suis donc bien là pour quelque chose.

Dernier point, le plus important : je touche du doigt le mécanisme du fascisme. C'est le bouillon de culture. La domination fasciste se déroule, sous mes yeux, comme en laboratoire, et je vois les mécanismes, je les vois. Dans l'espèce, c'est un fascisme d'extrême gauche, le fascisme de jeunes drogués qui se prétendent libérés de la société et de tout, de tout, sauf de la peur de l'autre. J'ai l'impression de vivre ce que Dostoïevsky a analysé dans « Les démons », exactement.

Et pourtant ces jeunes fascistes, je suis là aussi pour eux. Mais ça m'est difficile de les aider. Que faire? Je n'arrive pas à me mettre de leur côté, à voir qu'eux aussi ils « cherchent » quelque chose. La preuve c'est qu'ils viennent, qu'ils reviennent, et sans doute pas uniquement pour détruire. Quelquefois, à de rares moments, ils arrivent à écouter. Patrick, le plus remarquable d'entre eux, a dit à plusieurs reprises : ça y est, c'est fini, je ne parlerai plus. Et il se tait un moment. Mais c'est plus fort que lui. Il se remet à parler et sa parole fonctionne comme un bras qui frappe, comme une arme, comme un bélier, comme un bulldozer. Ambiguïté de la parole, la meilleure et la pire des choses. La parole pour communiquer et la parole pour ne pas communiquer. La parole pour faire vivre et la parole pour tuer. »

Journal du 3 mars 1973.

« Hier soir, première séance du groupe du deuxième semestre, qui reste le même qu'au premier semestre.

J'avais l'espoir que quelque chose changerait et en effet la bande des « violents » est partie, après l'échec, dont j'ai déjà parlé, de leur tentative de « transporter » le groupe « ailleurs », sur un terrain à eux.

Malheureusement, il reste des « traces » de cela encore maintenant, et cela sous deux formes. 1. Un des membres de la bande s'amène, traînant après lui un de ses copains. 2. Les membres du groupe, encore traumatisés, n'osent s'exprimer, et le font encore sur un mode purement ludique, c'est-à-dire défensif.

Évidemment le membre de la bande des violents qui arrive n'est pas très intégré à la bande ; il n'est donc pas représentatif. Mais le gars qu'il traîne après lui est un cas remarquable. Assez gentil et ouvert, il ne cesse pas une minute de remuer, de siffler, de s'agiter, de parler d'une manière logorhéique, de s'exprimer corporellement. Son expression est intéressante et prouve une très grande libération sur le plan corporel et expressif. Il a un côté détendu, souple, spontané, qui plaît et provoque l'intérêt. Mais il n'a, comme les autres copains, aucun sens du groupe, des « autres », de la place qu'il occupe, des besoins qu'il contrecarre. Entièrement centré sur lui-même et sur sa propre expression, il écrase le groupe, non pas, comme Patrick, volontairement et par une volonté consciente de dominer, mais d'une manière plus inconsciente.

Il en résulte, encore une fois, un découragement de la part des participants, qui expriment à nouveau leur sentiment d'échec. Cela est d'autant plus grave qu'ils ne sont qu'une minorité à avoir conscience des raisons pour lesquelles ils arrivent à cet échec, et du fait qu'ils n'arrivent pas à se défendre contre cette domination.

Je réfléchis beaucoup sur ces « violents », qui représentent si bien une certaine jeunesse qui m'inquiète, qui me fait peur, malgré la connivence que je me sens avec elle, à cause de ses idées (révolutionnaires, mais qu'importe!). Les jeunes de ce genre appartiennent exactement à cette catégorie des « dynamiques-belliqueux » que j'ai analysée dans mes livres (*Priorité à l'éducation* par exemple). Ils sont en effet évolués et libérés sur le plan de la relation au corps, sur le plan sexuel en particulier, mais profondément régressifs, angoissés, bloqués sur le plan « secondaire » des relations aux autres. Cela leur donne une structure « sadique » très caractéristique.

Et c'est en effet des expériences de groupes qu'ils auraient le plus besoin puisqu'elles les ouvriraient sur la communication. Et ces expériences les attirent, à cause de leur non-directivité, à cause du fait qu'elles leur laissent le champ libre. Mais ils ont tendance à n'y exprimer, dans un premier temps, que leurs tendances, à la fois à l'expression corporelle et au sadisme. D'où la très grande difficulté... »

Journal du 27 mars 1973.

« Le groupe du deuxième semestre « continue », si l'on peut dire, malgré grèves et difficultés de toutes sortes.

Les « violents » ont remplacé les hippies, comme je l'ai déjà dit, et ça n'est pas du gâteau. Le principal d'entre eux, Claude, s'est amené, l'avant-dernière fois, harnaché dans la plus pure tradition « blouson noir », c'est-à-dire avec un blouson noir constellé de gros clous, avec une croix de fer allemande pendue à son côté, avec de grosses bottes. Il traînait après lui, comme de bien entendu, trois de ses copains blousons noirs, en plus du « saint », qui est celui qui l'avait fait venir dans le groupe.

Je ne peux tout raconter. Il y eut le récit de l'épopée de Claude : prisons, violences, obsessions de se faire avoir et de pouvoir se défendre par des répliques fulgurantes, dans l'esprit des bandes dessinées : je donne un coup de pied avec mes bottes et l'autre se désagrège littéralement, etc. A un certain moment, se produit l'inévitable. Sophie, qui a de l'agressivité à revendre, déclare à Claude qu'il est un « idiot », qu'il ne l'intéresse pas, etc. Claude entre dans une espèce de transe, à la fois de colère folle et d'effort pour se contenir. Ses mains tremblent. Il annonce à Sophie qu'il va la tuer, qu'il va la bousiller, qu'il va la pulvériser. Je vois le danger. Tous le voient. Et Sophie rit, rit, n'en peut plus de rire. Je ne comprends pas ce qu'il y a dans cette fille : masochisme, besoin de se faire violenter, goût de la provocation. Elle avait dit, dans un groupe antérieur, que son plus grand bonheur serait de se trouver sous la guillotine au moment où le couperet tombe. Claude me regarde, je sais qu'il a confiance en moi. Ses mains tremblent. Il est hors de lui. Finalement il sort de la salle et le « saint » le suit. Il reviendra une demi-heure après avec une bouteille d'alcool, visiblement chaviré. Il arrivera à s'expliquer : ce que lui a dit Sophie lui a donné l'impression qu'elle cherchait à l'annuler, à le détruire, et il ne peut supporter cela. C'est une grosse épreuve pour lui : accepter l'attaque sans se défendre physiquement. Il y a longtemps que cela ne lui est pas arrivé.

Le cas de Sophie est curieux. Cette fille, très belle, à qui tous les hommes ont fait successivement la cour apparemment sans succès, n'exprime que le mépris et l'hostilité. Une seule chose l'intéresse dans ce groupe, à ce qu'elle dit, « moi ». En tant que personne, évidemment, ou plutôt en tant que mâle, elle multiplie les déclarations d'amour et d'intérêt à mon égard, et cela publiquement. Cela me pose des problèmes. Évidemment, elle m'attire. Mais me laisser aller à mon attirance serait tomber dans le pire des pièges. Sophie a déjà déclaré, pour me provoquer, que j'étais un « homme frigide ». Il y a une ascèse de l'animation et je l'accepte.

Ou plutôt, non, je ne l'accepte pas ; la preuve c'est que... contradictions, montagne de contradictions. L'important, c'est de savoir qu'on commet une erreur et de ne pas chercher à la justifier. C'est une erreur bien sûr, mais dans l'état de délabrement sentimental où je suis actuellement...

Je reviens à la fin de la séance. Claude et un de ses copains qui n'en peuvent plus de rester immobiles, et qui ne cessent de s'agiter, de gesticuler, décident brusquement de mimer un combat avec tesson de bouteille « pour rire ». Ils cassent tous deux une bouteille de bière et n'en gardent que le goulot avec lequel ils se menacent mutuellement comme deux combattants. J'ai peur, je ne sais ce que je dois faire. Dois-je empêcher ce combat? Cela peut tourner très mal, d'autant

plus que Claude a déclaré qu'un des tessons de bouteille
« pourrait bien se diriger du côté de Sophie ». Finalement,
je n'empêche rien et la scène tourne court. La séance se termine. Je pousse un soupir. »

Conclusion

En relisant les extraits de ce journal que je vais publier,
je m'aperçois que j'y exprime surtout mes difficultés, mes
impuissances, et je crains que le lecteur ne voie que cela. Non,
il y a le reste, dont je suis fier, et en particulier ces innombrables participants des groupes que j'ai animés, qui n'ont
cessé de me dire, depuis 15 ans, qu'ils avaient eu, dans mes
groupes, une sorte de « révélation » et que cela avait constitué
le tournant le plus décisif de leur vie. Ils ont vu, ils ont compris qu'autre chose était possible dans les rapports avec
les autres, dans la manière de vivre. Ils ont changé et ils se
sentent maintenant différents.

C'est cela qui est important dans l'expérience de groupe :
le changement. J'ai l'impression d'avoir découvert une nouvelle forme d'éducation pour la liberté et non pour la servi-
tude, pour l'amour et non pour la haine.

CHAPITRE III

POURQUOI DES ANIMATEURS?

La profession d'animateur.

La profession d'animateur est apparue récemment. C'est une invention de notre époque et une de ses inventions les plus intéressantes. Je montrerai tout à l'heure ce qu'elle peut « signifier » à un niveau plus général, par rapport à l'évolution de notre civilisation.

On rencontre des « animateurs » dans différents secteurs qui n'ont apparemment — mais apparemment seulement — aucun rapport entre eux. Ces secteurs sont : le secteur socio-culturel dans lequel on peut à la rigueur englober l'animation dans le domaine des loisirs (animateurs de jeux télévisés), le secteur social dans lequel on découvre de plus en plus le « travail communautaire », en opposition au case-work plus centré sur les individus, le secteur commercial (animateur de vente, etc.), le secteur politique (animateur de campagne électorale par exemple), et enfin le secteur éducatif et en particulier l'enseignement dans lequel l'animation pénètre de plus en plus grâce à l'introduction de nouvelles formes de pédagogie.

Le rôle de l'animateur est souvent mal défini et cela n'est pas sans signification. On demande à l'animateur de créer du mouvement, de la vie, de l'activité, comme le terme l'indique, mais sans qu'on puisse bien prévoir comment cela pourra se faire. Il faudra que l'animateur propose, suggère, entraîne, séduise, imagine, suscite, influence, sans pour autant contraindre. Il faudra qu'il soit présent sans pour autant peser ni s'imposer. Il faudra qu'il soit à la fois présent et absent.

Étant donné le rôle très particulier et assez paradoxal de l'animation, celle-ci est très vite apparue comme un mode d'activité dans lequel les rapports humains ne pouvaient pas s'inspirer des modèles traditionnels et devaient comporter une part importante de laisser-faire, d'autonomie laissée à celui qu'on prétend animer, de respect à l'égard de ses initiatives. C'est pourquoi elle est fortement influencée aujourd'hui par le courant non-directif issu de la psycho-sociologie, dont la dynamique de groupe est l'expression la plus caractéristique. Cela ne veut pas dire que tous les animateurs adhèrent à ce courant et s'en réclament. Cela veut dire en tout cas que tous sont plus ou moins influencés par lui.

Il découle de là que l'animateur de groupe centré sur la communication même entre les participants, qu'on appelle de divers noms dans le jargon psycho-sociologique — « T-Group », groupe de diagnostic, groupe de base, groupe d'évolution, etc. — peut être considéré, à certains points de vue, comme l'animateur-type, celui qui peut fournir des modèles et une inspiration aux autres. Cela explique que beaucoup d'animateurs vont actuellement se former dans les organismes qui donnent une formation à l'animation par le moyen du genre de groupe auquel je viens de faire allusion. La profession de « formateur de formateurs », ou de « formateur d'animateurs », s'étend actuellement, parallèlement à celle d'animateur proprement dite. Le formateur de formateurs est celui qui d'une part dispense un certain type de formation valable pour tout le monde, la formation à la communication et à la relation, par le moyen de méthodes psycho-sociologiques, et qui, d'autre part, prétend former des animateurs qui exerceront leur activité dans des secteurs plus spécialisés ou plus liés à la production sociale : loisirs, commerce, politique, enseignement, etc. C'est à la fois un « éducateur », au sens le plus fort du terme, au sens où il suscite des changements d'attitude et le développement de la personnalité, et il s'adresse alors à tous, et un enseignant d'un certain type qui enseigne les méthodes d'animation pour les animateurs spécialisés. On l'appelle encore « psycho-sociologue ». Le tableau ci-dessous schématise cette double fonction :

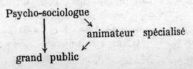

Si nous englobons dans une catégorie commune tous les animateurs quels qu'ils soient, c'est-à-dire à la fois les psycho-sociologues et les animateurs spécialisés, nous pouvons noter que leur caractéristique commune est de pratiquer une certaine profession, rémunérée et insérée dans le fonctionnement social général. Cela les oppose aux militants, qui travaillent d'une manière gratuite et désintéressée, et qui sont moins insérés dans la société globale, même s'ils en font partie.

Cette différence est fondamentale et a été étudiée par A. Meister dans un ouvrage récent, *Vers une sociologie des associations* (Éditions Ouvrières, 1972) [1].

A. Meister, à la suite de tout un courant fortement critique à l'égard de la psycho-sociologie et de l'animation, le courant marxiste, prétend tirer les conclusions du fait que l'animateur est inséré dans la société et payé par elle. Il estime que cela contribue à rendre l'animateur esclave de cette société et à faire en sorte qu'il ne peut avoir qu'un rôle de récupération et d'ajustement. Cela l'amène, de toute façon, à éviter de prendre parti dans les luttes qui se déroulent actuellement contre le Pouvoir dominant, position qu'il ne peut d'ailleurs pas toujours maintenir, et qu'il doit souvent renier au moment où éclatent des affrontements entre catégories sociales. « En fait, écrit A. Meister, l'animateur entre toujours dans un groupe appelé par ceux qui le contrôlent ou prétendent le contrôler. Il est toujours un élément du jeu pour le pouvoir. La plupart du temps il en a conscience et c'est une des raisons qui le poussent à se concentrer sur les moyens, essayant de se retirer du combat ou de ne pas prendre position, sorte de Ponce Pilate technicien de la communication (...). Cette neutralité de l'animateur est complètement illusoire et, dans la pratique, il joue le rôle d'instrument d'intégration aux vues et à la politique de ceux qui l'ont appelé. Certes, il peut un moment s'imaginer que les conseils qu'il donne sont impartiaux, qu'il laisse le groupe décider lui-même, qu'il s'efface après avoir aidé les membres à bien poser leurs problèmes, qu'il est non-directif et qu'il n'influence pas ; tout cela peut durer un moment, jusqu'au jour où le groupe connaît une crise (ce qui est assez fréquent dans les associations), où la lutte pour

[1] Voir aussi A. Meister, *Animateurs et militants*. Esprit, mai 1973.

le pouvoir se fait ouverte et où tous doivent montrer leurs cartes. A ces moments décisifs, l'animateur ne peut plus se retrancher derrière sa neutralité, car les parties en présence s'efforcent chacune de l'entraîner dans leur camp. De par sa formation, son habileté à diagnostiquer une situation et une connaissance du groupe, il est en effet considéré comme un allié utile dans la bataille. Il est vrai que, le plus souvent, l'animateur ne peut choisir son camp car il est lié à ceux qui ont favorisé son entrée dans le groupe et qui assurent sa rémunération, c'est-à-dire ceux qui détenaient le pouvoir au moment de son entrée dans le groupe ».

Malgré les apparences d'analyse du réel d'A. Meister, qui a l'air de décrire des phénomènes, qu'en réalité il ignore et qu'il déforme systématiquement (car les animateurs sont rarement ces instruments dociles qu'il nous présente), il y a là une argumentation, un raisonnement, dont je vais isoler les principaux moments.

La proposition fondamentale de cette argumentation est que l'animateur est payé par la société actuellement existante et par les gens qui la représentent, d'où découlerait d'une manière logique :

1. Que l'animateur ne peut faire un « travail » qui aille contre cette société et qui aboutisse à la mettre en question. Ce travail est une pure « technique » qui repose sur la « rationalité » et qui ignore les phénomènes de pouvoir « avec ses ruses et ses habiletés, ses enjeux, et ses compromissions ». « Tout cela lui ferait un peu peur, à l'animateur, de même que l'irrationalité de ces jeux du pouvoir et l'émotionalité du climat de certains groupes. »

2. Que ce « travail », non seulement ne peut avoir une valeur contestataire ou critique, mais ne peut en fait que « servir » les intérêts et les buts du pouvoir qui le « commande ». La nature même du travail le rend récupérateur et récupéré.

3. Que l'animateur ne peut prendre parti dans les luttes de pouvoir qui se déroulent dans les institutions dont il fait partie que d'une manière conforme aux vues de ce pouvoir, c'est-à-dire en contradiction avec un esprit qu'il lui arrive d'affirmer par ailleurs. D'où le rôle d' « agent double » de l'animateur, comme dit Meister.

Étant donné qu'il s'agit là d'une véritable argumentation, qui revient souvent chez les penseurs politiques modernes, et qui repose sur une erreur grave concernant la nature des phénomènes sociaux et des institutions, il me semble utile de considérer maintenant ces phénomènes eux-mêmes, ce qui m'amènera à proposer des méthodes d' « analyse institutionnelle » permettant d'arriver à cette compréhension. Dans la dernière partie de ce chapitre, je reviendrai au problème de l'animation et je montrerai qu'elle ne peut avoir qu'une valeur contestatrice, même si elle est « commandée » et même demandée par cette société qu'elle aboutit à contester.

Le modèle institutionnel mécaniste.

Pour comprendre des phénomènes tels que l'apparition, à notre époque, des techniques de groupe, de la dynamique de groupe, de la profession d'animateur et leur extension de plus en plus grande, il faut réfléchir sur le contexte institutionnel dans lequel ces phénomènes se sont produits. Cela suppose que nous ayons une théorie des institutions, qui ne peut être elle-même le fruit que d'une *analyse institutionnelle*.

Théorie des institutions et analyse institutionnelle sont, à l'heure actuelle, dans un état embryonnaire. Malgré les efforts de Lourau, Lapassade, Crozier et d'autres pour leur donner un statut adulte, elles restent encore insuffisantes.

La théorie institutionnelle doit précéder l'analyse institutionnelle. Celle-ci en effet est une méthodologie et toute méthodologie procède d'une conception générale, aussi fruste soit-elle, de l'objet auquel on applique cette méthodologie. Il n'y a pas de méthode en soi, à l'état pur. Les méthodes varient avec les champs qu'elles prétendent approcher. Elles sont adaptées à ces champs. Il faut donc avoir une idée, au départ, de ce que peuvent être ceux-ci.

Le mot d'institution est récent, mais la notion qu'il recouvre ne l'est pas. Il y a longtemps en effet qu'on a commencé à réfléchir sur les institutions et qu'on a posé les bases d'une authentique théorie institutionnelle.

La théorie en question s'est constituée en opposition avec

un modèle accepté depuis toujours et encore accepté aujour-
d'hui d'une manière presque universelle, que nous appellerons le modèle mécaniste.

Selon ce modèle, l'institution se réduit à ses structures et à
ses dirigeants. On pourrait presque dire qu'elle *est* ces structures et ces dirigeants. Ceux-ci en effet d'une part déterminent tous les phénomènes qui se passent dans son sein et
d'autre part existent à part des autres instances de l'institution, comme des réalités en soi et indépendantes.

Le modèle peut être schématisé en termes physiques. Il
implique l'existence d'une force fondamentale, assez puissante
pour imposer une forme à chacun des éléments et à leur ensemble, forme que cette force détermine elle-même et qui ne
dépend presque pas des éléments eux-mêmes. Ceux-ci sont
purement réceptifs et passifs dans le système. Ils reçoivent
la forme que la force centrale veut bien leur donner, et se
contentent d'interagir dans les limites ainsi définies, comme
le prévoit le schéma gestaltiste.

Il résulte de cela que la forme de chaque élément particulier n'appartient pas réellement aux éléments. Elle leur
est super-imposée et leur reste extérieure.

On retrouve ce modèle dans tout le courant sociologique
français issu de Durkheim et il définit ce qu'on pourrait
appeler le sociologisme. La société, dans ce courant, est supérieure aux individus, dans la mesure où elle détermine leurs
caractéristiques essentielles et même leur appartenance à la
société même sous forme de « conscience collective ». L'argument constamment invoqué pour justifier cela est l'influence
déterminante que le milieu a sur chacun de nous, ce qui est
une vérité évidente. Mais au lieu de se représenter cette influence comme un ensemble d'interactions entre les éléments,
aux différents niveaux où cela peut se produire, interactions
telles qu'une structure générale se dégage, on se la représente
comme l'influence d'une structure pré-établie, déjà déterminée,
qui orienterait cette influence dans le sens voulu par elle. Et
certes tout semble se passer ainsi. On a l'impression qu'une
structure indépendante existe qui polarise son action sur
tel ou tel point et qui produit tous les effets qu'elle désire
produire. Mais cela est le résultat d'une illusion, qui vient
elle-même de la facilité que nous avons à percevoir les struc-

tures et de la difficulté que nous avons à percevoir les interactions qui les sous-tendent.

Le courant sociologique français se place lui-même dans la ligne du courant historique ou, si l'on préfère, du courant historico-logique. Les historiens du passé pensaient tous unanimement que l'histoire est faite soit par un certain nombre de grands acteurs, qui sont des grands hommes comme rois, princes, généraux, empereurs, meneurs d'hommes, soit par des structures globales qui sont les constitutions, les régimes politiques, les hiérarchies sociales, les mœurs et les coutumes, etc. Nous verrons tout à l'heure combien peu nombreux sont les historiens qui ont conçu l'histoire comme la résultante d'une multitude infinie de petites interactions, relativement indépendantes les unes des autres, et qui devraient être « intégrées » — au sens précis où on « intègre » en mathématiques — pour arriver à une compréhension véritable.

En continuité avec ces courants, on trouve tout un ensemble de penseurs politiques modernes qui se rangent sous la bannière du « révolutionnarisme ». Celui-ci ne consiste pas à penser qu'il faut des perturbations fortes et même générales pour produire des changements sociaux, qui peuvent à la limite être minimes — ce qui est la position de tout révolutionnaire — mais que les changements sociaux, pour être réels, doivent être complets et doivent affecter la société tout entière, sous tous ses aspects et dans toutes ses parties. Cela se conçoit si l'on considère la société comme une structure rigide et unique, qui ne peut pas être diversifiée ou morcelée et qui ne peut évoluer qu'en bloc, selon un schéma de « tout ou rien ». La société sera entièrement bonne ou entièrement mauvaise, et il ne peut y avoir de milieu entre ces deux extrêmes.

Ces penseurs politiques s'inspirent généralement de Marx, qui est pourtant loin d'avoir eu une conception mécaniste de la société. La notion de « lutte des classes » est une notion ouverte, qui n'implique en rien que les classes constituent des entités complètement rigides et possèdent une solidité minérale, qu'il faudrait détruire à la manière dont on détruit un corps physique. Bien au contraire, la notion de lutte des classes connote d'une part un « comportement de classe », c'est-à-dire un comportement social relativement diversifié, tel que l'exploitation de l'homme par l'homme, le détournement de plus-value, l'utilisation capitaliste du travail, etc., et d'autre part, une « lutte », au sens psycho-sociologique du terme, qui peut prendre des formes très différentes et qui a ses limites. La « lutte des classes », soit dans son sens objectif (il y a lutte), soit dans son sens normatif (il faut détruire les classes diri-geantes), n'aboutit pas nécessairement à une vue paranoïaque et manichéenne de la société, et ne se ramène pas à un affron-tement entre le Bien et le Mal, devant aboutir à la destruc-tion définitive de ce dernier. L'élimination de la domination sociale ne se fera pas par la destruction physique des classes dominantes — ce qui ne peut rien résoudre — mais par un ensemble complexe d'interactions dans lequel la violence certes aura une place, sans pourtant avoir la place unique. Le problème en effet n'est pas seulement d'éliminer des personnes et les actions de ces personnes, mais d'éliminer des processus comme ceux de domination, aliénation, violence, autorita-risme, par la substitution d'autres processus de nature op-posée.

Le modèle institutionnel interactionniste.

En opposition au modèle mécaniste qui vient d'être ana-lysé, je veux définir un autre modèle qui s'applique mieux aux institutions.

Cet autre modèle, que je pourrais appeler « interaction-niste », s'applique à des systèmes dans lesquels les structures globales et même les forces directives générales ne sont que la résultante des interactions entre tous les éléments et entre les éléments et leurs inter-actions. Ce modèle est de plus en plus appliqué en physique depuis qu'on sait que les particules élé-mentaires ont de véritables comportements internes, relative-ment stables et relativement indépendants, qui déterminent les rapports que ces particules ont entre elles. L'état global que nous percevons n'est que la résultante visible de l'ensem-ble des interactions qui se produisent au sein du système au niveau moléculaire.

Il ne faut pas croire cependant que ce modèle consiste à réduire les ensembles aux individus qui les composent et aux relations entre ces individus, comme on le dit souvent. Ce n'est pas un modèle « réducteur » ni d'inspiration individualiste.

Les individus en effet ne sont pas des éléments passifs et inertes, comme il se passe dans l'autre modèle. Ce sont des centres d'activité qui sont parfaitement capables de prendre en compte non seulement les autres individus, à titre individuel, mais les ensembles formés par ces individus et par leurs interactions. Autrement dit les rapports entre les individus ne sont pas uniquement inter-individuels. Ce sont aussi des rapports qu'on pourrait appeler disymétriques, en ce sens qu'ils mettent en relation un individu avec un groupe ou un ensemble de groupes, par opposition aux rapports symétriques qui mettent en relation deux individus l'un avec l'autre. Concrètement, dans une institution, un individu X peut avoir un comportement dirigé sur un autre individu, ou sur le groupe dont il fait partie, ou sur le groupe dont il ne fait pas partie, ou enfin sur l'ensemble des groupes qui composent l'institution, c'est-à-dire sur l'institution elle-même. Le modèle présenté ici postule que ces divers comportements de l'individu X (à savoir n'importe quel individu) déterminent l'institution elle-même, qui n'est que le reflet et la résultante de ces comportements ou, si l'on préfère, de ces relations.

Pour pousser plus loin le modèle présenté, disons que ce modèle permet de prévoir les différenciations qui se produisent dans les institutions, qui expliquent elles-mêmes les illusions globalistes précédemment analysées.

Les individus n'étant pas identiques au départ, puisqu'ils se trouvent dans les complexes d'interactions différents qui les font évoluer différemment, n'ont pas avec les autres les mêmes relations symétriques ni surtout les mêmes relations disymétriques. Les relations surtout disymétriques qu'un individu a avec un ensemble d'autres, aboutissent à lui donner une position différente de celle que donnent à un autre individu les relations qu'il a avec ce même ensemble. Supposons que le premier individu, disons A, ait avec l'ensemble E auquel il s'adresse une relation de chantage et de menace, telle qu'il cherche à obtenir de lui qu'il le suive et lui obéisse. Supposons que le second individu, disons B, ait avec ce même ensemble E une relation très différente faite d'acceptation et de respect. Très vite les choses vont évoluer et l'individu B se retrouvera dans une position de « sujet » au milieu des individus de l'ensemble E qui seront eux aussi des « sujets » par rapport à A.

Les relations, qu'on pourrait considérer comme statiques, déterminent en fait toute une évolution, une dynamique du système et de ses parties, dans lesquelles on peut déterminer des « positions » précises. L'institution n'est pas une réalité stable. Elle change constamment en vertu de sa dynamique interne et aussi en fonction de l'influence que les autres institutions ont sur elle. Cette influence externe s'exerce par deux canaux, à savoir, d'une part par l'influence que ces institutions ont sur les individus eux-mêmes et sur leur évolution, et d'autre part par les transactions qui s'opèrent au niveau des institutions elles-mêmes et de leurs représentants.

Quelles que soient les causes de l'évolution de l'institution, cette évolution est toujours la résultante de la totalité des interactions qui s'exercent en son sein. Les négociations, actions, interrelations des membres (parmi lesquels il faut mettre les dirigeants) constituent l'institution et l'institution n'est rien en dehors d'elles.

Notons un dernier point, extrêmement important. Étant donné l'influence déterminante qu'ont les membres de l'institution sur l'institution, que je viens de signaler, les institutions sont de type très différent selon la manière dont fonctionnent et se comportent les individus qui la composent. Cette manière constitue même le facteur fondamental qui différencie les institutions entre elles.

Certaines institutions sont dominées et orientées par des individus ayant des attitudes stéréotypées, issues d'un besoin de défense contre des catégories entières de gens considérées en bloc. Ces attitudes telles que dominance, dépendance, soumission, étant généralisantes, confèrent aux institutions une grande rigidité et une permanence à travers le temps. D'autres institutions au contraire subissent moins l'influence de ces mêmes individus et de ces mêmes attitudes et possèdent, de ce fait, une plus grande souplesse.

Les premières institutions sont souvent centrées sur la production matérielle ou sur des réalités biologiques (famille, entreprise, etc.) qui posent des problèmes de sécurité favorisant les attitudes d'angoisse et de défense. Les secondes au contraire sont davantage centrées sur des réalités culturelles, intellectuelles ou ludiques. De toute manière, il est important de voir à quel point des membres de l'institution et leurs relations agissent sur l'institution elle-même qui en dépend entièrement. Des réalités telles que constitution, hiérarchie, organisation, règlements, etc., ne sont que des épiphénomènes par rapport aux interactions sous-jacentes entre les participants.

Origines du modèle interactionniste.

Le modèle que je viens de présenter n'est pas absolument nouveau. Il a été entrevu, dans le passé, par un certain nombre de penseurs que je ne peux tous passer en revue. Je me contenterai de faire allusion à certains d'entre eux.

Le premier d'entre eux est J.-J. Rousseau, avec sa théorie du « Contrat social ». Cette théorie, que Rousseau n'a pas absolument inventée, est pourtant profondément novatrice. Elle aboutit en effet à rejeter, comme origine des groupes et des sociétés, la volonté d'un grand fondateur, le plan divin, ou même tout simplement la Nature, pour leur substituer la volonté des individus mêmes qui vont constituer ces groupes et ces sociétés, volonté qui se manifeste dans une « interaction » que Rousseau appelle « le contrat, ». A vrai dire, il ne faut pas entendre par là le « contrat », au sens juridique du terme, mais plutôt le « pacte », c'est-à-dire cette négociation incessante qui soutient littéralement les institutions dans l'existence. Les membres d'une institution n'arrêtent pas de se faire « face à face » et de « pactiser » entre eux. Cette « pactisation », si l'on peut dire, est tantôt pacifique, tantôt guerrière. Elle est, de toute façon, perpétuellement présente. Il en résulte que les institutions sont fondamentalement démocratiques, même si elles consistent dans la pire des autocraties. Elles sont démocratiques en ce sens que tous les membres sont responsables d'elle et contribuent à la faire être ce qu'elle est. Ils ne sont jamais totalement « objets » par rapport à elle.

L'objection la plus forte que l'on puisse faire contre cette théorie de Rousseau, comme d'ailleurs contre la théorie présentée tout à l'heure, est qu'elle a l'air de sous-estimer la puissance de ces individus ou groupes qui établissent leur pouvoir sur les autres, dirigent ceux qui leur sont soumis, orientent les institutions comme il leur plaît.

Et certes ces individus et groupes doivent être pris en
considération car ils ont une influence déterminante sur les
institutions. Mais il faut bien voir en même temps d'où vient
leur pouvoir et quelle en est la nature.

Ce pouvoir est presque toujours représenté et pensé à partir des instruments et forces sur lesquels il s'appuie. On a
donc tendance à le voir comme indépendant, autonome,
souverain. Les instruments et forces en question en effet lui
confèrent une supériorité qui peut dans certains cas être
absolue.

Il en est tout autrement dans la réalité profonde des choses.
A cet autre niveau, celui des attitudes qui engendrent et
fondent le pouvoir, celui-ci ne résulte pas de la supériorité
mais au contraire de l'infériorité. Comme j'ai essayé de le
montrer dans *Pour ou contre l'autorité*, l'angoisse en face des
autres et la peur en face de leur sottise, de leur mauvaise
volonté, de leur méchanceté, de leur paresse supposées engendrent le désir de se protéger contre eux et, par voie de conséquence, la dominance, l'autorité, le Pouvoir. Ces phénomènes
ne sont rien d'autre que des réactions en face de menaces qui
paraissent énormes et disproportionnées, qu'il faut à tout
prix écarter par le recours à des armes absolues. On écrase
les autres pour ne pas être écrasé par eux, pour ne par être
détruit et anéanti par eux. Adler exprimait cela, en langage
psychologique, en disant que le complexe d'infériorité était
toujours à l'origine des réactions de supériorité.

Certes, les choses ne sont pas si simples. Le sentiment qui
engendre le désir de supériorité n'est pas toujours la peur
des autres et l'infériorité par rapport à eux. C'est souvent,
surtout dans les temps anciens, la peur de la nature, de la destinée, de la misère. La peur de manquer d'argent et de
moyens matériels, qui hante l'Harpagon de Molière au milieu
de ses richesses et au moment où il devrait se sentir le mieux
assuré, déclenche un besoin démesuré de possession, de propriété et d'appropriation. Posséder les autres, les « capitali-
ser » comme on capitalise des biens matériels, s'approprier
leur travail et leurs personnes mêmes, les faire produire pour
soi et non pour eux, en un mot les dominer et les exploiter,
n'est qu'un aspect parmi d'autres de ce désir d'enrichissement déterminé par la hantise de la misère.

En ce sens, l'exploitant, bien loin d'être indépendant de ceux qu'il exploite, se met sous leur entière dépendance puisqu'il attend d'eux son bonheur et sa sécurité. La moindre tentative de leur part pour se libérer de son joug détermine chez lui une véritable panique qui explique les réactions extrêmes, parfois destructrices, qu'il a à leur égard. Il est autant leur esclave qu'eux sont ses esclaves. Plus exactement, ils sont ses esclaves parce qu'il est d'abord leur esclave, parce qu'il se met volontairement dans une position d'esclave par rapport à eux. On peut même dire qu'il est plus leur esclave qu'eux ne sont ses esclaves, dans la mesure où son esclavage à lui est psychologique, à base d'angoisse et de dépendance, tandis que leur esclavage à eux est social et économique.

Dans une phase différente du développement historique, et spécialement à l'époque moderne, les choses se retournent et c'est la peur des autres, et non plus la peur de la misère, qui devient prédominante. Cette peur des autres, qui s'exprime surtout dans la peur d'être dominé et exploité, dans la peur d'être lésé et méprisé, détermine une nouvelle forme d'autorité, venant cette fois des masses elles-mêmes qui suscitent des pouvoirs chargés de les protéger. La protection qu'elles demandent est non seulement contre les anciens exploitants présentés comme « le diable », mais surtout contre la totalité de ceux qui ne sont pas « moi », qui sont « les autres », la collectivité. L'autorité joue un rôle médiateur entre chaque « moi » et la totalité des autres. Sous la forme par exemple de la police, elle est haïe quand elle s'adresse à « moi » mais réclamée à cor et à cri contre « les autres ». Cette autorité n'est cependant pas elle-même « hors jeu », elle est au contraire profondément insérée dans le processus protecteur, en ce sens qu'elle est affectée, plus que le reste de la population, par cette insécurité qui la pousse à contraindre, à enrégimenter, à réglementer, à administrer. Elle se protège d'abord elle-même bien avant de protéger les autres.

Il en résulte une interdépendance énorme des administrés vis-à-vis de leurs chefs et réciproquement, qui est le fondement même de la bureaucratie et de tous les fascismes de gauche et de droite. Cette interdépendance réside dans une attente angoissée de la protection de la part des subordonnés qui se sentent dépendants de la collectivité qui les menace (et dont

ils font partie) ; les dirigeants, à leur tour, se sentent autant
menacés par cette collectivité qu'ils sont cependant chargés
de contrôler et de soumettre.

C'est précisément ce processus que Rousseau a analysé dans
le « Contrat social ». Quand il montre les citoyens prêts à
aliéner leur liberté en échange de la protection venant du
pouvoir, ce qui constitue la « volonté générale », il ne fait rien
d'autre que de décrire un phénomène qui se passe de plus
en plus sous nos yeux, dans les sociétés bureaucratisées qui
sont les nôtres, à savoir l'aliénation que la majorité réclame
et accepte comme condition de sa sécurité et de son « salut ».

Il est bien évident que, dans un tel système, l'attitude de
chacun et le « pacte » qu'il fait avec les autres sont fondamentaux et déterminent le système lui-même. Cette attitude
peut se définir par rapport à deux axes, à savoir l'axe méfiance-
confiance et l'axe soumission-insoumission. Par rapport au
premier axe, le moindre changement dans la méfiance que les
chefs manifestent à l'égard de la collectivité ou que chacun
manifeste par rapport à celle-ci modifie l'équilibre total,
puisque cette méfiance est à l'origine des comportements
qui poussent à « soumettre » autrui. Il suffit qu'un seul élément découvre un nouveau type de rapport avec autrui,
fondé sur la confiance et la communication et non plus
sur la crainte, pour que le système entier se trouve modifié,
même faiblement. Par rapport au deuxième axe, il en est de
même. La soumission que chacun accepte permet au système
d'exister puisqu'elle permet de satisfaire la peur de ceux qui
l'éprouvent. Inversement, la moindre baisse dans le degré de
soumission, à condition qu'elle ne résulte pas d'une contre-
dépendance consistant à exagérer le pouvoir du dirigeant,
aboutit à un affaiblissement de la rigidité du système et à une
libéralisation de celui-ci.

Tout ce que je viens de dire ne signifie évidemment pas
que le comportement de chacun soit « libre » au sens où il ne
dépendrait d'aucune force qui s'exerce sur lui. Bien au
contraire, ce comportement est entièrement déterminé, en
partie par les pressions des éléments dominants qui l'obligent
à se soumettre. En ce sens, l'aliénation existe et la démocratie
basale qui existe dans toute société ne diminue en rien cette
aliénation. Ce que je veux seulement dire, avec Rousseau,

c'est que ce comportement, même aliéné, est déterminant pour la vie et le fonctionnement de l'institution. Une conséquence de ceci c'est qu'une institution ne peut se libérer que si et dans la mesure où certains de ses participants sont aussi libérés. La libération ne vient jamais d'en haut, contrairement à ce que pensent certains aujourd'hui. En admettant même qu'elle passe « par le haut », en ce sens qu'il faut une prise du pouvoir ou une modification du pouvoir pour la permettre, elle provient, même dans ce cas là, de gens qui étaient originellement « en bas ». Et de toute façon, cette prise du pouvoir et cette modification du pouvoir ne suffisent pas puisque précisément elles permettent alors à ceux qui sont « en bas » de s'auto-déterminer. Encore faut-il qu'ils puissent le faire dans un sens qui ne rétablisse pas, d'une manière ou d'une autre, les phénomènes de pouvoir. Cela montre à nouveau l'importance de tous dans les institutions et les sociétés. Tous peuvent être considérés comme instituants.

Le point de vue d'un littérateur.

Il est curieux que cette théorie du « contrat social » de Rousseau n'ait eu aucune influence sur la pensée politico-sociale du xixe siècle. C'était en fait la première théorie psychosociologique et probablement trop en avance pour pouvoir être prise au sérieux. Les théories sociologiques qui apparaissent au xixe siècle — A. Comte, Durkheim, etc. — considèrent les « faits sociaux » d'une manière globaliste et ne voient pas la réalité corpusculaire de ceux-ci. Même la pensée sociologique moderne en reste encore à cette vue superficielle. Seuls les auteurs anglo-saxons ont fait une tentative pour introduire le point de vue relationnel en sociologie, d'une manière qui reste encore très insuffisante car ils cherchent plus à mettre l'accent sur l'inter-personnel (relations symétriques) que sur le « contractuel » ou sur l' « inter-actionnel ».

On pourrait penser que les historiens, eux au moins, auraient redécouvert la perspective rousseauiste, étant confrontés aux faits concrets de l'histoire vivante et non pas à des entités socio-politiques. Mais il n'en est rien. Les historiens du xixe siècle et la plupart de ceux de notre époque se contentent de grandes fresques historiques qui les amènent à survoler l'histoire au niveau des « grands hommes » et des structures, c'est-à-dire précisément au niveau le moins explicatif. On trouve rarement chez eux des études « cliniques » des faits historiques qui permettraient de mettre en lumière la genèse des événements et des institutions.

Un des seuls auteurs du xixᵉ siècle qui ait eu l'intuition du processus que Rousseau avait entrevu et qui ait cherché à l'analyser n'est justement pas un historien — bien qu'il ait étudié l'histoire — mais un littérateur. Il s'agit de Tolstoï dans cet ouvrage gigantesque qui s'appelle *Guerre et Paix*.

Tolstoï ne se contente pas de faire un roman, il refusait d'ailleurs qu'on appelle son œuvre de ce nom. Il veut surtout recréer une époque — celle de la Russie au moment de la campagne de Napoléon — et cela l'amène à essayer de comprendre la nature des phénomènes qu'il tente de ressusciter. Il élabore donc toute une théorie complexe de l'événement historique, c'est-à-dire de l'institution, qui est d'un grand intérêt et qu'on n'a pas prise jusqu'ici au sérieux. On trouve surtout cette théorie dans les livres III et IV de l'œuvre précitée.

Les points principaux de cette théorie sont les suivants :

1. Les événements historiques sont le résultat de milliers de causes qui se situent au niveau de la totalité des individus concernés qui sont tous aussi importants les uns que les autres. Les actes de ceux-ci sont nécessaires, soumis à des lois inéluctables. Les actes de ceux qu'on appelle les « grands hommes » ne sont pas plus importants que ceux du dernier des soldats. Ils sont même souvent moins importants.

2. Ceux qu'on appelle les « grands hommes » suivent les événements au lieu de les précéder, comme ils le croient eux-mêmes. Ce n'est pas le génie de Napoléon qui gagne les batailles mais l'ensemble des initiatives concrètes de la totalité des combattants qui n'obéissent pas la plupart du temps aux plans de Napoléon et très souvent les contredisent. La part de Napoléon — comme d'ailleurs des autres chefs militaires — est extrêmement faible et se borne en réalité soit à déclencher certains effets secondaires et souvent perturbateurs (par rapport à leurs propres projets), soit à cristalliser au niveau des manifestations certains mouvements plus profonds (le culte de l'empereur comme expression de la

volonté de ses soldats), soit à s'attribuer après coup la gloire qui revient en réalité à tous.

3. Les « grands hommes » ne sont le plus souvent que des êtres pâles et médiocres, embarrassés dans leurs vanités et leurs querelles, qui ne comprennent rien à ce qui se passe, ce qui leur permet précisément de se laisser conduire par ces grandes forces qui leur échappent. Comme des pantins, ils obéissent aux tendances destructrices et meurtrières des foules dont ils deviennent les instruments dociles. Ils ne sont donc pas plus que les autres des « criminels » qui auraient l'entière responsabilité des événements qu'on leur attribue. Ils ne sont pas plus criminels que quiconque, malgré les apparences.

4. Les événements historiques ne sont pas séparés les uns des autres et isolables, comme des objets qu'on pourrait considérer à part. Ils ne sont donc pas divisibles en parties discontinues comme le voudrait le fameux sophisme ancien d'Achille et de la tortue, mais ils forment une totalité continue. Ils n'ont donc pas de « commencement », soit au sens temporel du terme, soit au sens où ils auraient leur origine dans la volonté des « grands hommes ». On doit les considérer « en bloc ». « Ce n'est qu'en prenant pour objet de nos investigations, écrit Tolstoï, une unité infinitésimale, la différentielle de l'histoire, c'est-à-dire les tendances, les aspirations communes des hommes et en apprenant à les intégrer, c'est-à-dire à faire la somme de ces unités infinitésimales, c'est alors seulement que nous pourrons espérer connaître les lois de l'histoire » (L. III, III, 1).

Citons des passages de la première partie du livre III qui résume bien la pensée de l'auteur : « (...) A nous qui ne sommes pas historiens, que le processus même de la recherche n'obnubile pas et qui, en conséquence, contemplons l'événement en gardant intact notre bon sens, il nous apparaît que le nombre de ces causes (de la campagne de Russie) dépasse le calcul. A mesure que nous avançons dans leur recherche, nous en découvrons toujours de nouvelles, et quelle que soit la cause ou la série de causes envisagées, toutes paraissent également exactes considérées en elles-mêmes et également fausses vu leur insignifiance en regard de l'énormité de l'événement qu'elles étaient incapables de produire (en dehors

de leur coïncidence avec toutes les autres). Le désir ou le
refus de rengager de n'importe quel caporal français nous
paraît une cause tout aussi valable que le refus de Napoléon
de retirer ses troupes derrière la Vistule ou de rendre le duché
d'Oldenbourg car si ce caporal n'avait pas repris du service
et qu'un autre, un troisième, un millième caporal ou soldat
avait agi de même, il y aurait eu autant d'hommes de moins
dans l'armée de Napoléon et la guerre n'aurait pu avoir
lieu. »

« (...) Les actes de Napoléon et d'Alexandre dont dépendait,
semble-t-il, que les événements eussent lieu ou non, étaient
aussi peu libres que l'acte de n'importe quel soldat qui partait
en campagne désigné par le sort ou recruté. Il ne pouvait en
être autrement, parce que l'accomplissement de la volonté de
Napoléon et d'Alexandre (dont dépendait, semble-t-il, l'événement) nécessitait la coïncidence d'un nombre incalculable
de circonstances et qu'à défaut d'une seule d'entre elles,
l'événement n'eût pu se produire. Il fallait que des millions
d'hommes qui détenaient la force effective, les soldats qui
tiraient, transportaient les vivres et les canons, il fallait
qu'ils voulussent bien accomplir la volonté d'autres hommes
isolés et faibles et qu'ils eussent été amenés à cela par diverses
raisons compliquées et en nombre infini.

» Le fatalisme est inévitable en histoire lorsqu'il s'agit
d'expliquer les phénomènes irrationnels (c'est-à-dire ceux
dont nous ne comprenons pas le sens). Plus nous nous effor-
çons d'expliquer rationnellement ces phénomènes historiques, plus ils nous apparaissent dénués de sens et incom-
préhensibles.

» Tout homme vit pour soi, profite de sa liberté pour atteindre ses buts personnels et sent de tout son être qu'il peut à
chaque instant accomplir on ne pas accomplir tel acte ; mais
une fois qu'il l'aura accompli, cet acte accompli à un moment
précis du temps deviendra irrévocable et appartiendra à l'histoire qui, de libre qu'il était, le rend nécessaire (...). »

« (...) Plus que jamais persuadé en 1812 qu'il dépendait de
lui de « verser ou de ne pas verser le sang de ses peuples »
(comme le lui écrivait Alexandre dans sa dernière lettre),
Napoléon n'avait jamais été plus étroitement soumis à ces
lois inéluctables qui l'obligeaient (alors qu'il croyait agir

librement) d'accomplir pour l'œuvre commune, pour l'histoire, ce qui devait être accompli (...) ».

« (...) Ceux qu'on appelle les grands hommes sont des étiquettes qui donnent leurs noms aux événements historiques ; et tout comme les étiquettes, ils n'ont pas de rapports avec ces événements. Chacune de leurs actions qui, à leurs propres yeux, est libre, n'est pas libre au sens historique, mais est liée à toute la marche de l'histoire et prédéterminée de toute éternité » (IIIᵉ partie, I, 1).

Il est difficile de mieux exprimer que ne l'a fait Tolstoï dans ces pages de *Guerre et Paix* à quel point les événements et les parties d'une institution donnée sont liés les uns aux autres inextricablement de telle sorte qu'il est impossible de les dissocier et de leur attribuer une origine. Non seulement ils sont innombrables, mais ils sont perpétuellement réciproques et en interaction. La liberté qu'on serait tenté d'attribuer aux acteurs de ces institutions — et qui est réelle — ne consiste pas dans le fait qu'ils pourraient se soustraire à toutes les influences mais au contraire au fait qu'ils sont capables de les intégrer ensemble, réalisant ainsi des actions nouvelles et originales. Les influences elles-mêmes sont déterminantes. Ce qui revient à dire, sous une autre forme, que les institutions n'obéissent pas, comme certains le voudraient aujourd'hui, à un mouvement descendant qui irait des structures ou des dirigeants, considérés comme origines, aux membres ou aux éléments considérés comme termes, mais obéissent à des mouvements à la fois montants et descendants, perpétuellement « en boucle » et en rétro-action.

On pourrait sans doute retrouver des idées du même genre chez Victor Hugo, c'est-à-dire, encore une fois, chez un littérateur, plus sensible qu'un historien aux liaisons réelles entre les faits, par opposition aux liaisons telles que se les représentent les participants mêmes de l'histoire (qui ont tendance à valoriser les structures et les grands hommes).

L'analyse institutionnelle.

Le modèle inter-actionniste présenté ne suffit évidemment pas à définir l'institution. Il permet de définir tout groupe quel qu'il soit et l'institution est une forme particulière de groupe qui présente des caractéristiques particulières. Ces caractéristiques sont intéressantes à considérer.

La principale de ces caractéristiques est le fait que l'institution, contrairement au « groupe » proprement dit (au sens de J. Ardoino), résulte d'interactions tellement nombreuses et convergentes qu'elles ont tendance à « faire bloc » et à créer un ensemble relativement fixe qui s'inscrit dans le temps et dans l'espace. Il s'agit d'un ensemble d'hommes assez nombreux occupant souvent le même lieu, facilement repérable, qui possède un nom, et qu'on peut comparer à un « objet » dans le domaine physique. On le voit, on le connaît, on en parle, et on a l'impression — qui est d'ailleurs fausse — qu'il a une unité irréductible et qu'il se comporte d'une manière unitaire. Ses dirigeants sont le symbole de cette unité, comme d'ailleurs sa constitution et ses règlements, inscrits dans des livres. Le caractère d'objet de l'institution se retrouve dans les termes, même argotiques, qu'on emploie pour la désigner, par exemple « établissement », « maison », « boîte », « boutique », etc., s'il s'agit d'une entreprise. La « personne morale » constituée par l'institution est délimitée par la personne physique qui lui sert de support.

Il semble d'ailleurs, et ceci n'est qu'une apparence, que l'institution traite directement avec les autres institutions ou avec la société globale, super-institution, sans passer par ses membres. Je dis que cela n'est qu'une apparence, car cela serait impossible sans le « blanc-seing » que les membres donnent au dirigeant, ce qui renvoie à leurs rapports à ceux-ci que j'ai déjà analysés. Les dirigeants certes paraissent particulièrement libres et autonomes quand ils traitent avec les autres institutions, et cela les qualifie mieux que n'importe quoi comme dirigeants, de la même manière qu'un président de la République a le privilège de la politique étrangère, mais cela ne supprime en rien leur dépendance fondamentale à l'égard des membres, qui demeure même au moment où ils se sentent le plus libres.

En réalité l'institution est comme un objet matériel parcouru incessamment de courants invisibles au niveau des molécules et en bouleversement constant. Ce sont ces courants qu'il importe de connaître pour comprendre l'institution et c'est ce que nous permet l' « analyse institutionnelle ».

Celle-ci constitue une nouvelle discipline permettant d'appréhender la réalité psycho-sociale d'une manière neuve. Elle échappe à la sociologie et à la psychologie.

L'analyse institutionnelle est une méthode clinique qui part de la connaissance approfondie d'une institution et de sa dynamique interne, soit pour comprendre cette institution même, soit pour comprendre l'ensemble des institutions ou une catégorie d'entre elles. Comme toute méthode clinique, elle exige une connaissance dans le détail et c'est l'observation des convergences ou des divergences nombreuses entre des éléments disparates qui permet d'opérer des inductions. Il se passe ici le même processus que celui qu'on utilise en biologie quand on observe un phénomène d'une manière fine, disons par exemple une mitose, et qu'on extrapole à ce qui se passe dans toutes les cellules.

Les phénomènes observés sont beaucoup plus dynamiques que statiques. Il s'agit des transformations et mouvements qui se passent dans l'institution. Comme ceux-ci ne peuvent pas être appréhendés en totalité, il importe de se centrer sur certains d'entre eux qui paraissent plus importants et plus significatifs. La notion d' « analyseur » lancée par G. Lapassade répond à ce besoin. Pour G. Lapassade, l' « analyseur » est un événement ou un ensemble d'événements qui se passent dans une institution et qui permettent de saisir l'évolution de cette institution. Ce sont des espèces d'indicateurs qui marquent le sens dans lequel s'opère le changement institutionnel.

Enfin, l'action-recherche est évidemment la méthode privilégiée de l'analyse institutionnelle car les phénomènes observés dans une institution ne sont pas des phénomènes physiques extérieurs à nous mais nos propres actions. Ce sont ces actions elles-mêmes qui non seulement sont objets d'observation mais qui, par-dessus le marché, constituent le dispositif expérimental lui-même. Les variables s'associent et se dissocient à l'intérieur de nos actions et par rapport à elles. Les buts et finalités de ces actions deviennent les normes non seulement de l'activité mais même de la recherche qui doit se soumettre à eux pour aboutir.

L'argument de la récupération.

Je me suis éloigné beaucoup du problème des animateurs qui m'occupait au début de ce chapitre.

Mais ce n'est qu'une apparence. Je ne m'en suis éloigné que pour mieux y revenir.

On ne peut comprendre en effet le développement de l'animation à notre époque que si on adopte une conception pluraliste du système social, qui repose elle-même sur une théorie institutionnelle.

Ceux qui se rallient à un schéma mécaniste de l'institution, selon laquelle celle-ci forme un tout rigide et indissociable défini par ses structures et ses dirigeants, sont obligés d'admettre, du même coup, que toute entreprise qui se passe au sein d'une institution quelconque possède les caractéristiques essentielles de cette institution, même si les apparences vont en sens inverse. Cette entreprise est toujours et quoi qu'on fasse *récupérée*, même si elle fait des efforts désespérés pour ne pas l'être. Il suffit que les gens qui se livrent à cette entreprise soient payés par l'institution pour que celle-ci (qui est une et indivisible) les contraigne à aller dans son sens à elle et à servir ses finalités. C'est le fond de l'argumentation de Meister que j'ai évoquée au début de ce chapitre.

Si par contre on estime, comme il semble qu'il faille le faire, que l'institution est une réalité « contractuelle » qui résulte de l'équilibre instable entre des forces changeantes et contradictoires, ou mieux de la négociation incessante entre la totalité de ses participants, alors on peut comprendre qu'une institution admette dans son sein des individus et des projets qui aillent contre ses tendances les plus visibles. Ceux-ci, bien loin d'être récupérés, constituent au contraire des promesses d'un changement profond dans l'institution, des pierres d'attente d'une institution renouvelée. Bien loin d'être des traîtres à leur cause, comme on les représente toujours, ce sont plutôt des traîtres à l'institution. Le fait qu'ils travaillent dans le sein de celle-ci et pour ainsi dire dans son enceinte ne signifie en aucune manière qu'ils en partagent l'esprit.

Toute l'argumentation de la récupération, si fréquente aujourd'hui dans les milieux extrémistes, repose sur des images et une psychologie qu'on pourrait qualifier de militaires. Dans une telle perspective, l'ennemi se définit par son appartenance physique à un autre camp et, pour ainsi dire, par sa localisation. Il suffit qu'un individu soit en contact physique avec l'ennemi détesté pour qu'il soit de connivence avec lui et considéré lui-même comme un ennemi. Il suffit que le psychosociologue travaille dans l'industrie et pour l'industrie pour qu'on décrète qu'il en est un « suppôt ». Il suffit que l'animateur soit payé par son association pour qu'on déclare qu'il ne s'en distingue en aucune manière. Il porte sur lui le signe indélébile d'infamie, il est marqué dans sa chair même, et tous les efforts qu'il fera pour prouver le contraire seront voués à l'échec.

En réalité, une analyse objective et honnête des phénomènes historiques qui permettent l'animation prouve que ce schéma mécaniste est à rejeter et oblige à recourir à un autre schéma, de caractère pluraliste.

Une telle analyse nous révèle que l'animation est devenue non seulement possible mais souhaitable dès le moment où se sont introduits, dans le tissu social, des groupes issus de mouvements contraires à ceux de la société globale et en opposition avec elle. De tels groupes exigeaient une nouvelle forme de conduite et une nouvelle forme d'intervention qui n'étaient possibles qu'avec des animateurs.

L'existence de tels groupes, en rupture avec la société globale, ne fait aucun doute. Il est difficile de les citer tous. Cela va depuis les groupes de loisirs et les groupes de jeunes jusqu'aux groupes d'immigrés marginaux, en passant par les groupes politiques contestataires et les groupes délinquants.

A l'origine de ces phénomènes, on trouve des mouvements historiques complexes, qui peuvent être très composites et renvoyer à des forces profondes en action dans la société depuis des siècles. Ces mouvements historiques rentrent en combinaison et produisent des phénomènes tels que ceux que je suis en train d'examiner.

Prenons l'exemple des loisirs, c'est-à-dire du secteur qui est un des plus actuellement objet d'animation. Le développement des loisirs à notre époque n'est pas facile à comprendre et renvoie à des causes complexes et convergentes. Je peux en isoler un certain nombre :

1. L'évolution des mentalités dans le domaine moral et sexuel depuis un siècle environ. L'amusement, la distraction, la fête, même s'ils étaient tolérés par la société d'autrefois, étaient malgré cela condamnés. L'Église excommuniait les comédiens et les curés n'aimaient pas les bals, dancings ou activités de ce genre qui étaient causes d'immoralité et de laisser-aller. Les mœurs changent depuis un certain temps sous l'effet d'une critique, venue des penseurs et doctrinaires divers, à l'égard des principes moraux traditionnels et sous l'effet aussi de phénomènes nouveaux tels que l'urbanisation, l'industrialisation qui apportent un bien-être matériel, des contacts plus faciles entre les gens, etc. Ceux qui osent manifester des manières nouvelles de vivre dans lesquelles le principe de plaisir est accepté, sont en réalité des révolutionnaires qui revendiquent hautement le droit à l'amusement et à l'épanouissement de l'individu.

2. L'évolution du monde du travail, liée elle-même au développement de la technique, permet une diminution du temps de travail et du même coup un temps plus long réservé aux loisirs. Les ouvriers ne peuvent plus travailler de 12 à 15 heures par jour comme ils le faisaient au XIXe siècle, pour la bonne raison que cela engendrerait un énorme chômage que la société ne pourrait pas résorber. Il y a là un phénomène irréversible qu'on peut considérer comme une conquête de l'homme à travers la technique.

3. Les forces politiques de gauche luttent depuis un siècle pour la diminution du temps de travail et pour le droit aux loisirs. Elles obtiennent les « congés payés » pour tout le monde en 1936. Cela aussi est une conquête.

4. Les gouvernements qui se succèdent depuis un siècle, même s'ils sont conservateurs, sont contraints de tenir compte des goûts du public et des besoins de la population, pour la simple raison qu'ils perdraient leur clientèle électorale s'ils ne le faisaient pas. Ils créent donc des ministères et organismes divers, comme le « Ministère de la jeunesse et des sports », « le Ministère des loisirs », etc., qui sont faits pour satisfaire en principe certaines demandes générales. Je montrerai plus loin leurs motivations réelles et l'impact que celles-ci peuvent avoir. Il n'en reste pas moins que le caractère démocratique des États modernes, qui résulte d'un certain nombre

de conquêtes politiques, est fondamental dans ce mouvement.

5. Le développement des moyens de communication de masse, les mass-media, résultat aussi de l'évolution technique, va aussi dans le sens des loisirs. Ils permettent une meilleure communication entre les hommes, la multiplication des spectacles, l'apparition de nouvelles formes d'art comme le cinéma, la radio, etc.

Tous ces phénomènes, ainsi que beaucoup d'autres encore, permettent de dire que les loisirs sont une conquête de l'homme moderne, ou plus exactement une conquête obtenue par certains groupes d'action et de pression, dans lesquels les militants tiennent une très grande place. Cette conquête peut être considérée elle-même comme une sorte de négociation ou d'interaction de caractère combatif, qui permet l'établissement d'institutions, en opposition au moins partielle avec la société globale, en équilibre dynamique avec d'autres institutions.

Le problème est maintenant pour ces institutions nouvelles de vivre et de fonctionner, et c'est alors qu'apparaît le besoin d'animateurs.

L'insertion institutionnelle de l'animateur.

L'animateur est quelqu'un qui, dans un groupe ou une intitution fonctionnant selon de nouveaux principes, permet précisément ce fonctionnement ou encore le rend possible. Il respecte en effet une certaine liberté des individus et suscite leurs initiatives ; il les aide à se prendre eux-mêmes en charge. Certes, il n'a pas toujours conscience de son rôle réel et des moyens pour l'assumer. Il peut fort bien régler son comportement sur un modèle directif et autoritaire qui contredit les besoins réels des individus dont il s'occupe. Il peut croire qu'il fait lui-même tout le travail, même si cela ne correspond pas à la réalité des choses. Cependant, même dans ce cas là, il ne peut pas s'empêcher de respecter un certain nombre de règles générales inspirées de la non-directivité.

L'aide que l'animateur apporte au groupe dont il s'occupe varie selon la nature de ce groupe. Dans certains cas, cela peut être de permettre une activité plus intense et plus cohérente, comme dans les groupes d'animation culturelle, d'animation de loisirs, d'animation de jeunes. Dans d'autres cas, cela peut être de permettre aux gens de mieux résoudre leurs problèmes quotidiens, comme cela se passe pour les animateurs qui travaillent dans l'action sociale. Dans d'autres cas, cela peut être de favoriser les relations avec des entreprises ou avec des organismes, comme cela se passe pour les animateurs commerciaux. Dans d'autre cas enfin, cela peut être de favoriser les prises de conscience, les évolutions et les apprentissages, comme cela se passe pour les éducateurs et les enseignants. De toute façon, l'animateur est au service de la collectivité dont il s'occupe, ce qui veut dire qu'il accepte les désirs et projets de celle-ci et ne cherche pas à leur substituer ses propres désirs et projets. Il est dans un rapport que nous pourrions qualifier d'empathique, même si son empathie personnelle n'est pas très développée.

Ce qui pose le plus de problèmes est le rapport économique que l'animateur entretient avec son institution et avec la société globale, c'est-à-dire la manière dont il est payé et salarié. Il est vrai, comme l'affirment les détracteurs de l'animation, qu'il est souvent engagé et payé par des institutions qui ont des principes opposés aux siens et qui poursuivent des fins contraires. De toute façon, il est inséré dans la société globale pour laquelle il travaille.

Cela entraîne-t-il qu'il renonce à son influence et biaise son action dans le sens voulu par le contexte, ou encore qu'il refuse de prendre part aux luttes que son groupe mène contre des forces contraires et dominantes ?

En aucune manière. Cela serait le cas si les employeurs qui l'emploient le faisaient pour les raisons qu'ils invoquent eux-mêmes, à savoir pour des raisons purement utilitaires et récupératrices. Ces raisons sont bien connues et mille fois affirmées. Il s'agit par exemple d'apaiser les conflits et de rétablir l'ordre quand on emploie des psycho-sociologues. Il s'agit de distraire les gens, de les reposer et de les détourner des vrais problèmes quand on emploie des animateurs de loisirs. Il s'agit d'occuper les jeunes pour les empêcher de se livrer à toutes sortes d'exactions quand on emploie des animateurs de jeunes, etc. Si toutes ces raisons étaient effectivement celles qui obligent les employeurs à utiliser des animateurs, il n'y aurait plus d'animation possible, car les emplo-

yeurs en question auraient les moyens d'imposer aux animateurs leurs propres finalités et les renverraient s'ils ne les
poursuivaient pas.

Mais il n'en est pas du tout ainsi. La raison principale pour
laquelle les employeurs utilisent les animateurs est qu'ils ne
peuvent pas faire autrement et qu'ils y sont précisément contraints par le rapport de force fondamental ou « le pacte » qui
sous-tend les institutions de base. Ce rapport de base est tel
que les employeurs sont pratiquement contraints d'utiliser
des gens qui ne leur plaisent pas et qui vont contre leurs
propres finalités. Ils y sont contraints par ceux qui ont fait
un certain nombre de conquêtes et qui entendent les maintenir.

Il n'est pas question, à notre époque, pour quelque pouvoir
que ce soit, d'empêcher les gens de prendre les loisirs qu'ils
désirent. De la même manière, les pouvoirs ne peuvent tout
simplement ignorer les communautés marginales telles que
les communautés d'immigrés ou autres, comme ils le faisaient
autrefois ; cela entraînerait des troubles graves, des réactions,
qui nuiraient à leur propre sécurité. Ils doivent donc, de
toute nécessité, permettre à ces communautés de vivre en
mettant à leur disposition des animateurs de service social,
en les assistant financièrement, en les soutenant par la
Sécurité Sociale et les caisses d'assistance, etc. Les délinquants,
dans un autre domaine, pourraient être pourchassés par la
police et exterminés physiquement, comme cela se passait
à certaines époques. Cela n'est plus possible aujourd'hui ;
l'opinion publique ne tolère plus certaines solutions. Elle
suscite indirectement la création des « clubs de prévention »,
« foyers en milieu ouvert », etc., qui font appel à des animateurs.

Il ne faut pas trop croire ce que disent les dirigeants qui
utilisent l'animation et les animateurs. Leurs rationalisations
n'ont pas beaucoup plus d'importance que n'importe quelle
rationalisation. Elles ont surtout pour but de les rassurer eux-
mêmes. Le fait d'y être trop sensible et de brandir ces argumentations comme une preuve du danger de récupération
qu'elles révèlent manifeste seulement la dépendance de ceux
qui le font, c'est-à-dire finalement leur panique en face de ces
dirigeants et l'importance excessive qu'ils leur accordent.

Quand, par exemple, les dirigeants des entreprises déclarent
qu'ils utilisent des psycho-sociologues pour apaiser les conflits,
empêcher les tensions dans l'entreprise, la faire mieux fonctionner, faciliter les « bonnes relations », etc., ils sont tout
simplement de mauvaise foi, et il ne faut pas les croire.
S'ils disaient la vérité, ils devraient appeler les psycho-sociologues pour les ouvriers des catégories les plus basses, qui sont
ceux qui provoquent le plus de conflits et de tensions dans
l'entreprise, qui ont les moins bonnes relations avec le reste,
qui troublent le plus la bonne marche des choses. En fait, ils
les appellent pour les employés et surtout pour les cadres supé-
rieurs et non pour les ouvriers, tout simplement parce que
les cadres « demandent » de plus en plus ce genre de formation
et qu'ils ne peuvent pas les frustrer dans leur demande. Bien
plus, il faut qu'ils aillent au-devant de ces demandes s'ils
veulent se concilier ces cadres qui leur sont tellement nécessaires et avec lesquels ils travaillent journellement. La collé-
gialité mitigée et le travail en équipe, qui sont un effet du développement technique à notre époque (moyen de communication, etc.) et donc une conquête de l'homme moderne, imposent
ce genre de solution, qui est en fait une satisfaction accordée
à ceux qui ont la force de se faire entendre.

Certes, le rapport de force qui oblige les dirigeants à accepter et même à payer l'animation est soumis à des fluctuations.
Il ne joue pas toujours en faveur des subordonnés. C'est pourquoi il y a des moments où les animateurs doivent rentrer dans
la lutte, même au sein de leurs propres associations, et redevenir des militants. Ils le font souvent volontiers et avec un
courage réel, contrairement à ce que dit Meister. Je pourrais
citer de nombreux exemples.

Cela revient à dire que la militance est présupposée à l'animation. Non seulement elle permet de créer cette tension
qui modifie l'équilibre des institutions, mais elle permet de
la maintenir. Opposer militance à animation, comme le fait
Meister, pour valoriser la première et sous-estimer la seconde,
revient en fait à jeter le discrédit sur la militance, car c'est
précisément sa victoire et la preuve de son efficacité que de
permettre la création de lieux dans lesquels l'animation devient
possible.

La militance de l'animateur.

En réalité, l'animation est elle aussi une espèce de militance et c'est ce qui fait sa valeur. Elle n'a pas seulement pour but de permettre à des groupes d'exister et de fonctionner, mais elle aboutit à changer la mentalité des individus et leur manière de se comporter en société, autrement dit la société elle-même. Elle constitue le facteur le plus déterminant de « changement social » et par là comble les insuffisances de la militance proprement dite.

Le danger de cette dernière est en effet de faire croire que la violence et la menace, ou plus exactement la contre-violence et la contre-menace, sont la clef de tous les problèmes et la seule solution dans une société fondée sur la contrainte et la domination. Cela n'est pas vrai et la preuve la plus convaincante en est que les sociétés qui se sont fondées sur ce principe — « démocraties populaires », par exemple — retombent dans la pire des servitudes, par la généralisation d'une espèce de « paranoïa » qui aboutit à créer la dépendance et la dominance à tous les niveaux. Le gauchisme, qui soutient cette thèse, est un très grand danger et constitue un des plus beaux produits de la pensée traditionnelle.

Il y a nécessairement un moment où il faut abandonner la lutte et le rapport de force pure pour construire de nouveveaux types de relations, c'est-à-dire d'interactions entre les individus. C'est le seul moyen de construire une nouvelle société, et la construction de celle-ci doit être contemporaine à la destruction de l'autre si l'on veut que cette destruction n'aboutisse pas à une impasse pure et simple.

Le problème est de savoir si une telle reconstruction est possible dans un cadre restreint et nécessairement limité, et même si elle a seulement un sens dans un tel cadre.

On retrouve à nouveau les objections des marxistes, qui s'adressent cette fois non plus à la structure institutionnelle des expériences non-directives, mais à ces expériences considérées en elles-mêmes.

Les objections sont ici de deux ordres et curieusement se contredisent. Quelqu'un comme G. Snyders (¹) les a fort bien exprimées.

(¹) G. SNYDERS, *Où vont les pédagogies non-directives*. P. U. F., 1973.

On rencontre tout d'abord une série d'objections qui consistent à critiquer le caractère « fermé » de ces expériences et le fait qu'elles se fassent pour ainsi dire en laboratoire, dans des sortes de phalanstères et de lieux clos, comme si la société globale n'existait pas.

Créer, dit-on, un lieu de bonheur et d'euphorie dans lequel des individus ont l'illusion de s'aimer et d'avoir résolu leurs problèmes, dans une participation et une communion de caractère mystique, est non seulement illusoire, car cela est impossible dans la société actuelle, mais dangereux, car cela détourne les participants des vrais problèmes et en particulier de la « lutte des classes ».

Ce type d'objection pourrait à la rigueur être valable si l'on n'éprouvait pas le besoin de lui juxtaposer immédiatement un autre type d'objection qui rend nul et non avenu le premier type d'objection.

Ce second type d'objection consiste à faire au contraire comme si ces expériences étaient parfaitement « ouvertes » et comme si les phénomènes qu'on y rencontre ne faisaient que « reproduire » les phénomènes de la société globale, mais d'une manière plus sauvage et plus dangereuse. Vous supprimez, dit-on, l'autorité du maître, mais vous la remplacez par l'autorité de quelques meneurs, de quelques leaders incontrôlés, qui vont faire régner la terreur dans le groupe et le manipuler comme ils le voudront, puisqu'ils n'en seront empêchés par personne. Nous sommes loin de la belle euphorie mystique, de l' « illusion groupale » dont on nous parlait tout à l'heure.

Il suffit de combiner ces deux types d'objection pour répondre à nos détracteurs.

D'une part, il ne s'agit pas d'euphorie, comme ils le reconnaissent eux-mêmes, et d'autre part il ne s'agit pas de quelque chose de sauvage, comme ils le reconnaissent encore eux-mêmes.

Il y a certes un côté « fermé » dans les expériences de groupes, mais cela ne les rend ni illusoires ni dangereuses. Les croire telles, c'est une fois de plus retomber dans un schéma mécaniste de la société, et faire comme si celle-ci était un tout un et indivisible auquel il est impossible d'échapper et qu'on peut seulement détruire. L'expérience qui se fait dans les groupes non-directifs est certes une expérience isolée, qui se fait « ici et maintenant » et dans ce cadre, mais qui, en même temps, met en jeu les sentiments et attitudes les plus générales de l'individu, et qui, à ce titre, modifie les comportements sociaux à l'extérieur. Elle a donc une incidence directe sur toute la vie de l'individu et spécialement sur son insertion sociale. Non seulement, elle ne l'arrache pas à la « lutte des classes », bien au contraire, mais elle lui permet d'aller au-delà de la « lutte des classes », à la découverte de nouveaux rapports avec les autres, que la « lutte des classes » présuppose (dans l'union de tous ceux qui luttent) et à laquelle elle aboutit (dans la création d'une société nouvelle), qui, de toute façon, sont nécessaires pour empêcher que la « lutte des classes » ne devienne une espèce de paranoïa universelle.

La fermeture de l'expérience qui, comme on vient de le voir, n'est pas totale, garantit cependant son authenticité. Le fait, en effet, qu'elle se fasse en milieu clos et dans certaines conditions, l'empêche de verser dans la violence et dans une espèce d'anarchie où régnerait la loi du plus fort. Les rapports autoritaires féroces ne peuvent apparaître que dans un milieu « normal » où il est possible d'utiliser certains instruments matériels ou humains (par exemple, les phénomènes de masse) pour dominer. Ils sont en eux-mêmes des phénomènes institutionnels qui ne peuvent se produire qu'au niveau de véritables institutions. Ils ne peuvent par contre se produire au niveau de groupes restreints qui ne fournissent aucun appui institutionnel à ceux qui veulent dominer les autres. Ceux-ci en sont réduits à leur force individuelle qui est généralement faible. Le seul, dans un groupe non-directif, qui possède encore en principe le pouvoir institutionnel est l'animateur, qui précisément l'utilise peu ou pas du tout.

Paradoxalement, c'est le caractère parcellaire et restreint des expériences non-directives et le fait qu'elles sont encore peu répandues, limitées dans le temps et dans l'espace, qui sont le meilleur garant de leur valeur formative et exemplaire. A supposer que l'autorité disparaisse brusquement dans de « grands ensembles » sociaux, ce qui créerait une non-directivité institutionnelle, il y aurait un risque évident de « prise de pouvoir » par des individus jusque-là inconnus et isolés, qui s'appuieraient sur les forces en jeu pour asseoir leur domination. Il faudrait un contre-pouvoir pour les empêcher et celui-ci diminuerait le caractère non-directif du phénomène. C'est d'ailleurs un des phénomènes posés par l'auto-gestion, qui, contrairement à l'animation d'un groupe restreint, exige le recours à des pouvoirs démocratiques pour pouvoir se réaliser.

D'une certaine manière, la société globale, en opposant des obstacles à l'extension de la non-directivité, lui rend le plus grand service. Elle l'empêche de devenir d'emblée une formule politique qui en limiterait la portée et lui permet de garder une certaine pureté, qui en assure l'efficacité. Les individus qui font l'expérience non-directive dans un cadre de « laboratoire » sont amenés à changer plus profondément leurs attitudes que s'ils faisaient cette expérience dans un cadre plus large, et, par là, se préparent mieux à pouvoir un jour contribuer à la création d'une société nouvelle.

Toute formation véritable présente nécessairement un caractère séparé. Il n'y a pas de formation valable dans la production et dans la vie quotidienne, quand on est pris à la gorge par les inquiétudes de chaque instant, quand on est enfoncé dans les conflits d'intérêt, quand on est incapable de prendre de la distance par rapport à son vécu.

Mais comment, dira-t-on, peut-on apprendre à vivre différemment dans la vie courante si on ne se trouve pas dans cette vie elle-même et si on n'est pas confronté à ses problèmes ? Cela est pourtant possible, et s'explique par des principes de psychologie générale. Ce qui est important pour un individu, c'est le « faire l'expérience » de nouveaux rapports et de nouvelles formes d'action, même si cela se fait dans un contexte artificiel. Il est capable en effet de transférer les attitudes acquises dans un autre contexte, de nature différente et avec des problèmes différents. Il a fait la découverte de nouvelles valeurs, et c'est cette découverte qui est essentielle et qui le change fondamentalement. Peu importe où et quand il a fait cette découverte du moment qu'il l'a faite. L'important pour lui est qu'il ait été « éveillé », « révélé à lui-même », exactement comme dans le domaine sexuel. Sa capacité de transfert lui permet de revenir ensuite à la vie courante et de la vivre différemment. Ce qui revient à dire, d'une manière générale, que les conditions d'acquisition d'une capacité ou d'une valeur ne sont pas les mêmes que ses conditions d'exercice. Tout apprentissage exige des conditions particulières et un contexte particulier, justement parce qu'il n'est pas mécanique et ne se contente pas d'engendrer un processus qui ensuite se répétera identiquement, comme le croyaient les théoriciens classiques de « l'habitude ». Tout apprentissage est une découverte, et la répétition est secondaire. Tout apprentissage est « initiation » et exige un lieu spécifique et des rites initiatiques.

La non-directivité.

Si l'animation non-directive permet l'apprentissage de valeurs nouvelles, en plus de ses effets d'ordre pratique et matériel, et si une de ces valeurs apprises est précisément cette non-directivité, cela veut dire que cette non-directivité n'est pas liée seulement à l'animation, mais constitue une attitude générale qu'on doit pouvoir rencontrer partout et pas seulement chez les animateurs.

Il peut être utile de montrer maintenant ce qui différencie la non-directivité en tant que fondement de l'animation non-directive et en tant qu'attitude générale susceptible d'être rencontrée ailleurs.

1. En tant que *fondement de l'animation non-directive*, elle constitue la condition d'un certain type de travail et d'activité professionnelle exercés soit par les animateurs professionnels, soit par des responsables hiérarchiques qui cherchent à conduire les groupes d'une manière nouvelle. Dans le premier cas, il s'agit d'une négation des attitudes autoritaires *possibles* de l'animateur. Dans le second cas, il s'agit d'une négation des attitudes autoritaires *réelles* du responsable hiérarchique. Dans l'un et l'autre cas, la non-directivité permet non seulement d'accepter les conduites et les désirs de ceux dont on a la charge, mais de se centrer sur ces conduites et désirs dans le but de les aider à s'exprimer et à se réaliser. L'animation en effet ne consiste pas seulement à respecter l'autre — ce qui constitue une attitude humaine générale — mais à identifier sa volonté à la sienne, de sorte qu'on veut lui permettre d'atteindre les buts qu'il se propose. Naturellement, cette identification n'aboutit pas à limiter son vouloir, à le copier, ou même à vouloir pour *soi* les mêmes choses que lui, mais à

prendre son vouloir même comme objet de son propre vouloir
et de son propre désir. On veut qu'il puisse vouloir et qu'il
puisse réaliser son vouloir. On aime pour ainsi dire son vouloir, au point d'en favoriser l'émergence, l'existence et l'épanouissement.

Naturellement, ce que je viens de dire exclut que l'animateur se soumette au vouloir du participant en tant que ce
vouloir le concerne lui-même animateur et concerne la manière
dont il conçoit son travail et son rapport avec le participant.
Il reste libre à l'égard de ce vouloir qu'il n'est pas obligé de
faire sien, ni en tant qu'il vise un autre objet, ni en tant qu'il
le vise lui-même. Il reste libre de concevoir comme il le veut
son propre travail et son rapport avec le participant. Il ne
devient pas esclave du participant.

Il arrive souvent en effet dans les groupes que les participants exigent ou réclament de l'animateur un certain type
d'attitudes et certaines méthodes, et en particulier le recours
à la directivité, voire au despotisme. Ils demandent des directives, des programmes, des sanctions, c'est-à-dire le contraire
de ce que veut faire l'animateur. Rien n'oblige l'animateur à
se soumettre à cette volonté du participant. Cette volonté
peut fort bien provenir d'un sentiment d'angoisse et de
dépendance à l'égard de l'animateur ou des autres participants, ou de la situation, et d'un désir de se protéger contre
des dangers possibles, comme par exemple contre le risque de
ne rien produire, de rester dans l'indécision, de ne pas profiter
du savoir de l'animateur, de tomber dans le désordre et l'anarchie, etc. Tous ces sentiments, pour compréhensibles qu'ils
soient, n'en sont pas moins en désaccord avec les autres désirs
du participant, sur lesquels se centre l'animateur et c'est la
raison pour laquelle il n'a pas à en tenir compte. Le faire
aboutirait le plus souvent à ne plus respecter ni les buts ni les
démarches du participant, à l'empêcher d'être concerné
dans sa propre construction et sa propre évolution, et par là
à l'empêcher d'atteindre les fins qu'il se propose lui-même. Ce
serait tomber dans l'inefficacité, sans parler du rétablissement
d'un type de rapport nocif pour le participant.

Naturellement, l'animateur doit prendre au sérieux *aussi*
ces sentiments d'angoisse et de dépendance qui sont également des désirs qui demandent à se réaliser. Il doit *aussi*

aider ces désirs à se réaliser. Mais il ne peut y arriver en faisant ce que le participant lui demande. La dépendance et l'angoisse ne sont pas supprimées ou simplement apaisées du seul fait qu'on supprime les situations ou les occasions qui les produisent. Quand on le fait, elles renaissent aussi vite sur de nouvelles situations, et ainsi de suite à l'infini. La seule manière de les détruire est indirecte. On n'a pas de prise directe sur de tels sentiments. C'est en offrant au participant des occasions de se réaliser lui-même et de satisfaire ses aspirations au plaisir qu'on lui permet indirectement d'anéantir ses angoisses et ses sentiments de dépendance. J'ai déjà analysé ailleurs ce processus fondamental, qui consiste dans une neutralisation des affects négatifs par les affects positifs, par le biais d'une restructuration du système des valeurs de l'individu à travers l'expérience vécue.

Cela me permet de préciser un point important de la théorie de l'animation concernant l'attitude à avoir envers les demandes explicites des participants. Ces demandes, c'est-à-dire les appels conscients faits aux animateurs, sont à prendre avec beaucoup de prudence et de perspicacité. En tant qu'elles expriment des besoins et des désirs, elles doivent être prises au sérieux et on doit chercher à les satisfaire, comme tous les besoins et désirs des participants. Par contre, elles ne peuvent en aucune manière fixer aux animateurs leurs lignes de conduite. Cela ne veut pas dire que les animateurs doivent les « interpréter » et faire comme si elles étaient autre chose que ce qu'elles apparaissent, mais cela veut dire qu'ils doivent les « comprendre » et les restituer dans leurs finalités explicites. Ce sont elles qui sont déterminantes.

La centration sur les désirs et volontés des participants, dont je viens de montrer la signification et les limites, peut se réaliser à deux niveaux. Un premier niveau concerne les désirs à long terme ou, si l'on préfère, les finalités lointaines. Par exemple, le participant désire apprendre une langue étrangère, ou faire un certain type d'expérience, ou connaître un certain type d'activité. L'animateur ne peut accepter ces finalités que s'il est assez autonome par rapport à l'institution qui l'emploie. Celle-ci en effet s'intéresse particulièrement à ces finalités là, par opposition à celles dont je vais parler plus loin. Elle fixe un cadre général, des objectifs à atteindre, des programmes, qui ne tiennent pas compte, en général, des finalités des participants. L'animateur doit accepter de contredire le cadre, les objectifs, les programmes de l'institution. L'autre niveau est celui des finalités implicites, qui déterminent des désirs immédiats, des manières de faire, des démarches, des options concrètes. L'animateur doit aussi respecter ces désirs et volontés là. Par exemple, il ne doit pas se contenter de faire apprendre la langue étrangère, si le participant le désire, mais il doit le faire de la manière dont le participant le désire, c'est-à-dire en respectant ses démarches et sa manière d'approcher cette réalité, avec son matériel à lui et ses intérêts à lui. Cela est indispensable s'il veut atteindre une pleine efficacité dans l'aide qu'il apporte au participant et ne pas se contenter d'intentions. Cela concerne, si l'on veut, sa pédagogie, en opposition à sa politique.

Un dernier problème, plus général, à propos de l'animation, est celui de sa signification. Pourquoi se centrer sur les désirs des participants si ces désirs ne sont rien d'autre que le produit de conditionnements sociaux ou d'influences venant d'un environnement malade et perverti? Ne risque-t-on pas ainsi d'enfoncer encore davantage les gens dans leur aliénation et dans les ornières de leur condition sociale? Ne risque-t-on pas, par exemple, de maintenir ainsi les enfants des milieux sociaux défavorisés dans leurs tendances naturelles qui ne sont elles-mêmes qu'un effet de l'injustice sociale?

A ces objections importantes, qui ont été souvent faites par certains marxistes (Snyders, par exemple), il faut répondre qu'on n'a aucun autre moyen de faire évoluer quelqu'un et de lui faire découvrir de nouvelles attitudes et de nouvelles possibilités si on ne part pas des tendances et des aspirations qu'il a effectivement, même si celles-ci sont très limitées. On n'a aucun moyen, absolument aucun, d'arracher quelqu'un à lui-même pour le mener là où l'on veut, hors de son vouloir ou contre son vouloir, même si le point où on veut le mener est susceptible de lui plaire et de l'épanouir quand il l'aura découvert. Nous sommes pieds et poings liés en face d'autrui parce que celui-ci est un sujet et non un objet. On ne peut pas faire son bien malgré lui.

Cela veut dire dans la pratique qu'on en est réduit à favoriser et peut-être même à susciter le mouvement que l'individu est capable d'accomplir lui-même à partir du point où il se trouve. Ce mouvement est une lente évolution, continue et insensible, quasiment végétale, que l'individu accomplit de son plein gré, grâce aux stimulations et occasions que nous lui fournissons. Cela est aussi vrai pour le moindre des apprentissages que pour l'évolution générale de l'individu.

Qu'est-ce qui nous assure, dira-t-on, que le mouvement en question est un « bon » mouvement, qui va dans un sens convenable pour l'individu ou pour la société dont il fait partie? Tout simplement le fait qu'un tel mouvement ne peut être que « bon » s'il amène l'individu à se développer, à s'enrichir et à augmenter ses potentialités. Conformément à la théorie que j'ai rappelée tout à l'heure et que je ne peux développer ici, la positivité dans le domaine psychologique s'identifie entièrement au développement. La délinquance, la névrose, la maladie mentale, la violence ne sont que des effets d'un manque psychologique, et en particulier d'un manque de satisfactions dans le cadre du « principe de plaisir » sous l'effet des répressions, lequel manque empêche les pulsions positives de se développer et de neutraliser les pulsions négatives d'angoisse. Ce sont ces dernières pulsions qui produisent tous les maux dont souffrent les individus et les sociétés.

2. Venons-en maintenant à la *non-directivité générale*, qui n'est plus cette fois l'apanage des seuls animateurs mais de tous les individus qui n'ont pas de fortes tendances autoritaires et qui ne cherchent pas à dominer les autres.

Une telle attitude, quand elle se rencontre ailleurs que chez un animateur, prend une signification très différente. Elle n'aboutit plus seulement à permettre la centration d'un individu sur les désirs d'un autre dans le but de créer une relation d'aide, mais à structurer certains types de relations, dans lesquelles les individus non-directifs peuvent fort bien affirmer leurs propres désirs, sans chercher nécessairement à les harmoniser avec les désirs des autres. C'est, si l'on veut, ce que font les participants dans les groupes, qui n'ont évidemment pas la même optique et les mêmes préoccupations que les animateurs.

Vue sous ce nouvel angle, la non-directivité apparaît moins importante que quand on la considère sous l'angle de l'animation. Elle apparaît alors comme une composante et un

effet d'attitudes plus générales qui la dépassent en importance
et en étendue et qui déterminent tous les comportements
à l'égard d'autrui.

Comme je l'ai montré ailleurs (*Pour ou contre l'autorité*,
Gauthier-Villars, 1973), le comportement autoritaire n'est
qu'un effet particulier de la peur des individus à l'égard
d'autrui ou de l'angoisse qu'ils peuvent éprouver en face des
autres.

Cette peur et cette angoisse sont plus importantes pour
comprendre les comportements déficients et déviés que la
directivité qui n'en est qu'un effet particulier.

La peur et l'angoisse à l'égard des autres peuvent engendrer
un certain nombre d'attitudes qui sont les suivantes :

1. des attitudes de fuite systématique à l'égard d'autrui,
se traduisant par la peur de la communication et du contact
sous toutes ses formes. Dans les groupes, cela se traduit par
l'incapacité de parler, de s'exprimer et une position de retrait
caractérisé.

2. Des attitudes de défense, d'agressivité, d'accusation, de
critique excessives, prouvant une vision négative des autres
qui confine au racisme. Dans les groupes, cela se traduit par
un négativisme caractérisé et des positions purement défensives.

3. Des attitudes de méfiance à l'égard de soi-même, à
cause des réactions que nos désirs et mouvements spontanés
peuvent produire chez les autres et de l'agressivité qu'ils
peuvent en éprouver. On se protège contre les autres en
s'inhibant et en se refusant certaines satisfactions, pour
donner une image « bonne » et rassurante.

4. Des attitudes de culpabilité, qui prouvent qu'on s'attend
à être jugé et condamné par les autres qui sont censés ne
pouvoir être que des juges ou des justiciers.

Toutes ces attitudes, qui sont à la base des conflits inter-
individuels et même des conflits sociaux, sont amenées à
s'atténuer et quelquefois à disparaître dans des contextes
fortement non-directifs qui permettent de nouvelles expériences et de nouvelles relations avec les autres. Cette dispa-
rition est donc un effet de la non-directivité. Cependant elle
aboutit à des structures psychologiques qui dépassent de
loin la non-directivité, même si celle-ci en fait partie. Il s'agit

de structures dans lesquelles la communication avec autrui, la collaboration, les contacts tiennent une place importante, parce qu'elles permettent l'affirmation des désirs de tous, et dans lesquelles il est possible de s'affirmer soi-même franchement et fortement.

La non-directivité n'est donc en définitive qu'un certain type d'attitude, assez bien déterminée, indispensable à l'animateur, mais qui a surtout une valeur opératoire. Elle lui permet de remplir correctement sa tâche et de ne pas interposer des comportements autoritaires entre lui et les participants. C'est pourquoi elle peut très bien découler chez lui d'une volonté explicite de ne pas être autoritaire, sans que sa psychologie profonde soit nécessairement modifiée.

Chez les autres individus, elle n'est par contre qu'un aspect d'attitudes plus générales qui mettent en jeu toutes les relations avec autrui et pas seulement les relations d'aide.

Cela nous montre la place réelle de l'animation dans une vie sociale rénovée. Elle se substitue à la relation autoritaire mais n'a pas une valeur, en positif, comparable à la valeur, en négatif, de la relation autoritaire. Celle-ci empêchait la vie dans les groupes sociaux. L'animation, par contre, ne crée pas la vie, mais se contente de la permettre. Elle le fait soit en autorisant la liberté des individus, soit en fournissant des appuis à leur désir. Cela ne suffit pas à la rendre responsable de cette vie elle-même. Elle n'est finalement qu'une aide, qui exige chez celui qui la pratique des qualités et caractéristiques incomparablement plus limitées que celles dont elle permet l'existence.

CHAPITRE IV

ANIMATION ET PSYCHOTHÉRAPIE

La dimension individuelle.

Dans le chapitre précédent, j'ai essayé de montrer que l'animation est liée à l'existence des groupes et des institutions qui forment la texture de la vie sociale. Elle s'introduit au moment où ces groupes et institutions commencent à se libérer de la structure autoritaire et adoptent une autre structure, plus conforme à leur nature profonde, qu'on pourrait appeler une « structure ouverte ». L'animateur se substitue alors au « responsable hiérarchique » et permet un autre fonctionnement de la collectivité dont il a la charge. Il résulte de cela que l'animation apparaît partout où se produit un éclatement de la structure autoritaire :

1. Dans les groupes de formation, au sein de l'école ou ailleurs, qui sont d'authentiques groupes de formation, dans lesquels les individus peuvent s'autodéterminer.

2. Dans les groupes de production ou de vie qui ont déjà acquis une relative autonomie, par exemple les groupes de loisirs, groupes de jeunes, etc.

3. Dans les groupes de production ou de vie qui n'ont encore aucune autonomie et qui restent soumis à une structure autoritaire mais qui cherchent à surmonter leurs contradictions et à découvrir de nouvelles formules de fonctionnement. L'animation s'insère alors dans le cadre de ce qu'on appelle l' « intervention » (avec des formules telles que l' « analyse institutionnelle », la « sociopsychanalyse », etc.).

Cependant, la réalité sociale n'est pas formée que de groupes et d'institutions. Elle est formée avant tout d'individus. Du

fait que ceux-ci rentrent en interaction et se posent le problème de groupes et d'institutions possibles (ou réels), qui
existent dans leurs désirs et leur fantasmes avant même d'exister dans la réalité, ils font naître ces groupes et ces institutions.
Ils deviennent « instituants » de la réalité sociale tout entière.
Je ne reviens pas sur ces phénomènes que j'ai déjà analysés.

Les individus en question ne sont pas seulement en rapport
avec des groupes et institutions. Ils sont aussi en rapport avec
d'autres individus, considérés comme tels, avec lesquels ils
ont des relations inter-individuelles, et aussi avec eux-mêmes.
Ils ont, si l'on préfère, des inter-actions « proches » et des
inter-actions « à distance ». Leurs inter-actions proches sont
aussi importantes que leurs inter-actions à distance, car elles
fondent un vécu spécifique et d'autre part elles médiatisent
sans cesse les autres inter-actions. Toute relation, en effet,
même si elle agit à distance, passe par le corps et se termine
en lui. Par exemple, elle utilise le langage. Mais celui-ci, avant
d'être porteur de significations, est production sonore et
physique (psycho-physiologique) de phonèmes et de signifiants.
Il ne suffit pas d'avoir à dire quelque chose pour parler. Il
faut encore pouvoir « prendre la parole », selon des modalités
adaptées à la situation.

Le vécu qu'on pourrait appeler « immanent » de l'individu,
qui se réfère à ses rapports avec son corps et avec le corps des
autres, qui met fortement en jeu la motricité et la sexualité,
conditionne son vécu « transcendant » qui se réfère aux relations à distance, d'ordre symbolique, intellectuel et représentatif. Il ne fait évidemment que le conditionner, il ne
l'explique pas. Il est cependant très important, soit à titre
de vécu spécifique, porteur de plaisirs et douleurs spécifiques,
soit à titre de condition d'un autre type de vécu. Il constitue
le niveau que j'ai appelé ailleurs (*Priorité à l'éducation*)
« primaire » du psychisme, par opposition à son niveau « secondaire ».

Normalement, le vécu immanent procède de la spontanéité
des individus et du caprice des situations beaucoup plus que le
vécu transcendant. Même si le premier, par exemple sous sa
forme sexuelle, est réglementé par des systèmes répressifs
complexes et rationalisés, comme dans les sociétés primiti-
ves (règles d'exogamie, par exemple), il reste en lui-même

soumis aux initiatives imprévisibles des individus et à leurs besoins immédiats. Il ne peut donc faire l'objet d'organisations sociales complexes et stables, sauf quand il donne naissance à des institutions comme la famille qui sont à cheval sur les deux types de vécus.

Par contre, il peut donner lieu à de sérieux et sévères dysfonctionnements qui engendrent des phénomènes comme la névrose, l'hystérie, la perversion, etc. C'est alors, et alors seulement, qu'il peut faire l'objet de dispositifs sociaux relativement organisés qui ont pour objet la réduction de ces dysfonctionnements, c'est-à-dire la psychothérapie. Celle-ci a pour fonction de supprimer des désordres psychologiques. Elle est donc centrée sur le pathologique.

Si la rationalité et l'organisation deviennent nécessaires au niveau de la thérapie, alors qu'elles ne l'étaient pas au niveau de la simple activité primaire, c'est que la guérison des troubles exige plus que la spontanéité et des rencontres heureuses. Elle exige la connaissance des causes qui produisent de tels troubles et de la manière dont on peut y remédier. Elle exige le recours à un corpus scientifique et la mise en œuvre, de la part du thérapeute, d'attitudes concertées et de méthodes hautement élaborées.

Quelles que soient les méthodes utilisées par la thérapie — psychanalyse, psychodrame, thérapie rogérienne, etc. —, elles se caractérisent toutes par leur caractère pensé et réfléchi. Elles ne procèdent pas au hasard, même si elles prétendent susciter la spontanéité du patient. Elles ont des techniques, des principes d'action, des théories, des concepts. Ceux-ci fondent l'efficacité — ou l'inefficacité — de ces méthodes. Leur finalité commune est le rétablissement de la normalité du patient, et qui dit normalité admet qu'il y a des « normes » qui permettent de la définir.

Trois questions se posent.

D'emblée, il semble y avoir un décalage énorme entre animation et thérapie, et même de sérieux conflits entre elles. La première, l'animation, est centrée sur le normal et s'intéresse au normal. Le pathologique lui fait peur et elle se sent désarmée en face de lui. La seconde au contraire se complaît dans le trouble et l'anormal. La première ne connaît que les groupes et les institutions et tend à ignorer les individus isolés et les relations duelles. La seconde au contraire tend à tout réduire aux individus isolés et aux relations duelles. La première se méfie des besoins du corps, sexuels en particulier, et du caprice des fantasmes, qui auraient tendance à perturber les groupes et les institutions. La seconde au contraire s'enracine dans les besoins élémentaires et les instincts primitifs, issus des expériences de la petite enfance, etc.

Faut-il en rester à ces différences et n'y-a-t-il entre animation et thérapie que des incompatibilités ? N'y-a-t-il pas entre elles des accords plus profonds ? Où se situent ces accords ?

Ce sont les problèmes que je vais poser dans ce chapitre. Je les concrétiserai dans les trois questions suivantes.

1. L'animation et la thérapie n'appartiennent-elles pas à un champ commun qui serait celui de la formation, ce qui voudrait dire qu'elles mettent en jeu les mêmes processus psychiques et peut-être même les mêmes moyens ?

2. La psychothérapie ne comporte-t-elle pas une part d'animation ou plus exactement ne devrait-elle pas la comporter ? Ne met-elle pas en jeu d'une certaine façon des rapports de groupes ? N'a-t-elle pas besoin d'une régulation de ces rapports de groupes ?

3. L'animation doit-elle exclure la psychothérapie ? Doit-elle l'ignorer et faire comme si elle ne la regardait pas ? Ne comporte-t-elle pas une part de psychothérapie ? N'a-t-elle pas elle-même une portée psychothérapique ?

L'hypothèse de la ré-évaluation.

La réponse à la première question est difficile. Elle exige en effet que nous examinions en détail les théories qui ont été proposées pour expliquer l'action psychothérapique, et surtout la principale d'entre elles, la psychanalyse. Le travail n'est pas facile étant donné les attitudes actuelles des chercheurs envers la psychanalyse qui sont loin d'être scientifiques et qui ressemblent plus à l'adhésion à un parti ou à une religion qu'à une conviction raisonnée. J'essaierai toutefois et demande au lecteur de vouloir bien me suivre dans une analyse qui pourra lui paraître longue et pénible.

Je vais essayer de montrer dans les développements qui vont suivre que l'hypothèse psychanalytique qui veut que la cure psycho-thérapique tire ses effets bienfaisants d'un processus cognitif, à savoir la découverte par la sujet de ses pulsions inconscientes refoulées, que cette hypothèse donc est inacceptable, même si elle procède d'une intuition juste et révolutionnaire.

Je lui substituerai une autre hypothèse, qui me semble, mieux fondée dans les faits et l'expérience des psychothérapeutes, que j'appellerai *hypothèse de la ré-évaluation*. Cette hypothèse postule que le rétablissement de la normalité chez le patient s'effectue non pas grâce à un processus cognitif, comme le postule la psychanalyse, mais par un processus affectif, à savoir la modification du système des valeurs de l'individu. Par système des valeurs je n'entends pas seulement les valeurs idéales, projetées au niveau rationnel, mais les valeurs vécues qui se traduisent dans des désirs et des aspirations concrets. C'est en fait l'affectivité du sujet qui se trouve transformée et non pas seulement sa conscience ou sa prise de conscience. Nous verrons comment cette affectivité transformée peut supprimer les affects négatifs qui embarrassent la subjectivité du patient et qui le rendent précisément névrotique, psychotique, pervers, etc.

De la même manière j'essaierai de montrer que l'animation aboutit, au moins par son aspect le plus essentiel, à une ré-évaluation du même genre bien qu'elle ne se situe pas au même niveau. Elle permet elle aussi une transformation du monde des désirs et des attitudes. Elle imprime une nouvelle direction aux forces fondamentales de l'individu.

L'étiologie sexuelle des névroses.

Toute la pensée de Freud est fondée au départ sur une pratique, à savoir la pratique de la clinique et ultérieurement de la cure psychanalytique. C'est en réfléchissant sur cette pratique que Freud a eu ses géniales intuitions, qui devaient bouleverser toute la psychologie et lui permettre de créer une nouvelle science.

Les deux problèmes dont il est parti sont les suivants :

1. Qu'est-ce que l'hystérie et, d'une manière plus générale, la névrose ?

2. Pourquoi la pratique empirique fondée sur la vieille méthode de l'hypnose, perfectionnée par Breuer et ensuite par lui-même, réussit-elle à guérir les hystériques ? Quels sont les mécanismes en jeu ?

Ces deux problèmes, qui hantent successivement le jeune Freud entre 1880 et 1890, vont l'amener à formuler des hypothèses audacieuses, nouvelles, qui présentent, à mon avis, une très grande part de vérité, mais aussi une part considérable de fantaisie, d'erreurs et même de sophisme.

Freud, à vrai dire, n'invente pas la méthode qu'il va employer avec tant de succès. C'est Breuer qui en est l'auteur. Celui-ci découvre par hasard, comme il arrive souvent, en soignant Bertha Pappenheim, jeune fille hystérique qui se mit elle-même, au cours des états hypnotiques dans lesquels Breuer la mettait, à faire des « narrations dépuratoires », c'est-à-dire des récits détaillés et circonstanciés de ce qu'elle vivait quand elle soignait son père malade. Chaque fois qu'elle pouvait se livrer à ce genre de travail, elle se réveillait tranquille et apaisée, délivrée de ses angoisses.

Freud se mit à pratiquer lui aussi la même méthode, à partir de 1889, c'est-à-dire sept ans après qu'il ait eu connaissance du cas de Bertha Pappenheim. Il combinait la suggestion hypnotique qu'il avait apprise à Paris avec Charcot et la méthode cathartique de Breuer. Les traitements successifs qu'il opéra lui donnèrent la conviction que l'hypnose était inutile et qu'il suffisait, pour obtenir des résultats positifs, de faire pression pour pousser le malade à aller le plus loin possible dans ses souvenirs. Cela permettait à Freud de pénétrer plus profondément dans le psychisme de ceux-ci, grâce à une méthode ayant surtout une vertu curative.

La réflexion qu'il poursuivait sur les causes qui pouvaient expliquer les états névrotiques de ses patients l'amenèrent à formuler une hypothèse qui, à vrai dire, ne résultait pas tellement des faits observés, car ceux-ci ne la confirmaient ni ne l'infirmaient, mais qui résultait plutôt du déroulement de la pensée théorique de Freud et des influences qu'il subissait par ailleurs. Parmi ces influences il y avait surtout celles de Fliess, professeur de Berlin très intéressé par les problèmes de sexologie, que Freud rencontre en 1887, et tout le climat intellectuel du monde germanique à cette époque.

Les uns et les autres sont en train de découvrir littéralement la sexualité et son importance dans le domaine psychologique. Cette sexualité qu'on avait jusqu'alors méprisée et ignorée, la réduisant à son rôle dans la reproduction ou à une fonction de plaisir sans importance, va finir par occuper dans la pensée germanique une place prépondérante. Cela se traduira par des études approfondies des phénomènes de perversion, qui attirent particulièrement l'attention, comme celle de Krafft-Ebing, *Psychopathologia sexualis*, celles de Moll, Moebius, Havelock Ellis, Schrenck-Notzing, Loewenfeld, Eulenburg, Bloch, Hirschfeld, etc.

Freud s'intéresse lui aussi à cet aspect des choses et tend à lui accorder une importance primordiale. Très vite il en arrive à le considérer comme le facteur causal de la névrose. Cela l'amène, tout au cours de ses cures, à être particulièrement sensibilisé aux réticences de ses patients sur ce sujet, qu'il finira par interpréter comme des « résistances », et à les pousser à retrouver les souvenirs qui s'y rapportent.

L'étiologie sexuelle des névroses était découverte — événement capital dans l'histoire de la pensée psychologique.

Cependant deux voies s'offraient à Freud pour expliquer l'influence de la sexualité sur les productions névrotiques, ou, si l'on préfère, deux hypothèses.

1. Une première hypothèse, que Freud à vrai dire n'a même pas imaginée et dont je montrerai plus loin la pertinence, consisterait à dire que la sexualité produit la névrose, quand elle est absente ou quasiment absente, ou plus exactement quand elle ne peut pas atteindre chez le sujet l'ampleur et l'importance qu'elle doit normalement avoir, soit sous sa forme infantile (auto-érotique), soit sous sa forme adulte (hétéro-érotique). Il se produirait alors le mécanisme suivant. La sexualité, qui joue normalement une fonction tonifiante et euphorisante, quand elle est bien développée, ne peut plus jouer ce rôle quand elle est déficiente. Les expériences malheureuses du sujet ne sont plus contrebalancées par des influences positives et dynamiques et celui-ci tombe dans l'angoisse qui se traduit à son tour par la névrose.

Le facteur qui empêcherait la sexualité de se développer

normalement serait la répression sociale et familiale. Cette
répression ne se ferait pas au nom du « principe de réalité »,
comme celle que Freud imagine quand il voit dans la répression une action nécessaire de la société pour empêcher les
perversions sexuelles et sa fixation à des phases infantiles,
mais se ferait à cause des déviations de cette société, comme
Reich l'a conçu.

Dans cette hypothèse, la sexualité du sujet névrotique n'est
pas hypertrophiée mais au contraire atrophiée. Elle se développe à tout moment, et même dans sa phase infantile, d'une
manière insuffisante. Cela est possible si l'on admet que la
sexualité ne résulte pas d'un instinct qui serait le même chez
tous, mais découle des expériences sexuelles et para-sexuelles
que le sujet a la chance de pouvoir faire, si son milieu le lui
permet.

2. Une deuxième hypothèse, qui est la seule que Freud imagine et à laquelle il se rallie spontanément, est celle au contraire
d'une sexualité hypertrophiée ou plus exactement mons-
trueuse et perverse, c'est-à-dire présentant un développement
excessif de certaines de ses formes, en l'occurrence de ses
formes préparatoires, dans la phase infantile et juvénile.

Le mécanisme que Freud imagine pour expliquer la production de la névrose est le suivant. Cette sexualité, contrairement aux apparences, n'est pas supprimée par le simple jeu
des censures et des répressions sociales, car elle a le pouvoir
de se « cacher » pour ainsi dire dans une zone obscure du psychisme qu'il appelle l'inconscient. Là elle continue à exister
ou plus exactement à susciter des phénomènes qui, eux,
se situent au niveau conscient et qui sont justement les
productions névrotiques. Celles-ci ne sont rien d'autre,
d'après Freud, que des transformations subtiles et détournées
de la sexualité. Elles n'ont pas de réalité par elles-mêmes.
Leur « contenu manifeste », qui consiste en rêves, tics, angoisses, phobies, obsessions, en apparence non-sexuels, n'est
que le masque de leur « contenu latent » qui est précisément
sexuel.

Pourquoi cette tendance de la sexualité perverse enfouie
dans l'inconscient à se manifester sous une forme ou sous une
autre à travers des productions névrotiques ou même, dans
la cure psychanalytique, à réapparaître complètement, alors

qu'elle est interdite par l'environnement social et que sa réapparition est contraire au « principe de plaisir » puisqu'elle ne peut que nuire à celui qui s'y livre ? A cette question plus subtile, Freud répond tardivement dans *Au-delà du principe de plaisir*, que c'est parce qu'il existe chez tout individu un instinct, qu'il appelle « instinct de mort », qui le pousse à répéter indéfiniment les mêmes phénomènes, même les plus destructifs et les plus dangereux pour lui.

Il faut insister sur le fait capital que cette sexualité que Freud place à l'origine de la névrose n'est pas la sexualité normale mais une sexualité perverse, pervertie, ou plus exactement la perversion même. Elle l'est au moins pour trois raisons.

1. Parce qu'elle consiste, en elle-même, en une exagération de certaines de ses formes, précisément les formes qu'elle prend à travers « le complexe d'Œdipe » dans sa phase infantile. Les fixations qu'elle subit alors ne consistent pas dans un arrêt du développement sexuel, comme j'en ferai l'hypothèse, mais dans une sorte de « déformation » ou d'excroissance parasitaire qui n'empêchent pas l'accès à la sexualité adulte mais qui se maintiennent *derrière* cette sexualité adulte. Ces fixations seraient dues, d'après Freud, dans *Trois essais sur la théorie de la sexualité*, soit à une hérédité « chargée », soit à des stimulations sexuelles précoces excessives.

2. Le caractère perverti de cette sexualité lui vient aussi du fait qu'elle se réfugie dans l'inconscient, comme une bête malfaisante qui trouverait là une cachette toute préparée. Certes l'inconscient lui-même n'est pas une anomalie, bien au contraire, puisqu'il est pour Freud ce qu'il y a de plus important dans le psychisme, sans pour autant que Freud admette, comme Jung, que l'inconscient soit sa réalité la plus profonde. Cependant, ce qui est une anomalie est qu'elle ne puisse pas redevenir consciente et ne permette pas, de ce fait, sa liquidation.

3. Son caractère perverti lui vient enfin du fait qu'elle réactive au plus haut point l'instinct de mort, par sa tendance à maintenir et à reproduire indéfiniment une sexualité déplacée et qui a perdu sa signification.

Toutes ces remarques me permettent de dire, avec Reich, que la doctrine freudienne, bien loin de sur-estimer la sexualité, au contraire la sous-estime et jette sur elle la méfiance. Elle admet en effet explicitement qu'un développement sexuel important dans la petite enfance, bien loin d'être une promesse de bon développement ultérieur et d'éloigner la névrose (ce qu'ont montré des recherches récentes), au contraire crée une sexualité perverse qui névrose le psychisme si elle est refoulée (« la névrose est le négatif de la perversion »). Le problème de dépasser la sexualité infantile ne se résoudrait pas, pour Freud, quand celle-ci atteint une certaine intensité et reste présente virtuellement à travers tous les développements ultérieurs, mais au contraire quand elle est assez limitée et se trouve positivement supprimée (et non pas seulement refoulée). Certes, Freud ne porte pas son hostilité sur la sexualité adulte mais sur les origines de celle-ci, ce qui revient au même. Il va, plus qu'aucun autre, dans le sens traditionnel de la prohibition de l'inceste.

Il n'est pas étonnant, dans ces conditions, que Freud voie la guérison, à travers sa cure psychanalytique, comme résultant d'une prise de conscience, d'une « réminiscence », de cette sexualité refoulée, ce qui permet de la « liquider ». Le monstre est découvert et peut enfin être détruit, ce qui prouve, entre parenthèses, que la conscience est nécessaire à cette action, comme d'ailleurs à toutes les actions humaines, ce que Freud semble nier par sa théorie de l'inconscient. Pourquoi le sujet a-t-il besoin de connaître sa sexualité pour la supprimer, alors qu'il n'a pas besoin de la connaître pour la transposer symboliquement à travers ses productions névrotiques ? Il y a là une incohérence remarquable.

La cure thérapique est donc pour Freud d'ordre essentiellement intellectuel, même si elle aboutit à la suppression d'un élément pathogène. C'est en connaissant les pulsions inconscientes refoulées qu'on en guérit. Cela est affirmé explicitement dans maints textes et en particulier dans *Au-delà du principe de plaisir*. Dans ce texte, Freud parle de la nécessité, pour le malade, de « revivre » ses pulsions refoulées en projetant sur le thérapeute les dites pulsions, ce qui est la définition même du transfert. Il déclare : « Le malade ne peut pas se souvenir de tout ce qui est refoulé ; le plus souvent, c'est l'essentiel même qui lui échappe, de sorte qu'il est impossible de le convaincre de l'exactitude de la construction qu'on lui présente. Il est obligé, pour acquérir cette conviction, de *revivre* dans le présent les éléments refoulés, et non de s'en souvenir, ainsi que le veut le médecin, comme faisant partie du passé ». La chose est claire. C'est bien « pour acquérir cette conviction » que le malade doit revivre ses pulsions repoussées. La conviction, acquise par le malade, que « la construction du médecin » est juste, constitue le but de la cure psychanalytique. Celle-ci n'est rien d'autre qu'un déchiffrage, qu'une lecture, pour ainsi dire, des données inscrites dans le psychisme.

L'hypothèse freudienne que je viens de présenter n'est naturellement qu'une hypothèse. Cependant elle n'est pas telle pour Freud. Elle est pour lui une certitude, à cause des confirmations qu'il trouve sans cesse dans sa pratique, au niveau des faits, et qui sont les suivantes :

1. Une première raison est qu'il n'y a pas d'autre hypothèse possible. Et en effet Freud, à son époque, ne pouvait concevoir d'autre schéma pathogénique que celui d'un corps étranger, intrinsèquement mauvais, qui résiderait dans le psychisme. L'idée que la sexualité pourrait cesser de remplir sa fonction dynamisante du fait qu'elle serait sous-développée, ne lui venait pas. Cela aurait impliqué qu'il admette le caractère acquis de la sexualité et qu'elle ne découle pas d'un instinct préformé.

2. Une deuxième raison réside dans les résistances que le malade oppose aux efforts du médecin pour provoquer la réminiscence. On peut y voir légitimement soit un effet des réticences sexuelles du malade, découlant de ses complexes sexuels, soit même simplement un effet de son rapport avec le médecin. Freud y voit la preuve que la sexualité « perverse » est refoulée et échappe à la conscience du malade lui-même. Il ne serait pas difficile de reprendre les longues études de cas des *Études sur l'hystérie* et de *Cinq psychanalyses* et de montrer que la plupart des refus d'expression des malades relèvent davantage de la « mauvaise foi » que de l'inconscience.

3. Une troisième raison, à l'opposé de la précédente, est au contraire la tendance continuelle des malades à revenir à leur sexualité infantile, ce que Freud interprète par la tendance des pulsions inconscientes à se répéter, conformément à l' « instinct de mort », et malgré les censures sociales. Nous verrons plus loin qu'on peut parfaitement interpréter cela d'une tout

autre manière, en supposant chez le malade une perception confuse de la valeur et de l'intérêt de ces expériences infantiles qui deviennent des sources de satisfaction quand elles sont revécues à l'âge adulte où elles ne présentent plus aucun caractère dangereux et en face d'un thérapeute bienveillant et ouvert, qui ne manifeste pas de réprobation à leur égard.

4. Une dernière raison est que la découverte de ses souvenirs enfouis et « inconscients » provoque effectivement la guérison, ce qui prouve pour Freud la validité du mécanisme de « prise de conscience » et de liquidation. Mais là encore le mécanisme n'est pas évident. Il peut très bien s'agir, et c'est la thèse que je défendrai, d'une découverte par le sujet d'une nouvelle source de plaisir possible, de nature explicitement sexuelle, sans pour autant que ses défenses actuelles soient mises en question, ce qui lui permet de « ré-évaluer » la sexualité et les besoins du corps, d'où il résulte une restructuration de tout son système de valeurs. Il réintègre pour ainsi dire la sexualité, dont l'insuffisance était la cause de ses névroses et ce qui confirme, à l'envers si l'on peut dire, la justesse de l'intuition de Freud selon laquelle la sexualité est à l'origine de la névrose. La différence est que, pour moi, ce n'est pas la présence d'une sexualité perverse mais l'absence d'une sexualité forte qui constitue cette cause. Le problème n'est pas de se débarrasser de la sexualité sous sa forme perverse, ou de la purifier, mais de la développer et de l'enrichir.

Le pan-sexualisme freudien.

Paradoxalement, la théorie freudienne qui aboutit, comme le dit Reich, à sous-estimer la sexualité, spécialement sous sa forme infantile, consiste, plus fondamentalement, dans un pan-sexualisme ou, plus exactement, dans une réduction de toutes les forces psychiques à la sexualité. Cette conjonction peut paraître bizarre. Comment peut-on d'un côté se défier d'une réalité à laquelle d'un autre côté on réduit tout le reste ? Il n'y a là, à vrai dire, aucune contradiction : la volonté de purification que Freud manifeste à l'égard de la sexualité s'accorde fort bien avec l'exaltation de celle-ci. Ceci se retrouve dans toute la tradition mystique, et Freud, on le sait, avait de fortes attaches avec celle-ci par son père qui appartenait à la secte hassidique.

L'aspect le plus important de cette réduction consiste dans l'idée, que personne n'aurait pu avoir en dehors de Freud, selon laquelle les symptômes névrotiques, qui n'ont en apparence rien de sexuel, ne sont rien d'autre que des formes détournées de la sexualité, plus précisément de la sexualité perverse que le sujet a refoulée dans son inconscient.

Je n'insisterai pas beaucoup maintenant sur les productions névrotiques sur lesquelles je reviendrai ultérieurement. Leur caractéristique la plus visible et la plus incontestable est d'apparaître comme des angoisses concernant la survie et la conservation, c'est-à-dire comme des peurs, des frayeurs, des obsessions, des phobies. Elles semblent donc se rattacher beaucoup plus aux pulsions de conservation — ou à ce que Freud appelle quelque part « la faim » — qu'aux pulsions sexuelles ou aux pulsions créatives.

On peut les considérer au moins à quatre niveaux, à savoir : 1) au niveau de ce qu'on appelle classiquement les « conversions », c'est-à-dire les perturbations qu'elles provoquent dans l'organisme ; 2) au niveau des fantasmes et affects que le sujet vit dans son imaginaire ; 3) au niveau des perturbations qu'elles provoquent dans les facultés de l'individu (mémoire, intelligence, attention, etc.) ; 4) au niveau des traits de personnalité et de comportements, en dehors des crises proprement dites. Freud, à vrai dire, se contente d'une nosographie assez simpliste et ne pousse pas très loin l'étude proprement dite de la névrose. C'est pourquoi il en reste aux deux premiers niveaux. Ce n'est pas le cas de Pierre Janet qui nous donnera les analyses les plus fouillées de la névrose, qui constituent, nous le verrons, d'excellentes pierres d'attente pour une explication valable de celle-ci.

Malgré cette approche clinique assez superficielle de la névrose, Freud en perçoit bien la réalité visible et a bien conscience qu'elle est fort peu teintée de sexualité.

Son désir d'aller plus loin et de dépasser l'explication insuffisante de Breuer, par la théorie cathartique (selon laquelle la névrose s'expliquerait par une décharge insuffisante des états émotionnels), résulte d'une soif de compréhension qu'on rencontre continuellement chez lui mais aussi de certains modes de pensée qu'il avait acquis à travers son héritage culturel.

S'il admettait, comme il avait raison de le faire, l'origine sexuelle de la névrose, il ne voyait non plus aucun inconvénient à penser que la névrose était totalement différente de ce qu'elle apparaissait. Il lui suffisait de poser qu'elle consiste en des phénomènes qui expriment, *à un niveau symbolique*, des réalités sexuelles, ou plus exactement les événements de la sexualité précoce de l'individu. Le recours au processus de symbolisation était la clef qui permettait de soutenir une conception en contradiction formelle avec les faits.

Ses œuvres les plus importantes — *La Science des Rêves*, *Psycho-pathologie de la vie quotidienne* — sont consacrées à cette démonstration. La méthode constante qu'il utilise consiste par exemple à prendre des rêves, ou des lapsus ou des oublis, etc., et à rechercher les liens que ces phénomènes peuvent avoir, soit avec des événements récents dans l'histoire du sujet, soit avec des événements de son passé le plus lointain qu'il associe lui-même avec ces phénomènes. Dans le premier cas, il s'agit surtout de liens de similitudes, par exemple pour la fameuse confusion de « Signorelli » — « Botticelli » dans *Psycho-pathologie de la vie quotidienne*. Dans le second cas, il s'agit surtout d'associations plus ou moins lâches avec les détails des événements passés. Freud conclut, par ce procédé, que les phénomènes dont le « contenu manifeste » est celui qui apparaît à la conscience, *signifient* en réalité les autres phénomènes, c'est-à-dire les événements dont on peut les rapprocher. Ou encore les seconds sont les causes qui produisent les premiers, au sens où des signifiés produisent les signifiants qui les expriment.

Malheureusement, les choses ne sont pas aussi simples. Qu'est-ce que cela veut dire de « signifier » quelque chose, au sens où un langage « signifie », si la chose qu'on signifie n'est pas signifiée *à quelqu'un* ? Le propre d'un langage est en effet de pouvoir être compris, et c'est cela seulement qui justifie qu'il puisse se composer de formes hétéroclites, sans liens apparents avec la réalité ambiante, et avec une logique qui lui est propre. Or, pour Freud, ce langage n'est adressé à personne et ne doit pas pouvoir être compris puisque, par définition, il a pour but de « déplacer » dans une voie détournée des réalités sexuelles qui ne doivent pas pouvoir être reconnues, même par le sujet qui les fabrique. S'il en était ainsi, celui-ci saurait qu'il est en train de se donner des satisfactions sexuelles, ce qui est précisément ce qu'il refuse. Faut-il donc dire que c'est le seul moyen pour lui de se donner des satisfactions sexuelles? Mais comment des réalités peuvent-elles apporter des effets spécifiques, si elles ne sont pas reconnues pour ce qu'elles sont? Il y a là des contradictions insolubles, qui nous rappellent celles des mystiques d'autrefois qui affirmaient que les « figures » et « paraboles » ont pour but à la fois d'exprimer et de masquer les réalités signifiées. Comment peut-on faire les deux à la fois sans être dans la contradiction pure et simple?

Mais il y a plus grave. La méthode freudienne qui se présente comme une méthode scientifique, et qui a la prétention d'établir des relations causales entre les faits, est en réalité la méthode la moins scientifique possible et même la plus anti-scientifique. Elle consiste à procéder par analogie et à poser qu'il existe une relation causale entre deux événements sous prétexte que ceux-ci ont des similitudes ou se rapprochent à un certain point de vue. On conclut par exemple du fait que « Signorelli » ressemble à « Signor », qui ressemble lui-même à l'allemand « Herr », à une causalité de ce dernier mot, qui aurait été prononcé dans une conversation et qui empêcherait de retrouver le mot « Signorelli » (plus exactement le barrage à l'égard de « Herr » serait la cause du barrage à l'égard de « Signorelli »).

La méthode par analogie a été le procédé constant employé par toute la pensée pré-scientifique pour établir des théories et a mené aux erreurs les plus grossières. On peut multiplier les exemples de ceci. Un parmi d'autres est l'explication du feu par le phlogistique que Stahl avait avancée avant que Lavoisier en montre la fausseté. Cette explication consistait à arguer que le feu *ressemble* à un élément qui sortirait pour ainsi dire de l'objet en combustion et qui s'échapperait de celui-ci. Lavoisier montre, par la méthode expérimentale, c'est-à-dire en manipulant les éléments en jeu, que c'est exactement l'inverse et, par ses fameuses expériences sur le mercure, que l'objet en combustion, bien loin de perdre de la substance, comme le supposait la théorie du phlogistique, en réalité en gagne puisqu'il pèse plus lourd après la combustion qu'avant. On pourrait passer en revue toutes les théories pré-scientifiques et montrer qu'elles reposent toutes sur l'idée fausse que « le même produit le même », autrement dit que la relation formelle entre les phénomènes (similitude, association dans l'espace, etc.) exprime une relation dynamique, c'est-à-dire une corrélation ou une liaison. Même le structuralisme moderne, qui confond perpétuellement les structures de la réalité avec des structures de langage, comme si les deux n'étaient qu'une seule et même chose, constitue une forme de pensée pré-scientifique dont il faudra un jour sortir.

La théorie de la sublimation.

Freud ne s'arrête pas en si bon chemin. Après avoir réduit les pulsions de conservation aux pulsions sexuelles, comme il le dit lui-même explicitement, il réduit encore à ces dernières toutes les pulsions qui appartiennent au domaine de la création, de l'intelligence et de la culture.

Sa théorie de la « sublimation » va dans ce sens et aboutit à ramener à la sexualité toutes les formes de sociabilité et la civilisation elle-même. Le processus de réduction n'est pas facile à comprendre. Il s'agit en fait d'un processus parallèle à celui de la névrose et qui lui ressemble à beaucoup de points de vue. La sexualité infantile et même la sexualité tout court sont normalement soumises à des censures sociales qui les répriment au nom du « principe de réalité », c'est-à-dire au nom de l'harmonie qui doit exister entre le sujet et son milieu. Ces censures sont donc bonnes et utiles et il faut s'y soumettre. Lorsqu'on y échappe, par exemple lorsque la sexualité infantile est trop forte, alors on tombe dans des tendances perverses, qui doivent ensuite être refoulées et qui donnent lieu à des névroses.

L'énergie qui est enlevée normalement à la sexualité proprement dite grâce à la censure, si on s'y soumet, est utilisée par les activités sociales et culturelles. Celles-ci doivent pour ainsi dire partager la même énergie fondamentale que les activités sexuelles proprement dites et exigent donc qu'on diminue la part de celles-ci, surtout dans la petite enfance.

La conséquence pratique, extrêmement paradoxale, est

encore ici que le pan-sexualisme aboutit à une défiance à l'égard de la sexualité. Reich a très bien vu cet aspect de la doctrine freudienne et l'a critiqué : « Les activités anales d'un enfant, d'un an ou deux, écrit-il, n'ont rien de « social » ou d' « asocial ». Si cependant on maintient (comme Freud le fait) la thèse abstraite que ces activités sont asociales, on devra mettre en vigueur, dès l'âge de six mois, un système d'éducation destiné à rendre l'enfant « capable de culture » ; le résultat sera tout à fait le contraire, à savoir l'incapacité de sublimer l'analité et le développement de troubles névrotiques anaux ». Et encore : « Si l'on maintient l'idée que ce qui est refoulé et inconscient est avec cela anti-social, on devra condamner, par exemple, les exigences génitales de l'adolescent. Cette idée est concrétisée par l'affirmation commode que le « principe de réalité » exige l'ajournement de la satisfaction instinctuelle (...). Le fait décisif que ce principe de réalité est lui-même relatif, puisqu'il est engendré par la société autoritaire dont il dessert les fins, est lui-même passé sous silence » [1].

Contrairement à ce qu'affirme Freud, et conformément à ce que pense Reich, la réduction de la sexualité n'est en aucune manière la condition de l'accès à la culture et à la vie intellectuelle. Précisément parce que le domaine sexuel et le domaine social constituent des domaines autonomes, ils ne s'excluent pas réciproquement et n'empiètent pas l'un sur l'autre. Bien au contraire, ils se soutiennent mutuellement et, comme le fait remarquer Reich, un bon développement sexuel favorise le développement intellectuel et social. Les hommes réussis sont aussi de « véritables » hommes qui sont loin d'être inférieurs au point de vue sexuel.

En définitive, Freud qui, en découvrant l'importance du domaine sexuel, pouvait enfin nous faire sortir du monisme de la pensée traditionnelle et nous faire découvrir la richesse du psychisme, retombe dans ce même monisme et nous présente un psychisme plat, unidimensionnel, sans véritable dimension. Tout, dans ce psychisme, ou bien renvoie à la sexualité, d'une manière directe ou détournée, comme un miroir renvoie l'image qu'on lui offre, ou bien constitue un

[1] W. Reich, *La Révolution sexuelle*, I,2,B.

sacrifice de la sexualité, un emprunt qu'on lui fait. Les pulsions conservatrices, l'angoisse, les sentiments élémentaires rentrent dans la première catégorie et sont, pour ainsi dire, la mauvaise face de la sexualité; les pulsions créatrices, sociales et intellectuelles, rentrent dans la seconde catégorie et constituent la bonne face de la sexualité, la sexualité vraiment purifiée.

La notion d'inconscient, qui est fondamentale dans la pensée de Freud, rentre comme une pièce dans ce système. Elle est, pour Freud, le contraire de ce qu'elle est pour Pierre Janet. Pour celui-ci, elle est une limitation dans la connaissance que le sujet a de ses actes qui sont eux-mêmes toujours conscients ; cette limitation se produit surtout quand ces actes se polarisent sur une émotion éprouvée fortement ou sur un but unique et étroit (actes automatiques) ; dans ce dernier cas, la perte de conscience signifie un rétrécissement du champ psychologique et aboutit par exemple à une absence de souvenir. Cette limitation est évidemment liée à la richesse et à la diversité du psychisme qui ne peut pas être en entier dans chacun de ses actes et qui ne peut pas par exemple faire preuve de réflexion et de lucidité au moment où il est dans la plus profonde émotion. Pour Freud, au contraire, l'inconscient signifie la simplicité et si l'on peut dire la platitude du psychisme qui se trompe sur lui-même et qui croit être divers au moment où il est un. Il est tromperie et illusion et non pas ignorance ou limitation dans la conscience. Le psychisme se croit multiple, se croit débarrassé du sexuel quand il l'a rejeté, se croit en proie à des angoisses concernant la survie, se croit capable de pulsions créatives. Mais il se trompe. Cette sexualité qu'il croit disparue est seulement cachée. Elle l'est dans l'inconscient, qui devient le réservoir de la réalité de psychisme, et qui lui permet d'être unique, indifférencié, contrairement aux apparences. L'inconscient est comme une boîte dans laquelle on pourrait cacher ce qui vous constitue fondamentalement. Il est le « Saint des Saints », le cœur de la réalité psychologique, que le sujet ne voit pas — ce qui explique qu'il se trompe sur lui-même. S'il le voyait, s'il pouvait y pénétrer, il s'apercevrait qu'il recèle sa véritable essence qui lui reste inconnue et qui le constitue simple.

Cette conception de l'inconscient est très proche de celle de

Jung qui, lui aussi, utilise l'inconscient pour réintroduire dans le psychisme ce que celui-ci croit absent de lui-même à juste titre, à savoir l'instinct préformé, donné une fois pour toutes par l'hérédité en opposition aux acquisitions culturelles. L'Inconscient devient alors autant une machine de guerre qu'une instance du psychisme. Il donne au théoricien le droit d'affirmer que ce qui apparaît n'est pas réel et que ce qui est réel n'apparaît pas. Il permet de réintroduire l'instinct héréditaire chez l'être humain, la sexualité là où elle est absente. Il permet de prendre avec les faits toutes les libertés possibles, ce qui est évidemment bien commode. On reconnaîtra que nous sommes là aussi loin de l'esprit scientifique.

La fonction psychologique de la sexualité.

S'il faut admettre, comme Freud en a eu l'intuition, que la sexualité est à l'origine de la névrose et des perturbations qui en dérivent (psychose par exemple, par adjonction d'autres perturbations), on ne peut se représenter cette influence par une réduction pure et simple de la névrose à la sexualité ou à certaines de ses formes. Cette voie est radicalement exclue, et il faut imaginer une autre hypothèse. Cette hypothèse devra respecter la diversité du psychisme et ne pourra consister à le ramener à une unité artificielle.

J'ai présenté précédemment une autre hypothèse, qui me semble plus satisfaisante, qui pose que la sexualité produit la névrose lorsqu'elle ne remplit pas sa fonction normale dans le psychisme, qui est de le dynamiser et de l'euphoriser, c'est-à-dire lorsqu'elle n'est pas suffisamment développée. Son sous-développement résulterait, d'après moi, d'une part des carences dans les expériences sexuelles infantiles et d'autre part d'une non-intégration de cette sexualité infantile dans la sexualité adulte, ce qui est diamétralement opposé aux conceptions de Freud et conforme aux conceptions reichiennes.

Cela me ramène au problème de la sexualité infantile. Cette sexualité centrée, comme l'a montré Freud, sur les zones érogènes et caractérisée par la recherche exclusive du plaisir, à une époque où la reproduction est impossible, permet la découverte de ce qu'il y a d'essentiel dans la sexualité, à savoir sa dimension érotique. Elle permet en même temps la décou-

verte de ses aspects les plus psychologiques, comme la tendresse, l'affection, l'attention à l'autre, etc., à travers le complexe d'Œdipe. Bien loin d'être une sexualité perverse, comme
le croit Freud, elle est au contraire le noyau le plus essentiel
de la sexualité, son noyau originel.

Le problème à l'âge adulte est non pas de la rejeter, comme
le croit Freud, mais de l'intégrer, d'une part en la mettant
au service du plaisir génital par l'utilisation des activités préparatoires centrées sur les zones érogènes, et d'autre part en
conservant la tendresse et l'attention à l'autre, qui permettent
de partager le plaisir au lieu de le garder pour soi seul.

Toute sexualité qui aboutit soit à une suppression du plaisir,
par exemple dans la frigidité, soit à un non-partage du plaisir
et à une impossibilité d'utiliser les moyens normaux de l'union,
comme dans l'homosexualité, soit encore à une immixtion,
dans la sexualité, de comportements de violence et de mépris,
comme dans le sado-masochisme, peut être qualifiée de sexualité perverse. La perversion ne consiste pas, comme le croyait
Freud, avec la tradition moralisante, à mettre en œuvre des
pratiques détournées pour augmenter le plaisir. Naturellement, la sexualité mal développée est aussi une sexualité
fruste, quantitativement insuffisante, qui n'a pas de très grandes exigences quant aux partenaires. Les deux phénomènes
sont liés.

*Je ferai donc l'hypothèse qu'une sexualité mal développée
dans l'enfance et à l'âge adulte est la cause directe de la névrose,
en vertu d'un mécanisme que je pourrais qualifier d'expérientiel.* Ce mécanisme complexe, qui n'a guère été analysé jusqu'ici, consiste dans le fait que les expériences malheureuses
cessent d'être traumatisantes si elles sont faites dans un contexte de plaisir et d'épanouissement, de même que les expériences heureuses sont augmentées dans un tel contexte. Il
en résulte que le sujet qui a une vie sexuelle et affective riche
et positive ignore les expériences traumatiques, quelle que
soit la nature objective de ces expériences et les perturbations
qu'elles causent. Il ne verse pas dans l'angoisse et échappe de
ce fait à la névrose et à tous ses dérivés : hystérie, psychose,
etc. Il acquiert une personnalité certes sensible à la douleur,
mais qui n'est pas obsédée par elle non plus que par tous les
malheurs qui peuvent fondre sur lui. Il n'est pas hanté par

des peurs élémentaires de nature obsessionnelle et n'est pas possédé par des phobies diverses. Il se développe normalement. Cela ne résout naturellement pas tous ses problèmes car, comme je l'ai montré, cela ne concerne que le niveau primaire et ne touche pas le niveau secondaire, où des mécanismes identiques produisent des effets identiques. Au niveau primaire où je me situe maintenant, la sexualité bien développée permet d'échapper aux angoisses qui concernent les menaces corporelles, qui caractérisent spécifiquement la névrose.

L'existence de ce mécanisme a été démontrée récemment par de nombreuses expériences de psychologie expérimentale dont les conclusions ne font pas de doute. Ces expériences, comme celles de Harlow, de Lévine, de Liddell, Lorenz ou d'autres, avec des animaux ou avec des enfants, consistent à faire subir aux sujets expérimentés des douleurs diverses ou expériences malheureuses, soit en association avec un contexte positif et satisfaisant, soit sans la présence de ce contexte. Le contexte positif et satisfaisant peut être constitué par la simple présence de la mère, ou encore par la possibilité de se livrer à certains jeux, ou encore par certains plaisirs éprouvés par le sujet. Le résultat constant de telles expériences est que le sujet soumis à des chocs et douleurs sans le contexte satisfaisant devient névrotique et très souvent inguérissable, tandis que celui qui est soumis aux mêmes chocs et douleurs avec le contexte satisfaisant reste normal. L'expérience la plus saisissante est celle de Liddell qui utilise des chèvres jumelles dont l'une reçoit des chocs électriques avec le présence de la mère et l'autre les mêmes chocs électriques sans cette présence. La seconde seule devient névrotique tandis que la première reste normale [1].

Cela nous renvoie à la structure de l'expérience affective, c'est-à-dire l'expérience que nous faisons quotidiennement à travers chacun de nos actes. Cette expérience ne dépend pas tellement des éléments objectifs qui constituent la situation, mais beaucoup plus des éléments subjectifs qui sont vécus par le sujet à ce moment-là et de leur combinaison. C'est cette combinaison qui est déterminante.

---

[1] Ces expériences ont été analysées plus en détail dans d'autres ouvrages, par exemple *Pour ou contre l'autorité*.

Grâce à la combinaison affective éprouvée actuellement dans telle situation, le sujet « évalue » cette situation, c'est-à-dire qu'il lui attribue une certaine valeur en bien et en mal, en plaisir et en douleur. C'est le processus d'*évaluation*, qui est pour moi fondamental.

L'évaluation détermine entièrement les actions subséquentes face à cette situation et même face à des quantités d'autres situations qui lui ressemblent. Ces situations conservent le signe positif ou négatif qui leur a été attribué initialement. J'ai montré ailleurs que plus l'expérience évaluative était négative, plus la tendance à la généralisation affective était forte. Le sujet a en effet alors tendance à attribuer le signe négatif à des catégories entières de situations ou d'objets qui ressemblent à la situation initiale et à élever contre elles des défenses proportionnelles (super-défenses). Cette généralisation est d'ailleurs un des aspects essentiels de l'angoisse.

Il ne faudrait évidemment pas croire que le signe affecté initialement ne se modifie en aucune manière face à un certain type de situation. Il se modifie au contraire et il évolue d'une part en fonction de l'expérience qui s'opère sur la situation même du fait qu'elle se répète ou révèle certains de ses aspects cachés et d'autre part surtout par l'intervention des sentiments et affects concomitants, par un processus appelé vulgairement « l'humeur », qui joue un rôle essentiel en psychothérapie. C'est lui en effet qui permet la réévaluation à laquelle nous ferons allusion plus loin.

Toute cette théorie, que je ne fais ici qu'esquisser, que je pourrais appeler « théorie de l'expérience évaluative », montre l'importance considérable de la répression sur la vie psychologique, et cela confirme les vues de Reich. Si les affects positifs correspondant aux expériences positives, de nature libidinale et créative, sont si importants pour euphoriser et épanouir la vie psychologique, pour lui permettre d'échapper à l'angoisse et la détourner des super-défenses (croyances, idéologies, superstitions, etc.), cela signifie, par voie de conséquence, que les répressions sociales, qui empêchent ces expériences positives et laissent le sujet dans l'ignorance à leur égard (dans l'innocence et la naïveté, valorisées par les systèmes répressifs), ont une influence désastreuse. Elles sont les vraies responsables des maux qui nous assaillent, névroses, psychoses, délinquance, perversions, etc. La psychothérapie et l'animation ne sont en définitive que des dispositifs antirépressifs, qui permettent d'échapper à l'influence novice des répressions.

La nature de la névrose.

Le lien entre la sexualité et la névrose dont je viens de montrer la nature, à partir de l'analyse du mécanisme psychologique de l'expérience évaluative, apparaît encore plus clairement si on étudie attentivement ce qu'est la névrose. Cette étude, elle aussi, nous détourne de l'hypothèse freudienne d'une causalité par transmutation (de la sexualité en autres choses), pour nous rejeter vers l'hypothèse contraire.

Freud, nous l'avons déjà dit, n'avait qu'une idée très superficielle et approximative de la névrose, n'étant pas très porté vers les analyses descriptives, de type nosographique, et s'intéressant davantage à l'étiologie. P. Janet, par contre, a fait de la névrose une analyse extrêmement fine et poussée, d'une précision étonnante, qui laisse loin derrière elle toutes les autres. On trouve cette analyse surtout dans son ouvrage *Les névroses*, paru en 1909 (éd. Alcan). P. Janet se situe, à ce point de vue, dans la tradition française de l'étude nosographique, représentée déjà par Charcot, Broca, etc.

Or, il est connu que la connaissance du « comment » nous renseigne souvent plus sur le « pourquoi » que les hypothèses les plus compliquées et subtiles visant à échafauder des explications. Le phénomène qu'on veut expliquer, s'il est correctement décrit, révèle souvent lui-même son origine et l'hypothèse juste se dégage d'elle-même de cette description.

C'est en effet ce qui se passe pour la névrose.

Si on la regarde superficiellement, et plutôt dans ses symptômes que dans ses manifestations plus essentielles, elle apparaît soit comme contraire à ce qu'elle est en réalité, soit comme une chose bizarre et étrange.

La plupart des études antérieures à celles de P. Janet étudiaient le phénomène appelé hystérie et focalisaient sur elle toute la recherche. Or, l'hystérie n'est qu'une forme particulière de névrose, comme le remarquait déjà Freud dans les *Études sur l'hystérie* (chap. IV : « Psychothérapie de l'hystérie »), et une forme qui masque la vraie nature de la névrose.

L'hystérie en effet se manifeste par une agitation intempestive chez le malade, et par la « crise d'hystérie » qui attire particulièrement l'attention. Dans cette agitation, le malade apparaît plus sur-actif, sur-excité, sur-sensible que déprimé, abattu, passif. La manière dont il traduit son émotion, ses fanstasmes, ses perturbations intérieures, révèle chez lui un besoin intense de s'exprimer et de traduire à l'extérieur ses états internes. Ce besoin, qui atteint alors son paroxysme (dans la crise d'hystérie), masque en réalité le contenu de son émotion, de ses fantasmes, de ses perturbations intérieures.

Si l'on concentre son attention sur le contenu de ces derniers phénomènes, on s'aperçoit que bien loin de révéler des pulsions dynamiques tendant à l'activité et au mouvement, ils révèlent au contraire des pulsions dépressives tendant au repli et à l'inertie. Leur contenu est en effet essentiellement négatif et inhibiteur. Il est rempli d'images de mort, de destruction, d'anéantissement. Bertha Pappenheim, par exemple, avait peur de voir s'écrouler les murs, voyait ses lacets et ses cheveux sous forme de serpents, était hantée par des têtes de mort et des squelettes, etc.

On risque cependant encore d'être trompé si l'on en reste à tous ces fantasmes et productions imaginaires, ainsi qu'aux troubles physiologiques qui les accompagnent. Ceux-ci en effet, d'une part possèdent une espèce de fluctuance et de variabilité, qui font penser à des réalités symboliques, tant ils sont détachés du contexte ambiant et isolés les uns des autres, et d'autre part présentent un caractère obsessionnel inexplicable. Freud a été victime de cette illusion. Sa théorie, qui fait appel à un processus de symbolisation et à une espèce de tendance du psychisme à se répéter lui-même (l'instinct de mort), attribue à des facteurs généraux et abstraits ce qui, en réalité, découle des besoins et attitudes mêmes qui sont mis en jeu à travers ces phénomènes. Leur caractère « projectif » n'est pas le reflet d'une structure « projective » du psychisme humain, mais la résultante de leur nature particulière et de leur orientation spécifique.

P. Janet va beaucoup plus loin dans son analyse et ne se contente pas de décrire les troubles névrotiques mais sonde la personnalité même des névrosés et leur « état mental ». Pour ce faire, il ne se centre pas uniquement sur les hystériques mais étudie les deux catégories de névrosés, à savoir les psychasthéniques et les hystériques. Les premiers sont intéressants à considérer, car ils présentent des troubles beaucoup plus diffus, beaucoup plus caractériels, moins localisés dans le temps. Cependant les uns et les autres sont profondément semblables et se caractérisent par leur incapacité à agir, lorsqu'il s'agit d'actions fortes, d'un niveau assez élevé, demandant beaucoup d'attention et d'effort. Ils se découragent vite, doutent d'eux-mêmes, reviennent à des actions élémentaires, de nature automatique ou à des actions physiologiques simples.

C'est pourquoi P. Janet définit les névroses en disant : « *Les névroses sont des maladies portant sur les diverses fonctions de l'organisme caractérisées par une altération des parties supérieures de ces fonctions, arrêtées dans leur évolution, dans leur adaptation au moment présent, à l'état présent du monde extérieur et de l'individu, et par l'absence de détérioration des parties anciennes de ces mêmes fonctions qui pourraient encore très bien s'exercer d'une manière abstraite, indépendamment des circonstances présentes. En résumé, les névroses sont des troubles des diverses fonctions de l'organisme, caractérisés par l'arrêt du développement sans détérioration de la fonction elle-même* (¹). »

En réalité, cet arrêt dans le développement de la fonction est surtout un arrêt dans l'activité ou, plus exactement, dans un certain type d'activité. On le voit bien quand on considère les phobies qui sont un élément essentiel de la névrose. P. Janet montre que toute phobie, même si elle se centre en apparence sur des objets ou des situations, est en définitive une phobie de l'action ou plutôt de certains actes. « *Ce qui est perdu* », écrit-il, ce que le sujet psychasthénique ne peut pas faire, « *c'est l'action complète avec attention, effort, liberté et plaisir.* (...) Quelques-uns renoncent à ce couronnement de l'acte ou ne songent même pas à le chercher ; ils agissent avec ennui et routine ; mais d'autres veulent dépasser ce point et alors ils sentent leur impuissance et souffrent de toutes les phobies qui surviennent. Ce sont alors des impuissants, des paralytiques comme les hystériques ; mais ce sont

(¹) P. Janet, *Les névroses*, P. II, ch. V, Alcan 1909. C'est l'auteur qui souligne.

des paralytiques d'un genre très spécial qu'on ne songeait pas tout d'abord à comparer aux malades précédents. Il y a cependant dans tous ces troubles beaucoup d'analogies. Les hystériques, comme les psychasthéniques, n'ont perdu les uns comme les autres que les plus hauts degrés de l'action ; mais les premiers ont perdu l'action consciente et personnelle, tandis que les seconds n'ont perdu que l'action volontaire et libre (¹) ».

Comme le dit P. Janet dans ce dernier texte, il y a en effet des différences notables entre les psychasthéniques et les hystériques. Les premiers semblent incapables d'actions fortes dans le courant de la vie et d'une manière constante ; les seconds au contraire ne perdent cette capacité qu'à certains moments, où ils sont ramenés à des actions élémentaires, purement automatiques et qui, pour cette raison, sont souvent inconscientes, qu'ils font en état second et qui entraînent des dédoublements de leur personnalité. Les seconds sont, plus que les premiers, sujets à des manifestations corporelles comme paralysies, etc., sans doute parce que leurs perturbations sont à la fois plus violentes et plus localisées dans le temps. Sans doute cela est-il dû au fait qu'ils compensent le reste du temps ces pertes par d'autres aspects de leur personnalité, qui leur permettent de surmonter leurs insuffisances, et sont ramenés à des états critiques quand ils ne peuvent plus mettre en jeu ces autres aspects.

Comme le note P. Janet, l'incapacité d'agir à un certain niveau et le processus régressif ne sont en aucune manière des pertes de fonction. Les sujets gardent intactes leurs possibilités de synthèse, d'élaboration et d'adaptation. De quoi souffrent-ils donc ?

Sans aucun doute, d'états dépressifs, d'une sorte de manque de tonus vital, de dynamisme, lesquels sont surtout nécessaires dans les actions les plus difficiles et les plus éprouvantes. Ils ne peuvent pas mobiliser l'énergie nécessaire, et l'on peut imaginer facilement, si l'on se réfère à leurs obsessions et à leurs idées fixes, qu'ils ont peur de quelque chose, probablement de leur corps ou pour leur corps et aussi du corps des autres, des objets, de tout cet univers matériel et physique, qui est

(¹) Ibid., P. I, ch. V.

toujours impliqué dans toute action et qui en constitue la partie élémentaire, comme l'infra-structure. Ils sont hantés par la mort, par leur mort, et ne veulent rien faire qui pourrait en hâter l'arrivée. Ils se ménagent et se protègent contre toutes sortes de menaces.

P. Janet parle d' « impuissance », et il faut accepter entièrement la connotation sexuelle de ce terme, que P. Janet semble n'avoir pas aperçue. Il y a en effet une impuissance chez eux qui explique tant leurs renoncements et leurs fuites que leurs désordres fonctionnels.

Il est à peine besoin de faire l'hypothèse qu'ils n'ont pas à leur disposition la source de l'euphorie ou du dynamisme, au plan moteur et énergétique, à savoir une sexualité forte et bien développée. Cette hypothèse se présente d'elle-même et s'impose sans qu'on le veuille. C'est en effet l'insuffisance sexuelle seule qui peut expliquer les craintes qu'ils ont pour leur corps et leur intégrité corporelle. Les expériences qu'ils ont pu faire et qui ont constitué des menaces pour ceux-ci n'ont pas été neutralisées par des satisfactions sexuelles concomitantes créant un état de bonheur et d'épanouissement sur le plan considéré. Ils ont donc développé une angoisse considérable à l'égard de la survie, qui n'est pas en soi une chose sexuelle, contrairement à ce que pense Freud.

La névrose n'englobe pas toutes les maladies psychologiques mais elle est probablement à leur source. Les psychoses, du type schizophrénie et paranoïa, qui ne sont pas des névroses, car elles se concrétisent dans des angoisses qui dépassent l'angoisse de la mort et qui sont par exemple l'angoisse dans le rapport avec les autres, avec la Société, avec l'argent, etc., ont, je l'ai montré ailleurs, une composante névrotique. Ce sont des psycho-névroses. Elles découlent en effet du fait que les angoisses précédentes, qui regardent la réalité dans son ensemble et, si l'on peut dire, à distance, ne peuvent pas s'accompagner des défenses qui leur permettraient d'être réduites : autorité, attaque, travail, économie, etc. (les super-défenses). Cette incapacité vient essentiellement de la névrose qui réduit les possibilités de contact et d'action concrète de l'individu. Les psychoses ne sont, d'après moi que des combinaisons de névroses et de troubles plus profonds de la personnalité.

Liaison entre sexualité et névrose au niveau des faits.

Un dernier point reste à préciser pour étayer complètement la thèse d'une étiologie sexuelle des névroses sans réduction de celles-ci à la sexualité.

Ce point concerne les faits et non plus les mécanismes psychologiques. Si ma thèse est juste, il doit s'ensuivre que les individus névrotiques sont en général des individus faiblement sexués, ayant mal assumé leur sexualité ou encore sexuellement conformistes, c'est-à-dire qui, sans avoir rejeté la sexualité, l'ont intégrée à la manière dont tout le monde le fait, par le mariage et en vue de la reproduction, sans faire aucune recherche particulière dans ce domaine, et en fuyant les attitudes infantiles de jeu et de quête de plaisir.

Avant de voir si cela se vérifie ou non, notons que la thèse freudienne implique les faits contraires, à savoir que les individus névrotiques doivent avoir eu une sexualité débordante dans leur enfance et avoir toujours une sexualité plus ou moins atypique, c'est-à-dire dans laquelle les attitudes infantiles et juvéniles de recherche du plaisir pour lui-même, d'attachements plus ou moins incestueux, de conquête érotique dominent. Toute cette sexualité compliquée doit, d'après Freud, avoir été refoulée, pour satisfaire au « principe de réalité ». Elle n'en reste pas moins présente, à la fois camouflée dans l'inconscient et perpétuellement en éruption grâce à « l'instinct de mort », ce qui l'amène à produire des névroses.

Pour répondre au problème posé, remarquons tout d'abord qu'il existe des catégories entières d'individus plus névrosés que les autres ou du moins ayant davantage de composantes névrotiques. Il serait facile de voir si ces catégories ont ou non une sexualité peu développée, ce qui permettrait de confirmer ou d'infirmer la thèse présentée.

Parmi les catégories ayant des tendances névrotiques nettement affirmées, il faut placer en tout premier lieu les femmes, au moins dans notre société occidentale.

Déjà Stendhal se demandait dans *De l'amour* comment il pouvait se faire que la même fille qui, à douze ans, est supérieure au garçon et bien plus évoluée que lui, devienne, à dix-neuf ans, une grande imbécile qui a peur des araignées et fait des crises de larmes pour un rien.

Il est évident en effet que la femme, à partir de la fin de l'adolescence, manifeste des comportements névrotiques incontestables, et qui sont si fréquents qu'on a fini par les attribuer à la « nature féminine » (ce qui est absurde). Ces comportements consistent dans une émotivité toujours prête à jaillir, une sensibilité à fleur de peau et sans cesse en éveil, une capacité infinie à pleurer et à faire des crises de nerfs, une extrême nervosité, une aptitude aux états dépressifs, etc. Plus profondément, la femme possède beaucoup ce trait dont P. Janet faisait la caarctéristique de la personnalité névrotique, à savoir le manque d'assurance, le manque de confiance en soi, un côté timide et réservé dans les groupes nombreux, une extrême difficulté à prendre toute la place qui lui revient, une tendance à la soumission, etc. Cela est si vrai que les troubles névrotiques caractérisés, qui requièrent des soins et une thérapie, apparaissent beaucoup plus chez les femmes que chez les hommes. A l'époque 1880-1890 où l'hystérie fleurissait dans les hôpitaux, la proportion de femmes était énorme et presque tous les cas analysés par Freud, Janet, etc., sont des cas de femmes.

Naturellement, je sais bien les conditionnements sociologiques de cela, mais précisément je suis en train de me demander par quels relais psychologiques passent ces conditionnements sociologiques.

Or, il est clair que le principal relais est la sexualité. On pourrait apporter des quantités de faits qui prouvent à quel point les femmes vivent mal leur sexualité, sous l'effet des répressions dont elles sont l'objet. Par exemple, la proportion de frigidité chez les femmes est énorme, de l'ordre de 60 % d'après les meilleures statistiques. Les réticences des femmes à l'égard de la sexualité sont bien connues et sont quasiment rentrées dans la littérature, sous la forme de « pudeur féminine », allergie à toutes les formes de grossièretés masculines, retenue, etc. Dans un ouvrage récent sur la sexualité chez les Français, le rapport Simon [1], l'auteur note presque à chaque page la force des inhibitions sexuelles chez les femmes. La proportion de femmes françaises qui ont besoin de l'obscurité

---

[1] *Rapport Simon sur le comportement sexuel des Français*, Julliard, 1972.

pour l'amour atteint le chiffre stupéfiant de 78 %, alors qu'il n'est que de 63 % chez les hommes.

Mais nous pouvons essayer d'aller plus en profondeur et de comprendre où réside la raison secrète de cette réticence sexuelle féminine. Cette raison est fournie par le mythe d'Œdipe lui-même que Freud a tellement, et si mal, utilisé.

Le mythe d'Œdipe, avant d'être une belle légende, est un produit littéraire qui, comme tel, a une certaine signification culturelle. Chez Sophocle, il signifie, sans aucun doute, un problème qui se posait à la société athénienne tout entière, à savoir une certaine propension des jeunes hommes à désirer séduire leur mère sexuellement. On a cent fois noté le fait que le mythe d'Œdipe évoque le problème de l'inceste du fils avec la mère et non celui de la fille avec le père. Ce n'est pas un hasard. Cela signifie simplement que la menace de l'inceste fils-mère était sans cesse présente, tandis que celle de l'inceste fille-père l'était beaucoup moins, malgré les apparences contraires.

Est-ce à dire que les enfants athéniens mâles désiraient sexuellement leur mère ? Ce n'est pas évident. Est-ce à dire que les jeunes Athéniens mâles avaient fréquemment des rapports sexuels avec leur mère ? Cela est absolument exclu, étant donné la force de la prohibition de l'inceste dans la société athénienne comme partout ailleurs. Qu'est-ce que cela signifie alors ?

Très probablement, le fait, essentiellement psychologique, que les jeunes Athéniens, à cause de leur meilleur développement sexuel et de leur intérêt plus grand dans ce domaine, pensaient beaucoup à leur mère comme objet sexuel, constituaient donc un danger pour elles, en tout cas leur posaient sans cesse des problèmes à ce niveau, et que ces problèmes les mettaient (elles, les mères) directement en danger, ce qui se passe d'ailleurs encore à notre époque.

Inversement, les filles ne posaient pas ce genre de problème alors que manifestement les risques de séduction par le père étaient plus grands. Mais cela ne faisait rien. Même si elles risquaient de passer davantage à l'acte avec leur père, elles menaçaient moins la société et les structures familiales du fait de leurs moindres besoins sexuels, et surtout du fait que ces besoins sexuels étaient plus centrés sur le mariage, les enfants donc plus normaux et, si l'on peut dire, plus hétéro-érotiques.

La grande leçon du mythe d'Œdipe est donc, à mon avis, qu'une sexualité forte et bien développée a nécessairement une composante incestueuse, ou, si l'on préfère, une composante œdipienne. Cela va, à angle droit, contre les conceptions de Freud qui affirmaient la nécessité de « liquider » le complexe d'Œdipe pour passer *enfin* à une sexualité normale et fortement hétérosexuelle, ce qui est' une idée parfaitement conservatrice, comme Reich l'avait déjà noté.

Est-ce à dire que le garçon doit rester « fixé » à sa mère et polariser sur elle tous ses désirs, sexuels ou non ? Évidemment pas. La fixation à la mère est la plupart du temps un phénomène dépourvu de toute sexualité, qui prouve seulement que le garçon a pour sa mère un respect religieux et une dépendance, ce qui exclut généralement le désir des rapports physiques avec elle. La mère est alors un objet castrateur et dominateur qui, bien loin de provoquer la sexualité, la décourage et la supprime.

L'intégration de la dimension incestueuse dans la sexualité ne se fait pas par fixation à la mère effectivement présente et objet d'attachement, mais par le retour à des attitudes infantiles de tendresse, de caresse, de chaleur, dans lesquelles la mère certes est impliquée mais dans lesquelles le partenaire est lui aussi directement englobé. Le garçon cherche à retrouver, avec les femmes, certaines « valeurs » qu'il a connues dans son enfance et qui sont centrées sur l'affection et sur le plaisir. Ces « valeurs » sont pour lui plus importantes que les objets eux-mêmes et c'est pourquoi il ne fait pas de la fidélité un absolu. C'est le contraire pour les filles qui voient dans le partenaire davantage un « objet » irremplaçable qu'un réceptacle de « valeurs ».

Une autre catégorie de gens, où l'on trouve plus fréquemment des attitudes névrotiques que dans les autres catégories, est celle des individus socialement inférieurs. Cela a été démontré par de nombreuses études psychatriques (Jackson, 1962) et ethnographiques (Devereux, Bastide, etc.). La proportions de schizophrènes venant des milieux socialement défavorisés est nettement supérieure à celle des autres milieux.

Or, là encore, cela s'accompagne, chez les mêmes individus, d'une sexualité nettement moins développée, plus fruste,

moins sophistiquée, plus normalisée. Le rapport Simon, là
encore, ne laisse aucun doute à ce sujet. Il ne cesse de noter
à quel point les comportements sexuels recherchés, proprement érotiques, non centrés sur la reproduction, sont rares
dans les catégories socialement inférieures. Cela explique en
particulier la résistance, dans ces milieux, à l'utilisation des
contraceptifs, qui n'est pas due uniquement à des causes
économiques. Les enfants y sont considérés traditionnelle-
ment comme des conséquences et des buts normaux de
l'amour, qu'on ne doit pas chercher à éviter. De la même manière, les attitudes de pudeur, de silence sur les sujets concernant la sexualité y sont beaucoup plus fréquentes, malgré
les apparences. Les hommes y sont, plus qu'ailleurs, contraints
à l'infidélité s'ils veulent satisfaire leurs besoins sexuels.

De tout cela on peut conclure, avec une forte probabilité,
que les névroses, bien loin de découler de besoins sexuels
intenses et compliqués, découlent au contraire de besoins
sexuels faibles et relativement normalisés (au sens social du
terme). Partout où l'on trouve un développement plus grand
de l'érotisme, un intérêt plus grand pour les choses sexuelles,
on trouve aussi moins de névroses et moins de maladies mentales. L'érotisme est, sans contexte, un des facteurs qui permet
de prévenir ce genre de troubles.

Les méthodes psychothérapiques.

Revenons maintenant au problème qui m'occupait antérieurement et pour lequel j'ai fait ces longs développements, celui
de la nature véritable de la psychothérapie.

Si ma théorie est juste, la psychothérapie doit avoir pour
but de retrouver les pulsions, désirs et attitudes qui relèvent
des secteurs libidinaux et créatifs de la personnalité, c'est-
à-dire des secteurs susceptibles d'apporter les satisfactions,
plaisirs et contentements les plus intenses. Cela doit permettre
au moins deux choses, à savoir d'une part de développer ces
secteurs-là, qui deviendront ultérieurement des centres d'équilibre pour la personnalité ; et d'autre part de neutraliser,
momentanément, les souffrances et angoisses dont souffre
l'individu. Ces deux buts peuvent être atteints conjointement,
bien qu'ils soient spécifiquement distincts.

Pour atteindre ces deux buts, deux méthodes sont possibles et ont été effectivement proposées. La première, qui est celle que Freud a proposée, avec des rationalisations contestables, est une méthode indirecte, qui consiste à retrouver la sexualité infantile. La seconde, qui est celle de Reich, consiste à aborder directement et franchement le problème sexuel et à effectuer, dans ce domaine, toute une rééducation. Les méthodes d' « expression corporelle » sont à rattacher à la méthode reichienne.

A vrai dire, les deux méthodes sont valables mais elles n'ont pas le même point d'application. La méthode reichienne, théoriquement supérieure, a cependant l'inconvénient d'être refusée d'emblée par les individus fortement inhibés, qui voient immédiatement « où on veut en venir » et qui font fonctionner alors leurs résistances. Ils refusent ce genre de méthode, même s'ils en attendent beaucoup. Cette méthode ne peut donc s'appliquer qu'aux individus non fortement atteints, qui n'ont que des problèmes mineurs et sans gravité, et peut développer leur créativité.

Reste la première méthode, celle que Freud a imaginée, en lui attribuant des finalités différentes, que j'appellerai « Psychothérapie par la parole ».

Cette psychothérapie, appelée par Freud psychanalyse, a été fortement critiquée par certains penseurs récents (Deleuze et Guattari, 1972) qui l'accusent de faire du « Papa-Maman » et de ne pas poser les vrais problèmes.

Cette critique est valable, si l'on admet que le vrai problème n'est pas de ramener coûte que coûte le sujet à ses souvenirs d'enfance, comme Freud le préconise, et d' « interpréter » son vécu actuel comme une projection de ses désirs enfantins, mais de procéder à une ré-évaluation, comme je l'ai dit, qui exige que le problème central de la répression sociale et sexuelle dans notre société soit effectivement posé, avec toutes ses implications.

Ce qui, en effet, paralyse le sujet dans son évolution vers une sexualité riche et étendue, c'est avant tout la crainte qu'il a de la réprobation de son milieu à l'égard de tout ce qui, en lui, relève de la spontanéité, de l'affirmation des besoins corporels, des contacts directs avec les autres, de la recherche du plaisir. Il se sent menacé s'il « s'abandonne », s'il se laisse aller, s'il accepte la jouissance, s'il se montre tel qu'il est, à savoir un être qui a des côtés enfantins et ridicules, bas et mesquins, des caprices, des fantaisies. Il sent qu'il doit « se contrôler », montrer de la noblesse et de la distinction, se conduire comme un adulte, avoir de la volonté, être sans faiblesse. Le problème du psychothérapeute est de faire basculer ces attitudes, de les renverser, pour leur substituer les attitudes inverses d'indifférence aux tabous sociaux et de non-conformisme. Comment cela peut-il se faire dans la pratique ?

La réponse à cette question est double ; elle concerne en effet d'une part l'attitude du psychothérapeute et d'autre part l'attitude du patient.

Si nous nous plaçons du côté du psychothérapeute, il est évident que celui-ci doit avoir une attitude qui contredise à angle droit celle de la société ambiante. Contrairement à celle-ci, il doit à la fois écouter et accepter les récits du patient dans lesquels celui-ci évoque ses tentatives maladroites pour accéder à la sexualité et au plaisir, sans y parvenir, c'est-à-dire sans aller bien loin, et dans lesquels surtout il parle des problèmes qui se posent à lui dans son existence concrète, et qui sont souvent douloureux, difficiles à supporter à cause des préoccupations auxquelles ils répondent. La doctrine de C. Rogers, qui préconise une écoute attentive et empathique avec miroir, c'est-à-dire en montrant qu'on participe aux sentiments exprimés, est ce qu'il y a de meilleur, car c'est la manifestation incontestable qu'on ne rejette à aucun moment ce qui est dit, soit au niveau du discours lui-même, soit au niveau de son contenu. Par contre, une attitude interprétative du thérapeute, dans la tradition freudienne, est ce qu'il y a de pire, car elle risque de montrer au patient que le thérapeute veut qu'il aille quelque part et qu'il comprenne un certain nombre de choses. Ce que Freud appelle, dans *Au-delà du principe de plaisir*, la « construction du thérapeute », risque d'apparaître au patient comme un but fixé à l'avance auquel il doit à tout prix parvenir, et par lequel il se sent menacé s'il n'y va pas ou contraint s'il y va. Le patient ne peut plus se sentir libre dans sa démarche et pensera à juste titre que la volonté d'un autre pèse sur lui. La situation sociale ordinaire se trouve rétablie, et la psycho-thérapie ne peut que traîner

indéfiniment pendant des années sans donner les résultats escomptés (ce qui se passe malheureusement trop souvent).

Si l'on se place maintenant du côté du patient, le problème
à résoudre par celui-ci est de trouver un discours qui d'une
part lui permette d'exprimer les angoisses qu'il vit actuellement et par lesquelles il est obsédé, et d'autre part lui permette d'éviter de réactiver les autres angoisses, celles qu'il
ne subit pas actuellement et qu'il n'a guère envie de voir
réapparaître. C'est pourquoi, après avoir, dans une toute
première phase, exprimé ses difficultés actuelles, il en vient
vite à se réfugier dans la seule période qui ne présente pas
pour lui de grands dangers, à cause de son caractère lointain et dépassé, à savoir sa petite enfance.

Cette tendance spontanée des patients à aller vers leur
petite enfance explique à mon avis l'importance que Freud
lui a donnée et le fait qu'il y a vu la source de tous les troubles. Il s'est laissé pour ainsi dire prendre par le jeu même de
ses patients, et n'a pas pensé qu'on pouvait faire mieux que
d'en rajouter encore, comme si cela ne suffisait pas.

La petite enfance peut être un excellent point de départ,
elle ne saurait en aucun cas être un point d'arrivée, comme le
voudrait Freud. Elle est en effet ce qui pose le moins de problèmes, non seulement parce qu'elle est très loin, mais parce
que la répression y a été relativement moins forte qu'à l'adolescence et à l'âge adulte. Nous avons tous, qui que nous
soyions, connu des moments de tendresse et de bonheur dans
notre petite enfance, et nous avons tendance à y revenir sans
cesse comme à un havre de paix et de lumière.

Cela est insuffisant parce que cela ne permet pas d'aborder
l'obstacle essentiel à une « libido normale », à savoir les
répressions subies à partir de l'adolescence. Pour ce faire, il
faut que le patient se sente en sécurité et profondément accepté par le thérapeute, ce qui n'est pas toujours le cas. Lorsque c'est le cas, il peut s'aventurer dans cet univers dangereux et plein de pièges de sa maturité et y faire les découvertes
essentielles.

Ces découvertes ne consistent pas uniquement dans le fait
qu'il se sent accepté par le thérapeute et qu'il fait l'expérience
de relations non-répressives. Elles consistent surtout dans une

expérience nouvelle du matériel qu'il amène à la surface et qu'il tire de son passé. Cette expérience nouvelle est une réévaluation.

Ce processus fondamental, qui constitue l'essentiel de la psychothérapie, se ramène à une transformation d'ordre affectif — une transmutation — des données du souvenir. Le patient qui revit à nouveau des événements de son passé peut éprouver, en les revivant, de nouveaux sentiments, car il les vit dans un nouveau cadre, dans un nouveau contexte, avec une optique différente. Ces événements ne comportent plus les risques et dangers qu'ils comportaient initialement ; ils prennent une dimension nouvelle par le rapprochement avec des événements postérieurs ; ils sont mieux compris dans leur signification. Ils permettent donc une nouvelle expérience des situations qu'ils mettent en jeu et cette expérience est infiniment plus positive puisque les situations se trouvent purifiées pour ainsi dire de leurs éléments négatifs. Si, par exemple, un patient se rappelle des images qu'il avait vues dans son adolescence et qu'il avait regardées à cette époque avec culpabilité, donc mal et sans en éprouver tout le plaisir possible, il peut poser maintenant, sur ces mêmes images, un autre regard et ce regard engendre chez lui des sentiments différents. Il y a vraiment une découverte expérientielle, bien que cette découverte se fasse sur un matériel connu et ancien.

Il se produit donc une libération du passé qui, pour ainsi dire, ressuscite en acquérant de nouvelles significations. Cette libération est possible du fait que : 1) les contraintes et interdits d'autrefois disparaissent, à cause du décalage temporel ; 2) les contraintes et interdits actuels qui pourraient exister et empêcher le simple récit et l'évocation des faits passés sont supprimés du fait de l'attitude empathique du thérapeute. Celui-ci permet que des événements qui ont été vécus avec honte à l'époque où ils se produisaient, soient revécus sans honte et même avec plaisir. Non seulement les causes de la honte ancienne sont supprimées, par exemple la réprobation de l'entourage qui avait eu lieu alors, mais les causes d'une honte nouvelle, qui pourrait survenir, du fait par exemple que le sujet pourrait penser que les événements révèlent encore certains traits de sa personnalité actuelle ou simplement qu'il est interdit de penser à de telles choses ou d'en parler, sont aussi supprimées.

La transmutation du passé dont je parle ici a de nombreuses ressemblances avec la transformation du passé qui se produit dans les légendes et l'histoire romancée. Le patient se crée sa « légende dorée » et c'est cela qui est important, car cette « légende dorée » a une valeur non point tant comme explication du passé que comme expérience présente. C'est d'ailleurs la seule expérience possible, si on ne se livre pas à une véritable activité, si on se contente de revivre des souvenirs, ce qui a le mérite de ne pas remettre en questions les défenses actuelles. La méthode freudienne, contrairement à la méthode reichienne, ne s'attaque pas directement aux résistances de l'individu, ce qui est évidemment impossible, mais elle les attaque indirectement par la mise en œuvre d'une activité en apparence neutre et sans les conséquences immédiates qu'aurait une activité véritable. La psychothérapie obéit au plus haut point à la loi du détour et c'est pourquoi elle se passe dans un lieu clos et pour ainsi dire en laboratoire.

Cette manière de revivre le passé a toutes les apparences d'une régression, ou, comme disent les « anti-psychiatres » (Laing, Cooper, etc.), d'une « descente ». Le patient en effet vit à nouveau et d'une manière nouvelle des événements qui sont par définition inactuels puisqu'ils sont passés. Ils sont inactuels par leur décalage avec le contexte ambiant, mais aussi par le fait que les besoins qu'ils manifestent sont des besoins qui ont été vivants à une certaine époque et dans une certaine phase du développement de l'individu. Cela ne les rend pas pour autant inadaptés puisqu'ils ont une signification permanente, mais les font du moins apparaître aux yeux d'autrui comme des choses dépassées et à la limite ridicules. Lorsque, par exemple, Mary Barnes, dans l'expérience de guérison racontée dans *Un voyage à travers la folie* [1], se livre à ses manipulations compliquées et à ses jeux artistiques avec la merde, elle peut apparaître comme « dégoûtante » et scatologique, et cela pourrait justifier qu'on l'empêche de s'y livrer. Mais cela serait la pire des choses, car cela revien-

[1] Mary Barnes et Joe Berke, *Un voyage à travers la folie*, Le Seuil, 1973.

drait à la priver de la seule expérience positive pour elle qui est nécessairement une expérience de son enfance et qui ne peut être une expérience accordée à son contexte actuel. Le malade psychologique est condamné d'une certaine manière à l'anachronisme, à cause justement de ses problèmes avec le présent. Il ne peut donc être guéri que par un individu, le thérapeute, qui accepte complètement cet anachronisme.

Il y a certes, sur cette route, beaucoup d'embûches, et la principale d'entre elles est le phénomène appelé projection, que Freud voulait voir partout mais qui n'a en réalité qu'un champ d'application limité.

Par projection, il faut entendre le fait qu'un individu se comporte vis-à-vis d'un objet ou d'une situation d'une manière telle qu'il ne tient compte que de certains aspects très extérieurs et à la limite sans importance de cet objet et de cette situation. Par exemple, l'individu raciste qui règle son comportement vis-à-vis de quelqu'un en fonction de la couleur de sa peau se livre à une projection. Ou encore l'homme qui se comporte vis-à-vis des femmes à partir de préjugés qu'il a sur les femmes en général est aussi victime d'une projection, etc.

Il est évident que tout désir ne résulte pas d'une projection. Il est des désirs qui « collent », si l'on peut dire, à la réalité de l'objet désiré, en ce sens qu'ils naissent de la considération de son individualité, de sa spécificité. Il en est d'autres, encore moins projectifs, qui naissent d'une expérience qu'on fait sur l'objet lui-même, qui permet de découvrir certaines des valeurs qu'il recèle et auxquels on n'était pas éveillé.

Normalement, l'attitude du patient envers le thérapeute relève de cette dernière catégorie. Le thérapeute a des attitudes nouvelles, inconnues jusqu'alors pour le patient et celui-ci découvre pour ainsi dire les sentiments qu'il éprouve à son égard, qu'il n'avait jamais éprouvés jusque là. Il subit là aussi une initiation et celle-ci est fondamentale.

Mais il peut arriver aussi que le patient, très fortement perturbé, « projette » sur le thérapeute des sentiments qui n'ont, à la limite, aucun rapport avec lui et qui résultent seulement de certains de ses aspects les plus superficiels : le fait qu'il est un homme, le fait qu'il a une position sociale assise, le fait qu'il a une certaine voix, certains traits de visage, etc. Il se produit alors ce que Freud appelle un transfert, au sens technique qu'il a donné à ce mot, qui n'est en rien, contrairement à ce qu'il affirme (texte déjà cité), une condition de la thérapie, mais qui est son obstacle essentiel.

Un des soucis essentiels du thérapeute doit être d'éviter le transfert, de le réduire. Pour y arriver, il ne peut faire mieux que d'accentuer au maximum les comportements spécifiques, nouveaux, qui doivent éclater aux yeux du patient, et qui finiront par lui apparaître avec une telle évidence qu'il ne pourra s'empêcher de réagir à leur égard d'une manière adaptée. Le transfert se trouvera alors contre-balancé non pas par un contre-transfert, mais par l'introduction d'un élément étranger à celui-ci. La thérapie pourra se poursuivre, et finira par atteindre ses buts.

Les similitudes entre thérapie et animation.

Les mécanismes de la thérapie, qui viennent d'être analysés, ont beaucoup de similitudes avec ceux de l'animation, et réciproquement. Ces similitudes sont telles que nous pouvons regrouper sous une même rubrique, celle de la formation, la thérapie et l'animation, tout au moins cette forme d'animation que nous appellerons l'animation-formation.

Dans l'un et l'autre cas en effet il s'agit bien de permettre à l'individu de faire une *nouvelle expérience de la réalité,* de nature essentiellement affective. Cette expérience, qui se compose de tous les sentiments qu'il éprouve en face d'une certaine situation, et qui ne sont pas indépendants, je l'ai montré, des sentiments qu'il éprouve par ailleurs, détermine ses actions ultérieures et les oriente d'une manière absolument impérative. L'individu est, au sens propre, le produit de son expérience, c'est-à-dire de cette combinaison affective spécifique apparue au moment où la situation a été rencontrée pour les premières fois. Cette combinaison détermine la « valeur » de la situation et de l'action concomitante et le signe, positif ou négatif, qui leur sera affecté.

Avant qu'une situation-action ait été expérimentée, elle a une valeur neutre, c'est-à-dire n'est affectée d'aucun signe et ne peut avoir aucune influence sur les autres expériences. C'est l'état d'innocence ou de naïveté, qui a été valorisé, mais qui n'est rien d'autre en fait qu'un manque ou qu'une insuffisance, très comparable à l'ignorance dans le domaine intellectuel. S'il a été tellement valorisé, c'est qu'en effet il signifie la pureté ou le fait d'être « sans tache » pour ceux qui ont peur de certaines expériences, spécialement les expériences positives (libidinales et créatives), et qui entendent les réprimer chez les autres.

Le moment où une expérience a lieu est extrêmement important, et j'ai parlé, dans d'autres ouvrages, de la *loi d'antériorité*. Si en effet les expériences de nature positive, qui engendrent des sentiments de satisfaction et d'euphorie, sont seules capables de neutraliser les expériences négatives, centrées sur la douleur et la peine, et d'éviter l'émergence de l'angoisse, il est essentiel qu'ils apparaissent avant ceux-ci dans l'histoire de l'individu. Si ce sont les expériences négatives qui sont faites les premières et seules, non seulement elles engendrent l'angoisse puisqu'elles ne sont pas elles-mêmes neutralisées, mais elles neutralisent à leur tour les expériences positives, qui ne peuvent plus être faites ou qui ne peuvent être faites que si elles atteignent une intensité énorme. La personnalité finale sera donc en grande partie le résultat de l'ordre dans lequel seront faites les différentes expériences. Les mêmes chocs qui surviennent à deux individus peuvent avoir des résultats complètement inverses si dans un cas ils surviennent dans un contexte euphorique et positif et si, dans l'autre cas, ils surviennent dans un contexte neutre ou négatif. Dans ce second cas, ils engendreront une structure quasiment pathologique et l'individu réagira ensuite, dans les circonstances ordinaires, comme s'il se trouvait en état perpétuel de détresse, ce qui est, d'après Bettelheim, la définition même de la maladie psychologique.

A propos de l'angoisse, sur laquelle je reviens sans cesse, parce qu'elle me semble être ce qu'il y a de plus mauvais pour l'homme, comme d'ailleurs pour l'animal, il faut que j'apporte quelques précisions. Certaines écoles psychologiques, comme celle de Minkovski, l'ont au contraire valorisée et ont vu en elle un moteur de l'action, voire de la création. Ils ont insisté sur le fait qu'elle accompagne tous les actes forts et en ont fait une condition du dépassement et de l'accomplissement de soi-même.

Il est vrai en effet que bien des actes créatifs et positifs, qui sont par ailleurs fortement combattus et réprimés par la société ambiante, qui y voit un danger mortel, exigent de ceux qui les effectuent un énorme courage, à cause des risques qu'ils présentent. Ils sont donc vécus subjectivement avec beaucoup d'angoisse, et celle-ci peut apparaître comme une condition de leur réalisation, surtout quand on l'a dépassée. Mais il n'en est rien. Cette angoisse, bien loin d'être une condition, est au contraire l'obstacle fondamental, et recherchée explicitement comme tel par les systèmes répressifs. Si elle atteint un certain niveau, elle empêche tout simplement les actes de se produire. D'autre part, elle n'existe que dans les débuts de l'expérience à signe positif et disparaît assez vite une fois que l'individu a pris goût à ce genre d'expérience et s'y est adapté. Elle ne reste plus alors qu'un souvenir, dont l'individu d'ailleurs se flatte parce qu'il l'a précisément vaincue, et qui n'a pas la force que souvent il lui attribue pour se valoriser.

La vraie angoisse n'est ni quelque chose qu'on dépasse, ni quelque chose dont on se flatte. C'est un poids énorme sur le psychisme, une espèce de couvercle qui vous étouffe et qui vous paralyse et contre lequel on a l'impression d'être impuissant. Il n'y a aucun moyen d'en sortir « par la volonté », comme on dit. Le seul moyen d'en sortir est de se remettre dans un contexte où des influences extérieures agiront sur vous pour permettre d'autres expériences vécues. Contrairement à ce que pense C. Rogers, l'individu ne peut se guérir seul, pas plus qu'il ne peut se développer seul. Il faut naturellement qu'il soit consentant pour l'action qu'on exerce sur lui — et c'est là que C. Rogers a raison —, mais cette action vient de l'extérieur et ne dépend pas entièrement de lui.

Pour revenir à la formation, il faut insister sur le fait qu'elle doit se faire dans un lieu clos, dans une institution séparée, aussi bien sous sa forme thérapie que sous sa forme animation. Cette exigence découle précisément de la nécessité d'écarter l'angoisse, qui est l'obstacle fondamental à la formation, sa véritable « bête noire ». Si, en effet, la formation se fait dans la vie quotidienne, « sur le tas », « dans la production » ou encore avec des pressions du type examen et concours qui utilisent les motivations sociales ordinaires, elle ne peut aboutir à cette « évaluation » qui constitue pour moi l'essentiel de la formation. Les expériences qu'elle est censée permettre, se faisant dans un contexte « naturel », seront sans cesse compromises par la crainte des conséquences diverses d'ordre pratique, par des risques divers, ne serait-ce que parce qu'elles empêcheront la vie quotidienne de se dérouler normalement et parce qu'elles la pertuberont d'une manière ou d'une autre dans son déroulement. L'individu sera pris au piège de ses soucis quotidiens, de ses inquiétudes et de ses craintes et ne pourra s'en débarrasser.

Cela revient à dire que pour moi l'angoisse, de même que le conflit ou l'agression, n'ont aucune valeur formative, contrairement à ce que prétendent maints psychologues aujourd'hui. Ils n'ont une valeur formative que lorsqu'ils sont dépassés et se transforment en problème à résoudre, compromis à trouver, équilibre à réaliser. Pour qu'ils soient précisément dépassés, il faut que certaines conditions soient réalisées et en particulier que l'individu se trouve branché sur des sources de plaisirs et de satisfactions forts et permanents qui lui permettent de prendre de la distance par rapport à ses zones d'ombre et de les convertir ultérieurement en zones de lumière (au moment où il sera assez fort, qui ne peut être déterminé arbitrairement par le formateur).

Un dernier point concernant la formation est le fait qu'elle a aussi une incidence sur la vie intellectuelle. Elle apporte des connaissances, des informations, des convictions, permet de répondre à des questions, aide à résoudre des problèmes, initie des processus de recherche, aussi bien sous sa forme thérapie que sous sa forme animation.

Il faut pourtant se méfier de l'illusion qui consiste à croire qu'on peut mettre en branle des processus de développements intellectuels hors de tout contexte affectif ou de toute modification de ce contexte affectif. Cette illusion est entretenue par l'école actuelle qui prétend « répandre le savoir », « transmettre les connaissances », « développer les aptitudes », sans se soucier aucunement du contexte affectif et même en créant le pire des contextes, avec la compétition, la contrainte des examens, l'ambition des diplômes, etc.

Les acquisitions intellectuelles non seulement supposent des désirs spécifiques — curiosité, amour de la recherche, etc. — pour qu'elles puissent être effectuées, mais elles modifient les désirs initiaux, soit en leur fournissant des instruments, soit en permettant des expériences nouvelles. Elles sont donc entourées de toutes parts par les motivations d'ordre affectif. Il n'en reste pas moins évidemment qu'elles ont aussi leurs exigences spécifiques, et par exemple qu'elles demandent de recourir à des gens compétents, expérimentés, possédant le savoir, capables de mettre en jeu des techniques adaptées. Ces exigences interviennent surtout dans le cas d' « animation centrée sur une tâche » — l'enseignement — dont je reparlerai au prochain chapitre.

Les différences entre thérapie et animation.

Malgré les profondes similitudes qui existent entre la thérapie et l'animation, il y a entre elles beaucoup de différences et des différences essentielles. J'en vois deux.

1. Une première différence est qu'elles ne se situent pas sur le même plan, ou plus exactement qu'elles ne touchent pas les mêmes niveaux du psychisme.

En gros, on pourrait dire que la thérapie touche surtout le niveau primaire, et l'animation, le niveau secondaire. Par niveau primaire et secondaire, sur lesquels je me suis déjà expliqué [1], j'entends d'un côté les fonctions psychiques qui regardent le corps, ou les rapports immédiats avec la réalité ou les contacts physiques, et de l'autre les fonctions psychiques qui regardent la représentation, le rapport à distance avec la réalité, les media (parole, écriture, etc.). Cette distinction qui concerne le normal, rejoint la distinction au plan pathologique entre névroses et psychoses, ou plus exactement entre névroses et troubles de la personnalité (car les psychoses ont une composante névrotique). Au premier niveau, primaire, on trouve toutes les activités motrices et sensori-motrices, la sexualité, l'expressivité (aspect visible de la communication) ; au second niveau, secondaire, on trouve la connaissance intellectuelle, la communication, la sociabilité. Autrui, par exemple, est touché, au premier niveau, par les rapports physiques et les contacts directs que j'ai avec lui (sexuels, visuels, auditifs, etc.) ; au second niveau, il est touché par les messages que

[1] Cf. M. Lobrot, *Priorité à l'éducation*, Payot, 1973.

je lui envoie, par les intentions que j'ai sur lui et qu'il a sur moi, par les choses que j'apprends de lui et qu'il apprend de moi, etc. Les deux niveaux se retrouvent au plan de ce que j'ai appelé ailleurs les « super-défenses », c'est-à-dire les méthodes que nous utilisons pour abaisser notre niveau d'angoisse. Au premier niveau, primaire, on trouve surtout des défenses par la fuite à l'égard du corps et par le recours à l' « esprit » et à l'imaginaire, à savoir la religion, la mystique, la superstition. Au second niveau, on trouve au contraire des défenses par réduction de la réalité à un ensemble d'objets qu'on peut manipuler et contraindre directement et rapidement, comme l'autorité, la soumission, l'exploitation, la domination, l'enrichissement, l'appropriation, etc.

La psycho-thérapie ne peut toucher que le niveau primaire, dans la mesure où elle ne permet pas une expérience avec les autres et sur les autres, en groupe et à travers une collectivité. Le patient se trouve seul face à lui-même et peut, grâce au thérapeute, explorer à nouveau son univers fantasmique, ses souvenirs, et leur donner une signification nouvelle. Nous avons vu cependant que cette réévaluation n'est possible que si les événements évoqués ont perdu leurs liens avec le contexte extérieur et se trouvent pour ainsi dire « à l'état libre ». Autrement, ils se trouvent encore chargés de menaces, dangers, appréhensions qu'ils avaient initialement.

Il est bien évident que les événements évoqués qui concernent la vie sociale, les rapports profonds avec les autres, les options professionnelles, les convictions diverses, sont toujours actuels, car ils concernent des réalités qui ne disparaissent pas du jour au lendemain et qui sont permanentes. Il est donc difficile d'effectuer sur elles une réévaluation, sauf peut-être sous certains de leurs aspects. Par contre, tous les événements qui nous touchent directement, et si l'on peut dire corporellement, qui concernent notre vie sexuelle, le contenu concret de notre rapport avec les autres, le « vu, entendu et touché », le palpable et le manifeste, par définition passent et sont toujours différents, même s'ils mettent en jeu des forces affectives permanentes. Il est donc possible d'effectuer sur eux une réévaluation. Contrairement à ce que pensait Freud, la psychothérapie travaille perpétuellement dans le « manifeste » et non dans le latent, et la tentative freudienne pour la situer dans le symbolique n'aboutit en fait qu'à accentuer cette tendance, car les symboles qu'on prétend mettre à jour ne sont aucunement des signifiants précis ayant leur sens dans un langage, avec un code admis par tous, mais se ramènent à des formes errantes qui n'ont de valeur que comme formes et dans l'imagination du thérapeute et de son client. Ce sont des réalités essentiellement individuelles, qui n'ont aucune valeur de communication sociale.

L'animation, par opposition, modifie notre rapport avec les autres, avec les groupes, avec les collectivités, avec la société. Elle a une valeur sociale et ne se contente pas de modifier les désirs qui concernent le corps et la libido. L'expérience qu'elle fait faire est une expérience de communication, c'est-à-dire d'une activité triangulaire dans laquelle le rapprochement entre moi et l'autre passe par le monde ou plus exactement par les sentiments, les idées, les projets, etc. concernant le monde. Cette expérience de communication permet la découverte d'une dimension de l'activité qui apporte les plus hautes satisfactions car il s'agit vraiment de créativité. L'individu apprend qu'il a pouvoir sur les autres et sur les groupes, sans utiliser les moyens de contrainte et d'autorité. Il apprend qu'il peut modifier la mentalité d'autrui, changer ses sentiments, inventer des idées, fabriquer des modèles, forger des structures. Il découvre son pouvoir instituant, par lequel il respecte la liberté et l'autonomie d'autrui. Celui-ci apporte son adhésion et ne se sent pas violé.

Une telle expérience est fondamentale et va beaucoup plus loin que l'expérience libidinale. Elle permet en effet de comprendre que l'être humain est sujet et d'agir avec lui comme avec un sujet, ce qui signifie à la fois accepter le rapport avec lui et faire en sorte que ce rapport ne le violente ni le contraigne. La rareté d'une telle expérience explique que les gens aujourd'hui voient tous dans l'influence une forme de conditionnement et n'imaginent pas de milieu entre l'extériorité totale par rapport à l'autre, présentée comme la vraie forme de respect, et le viol pur et simple par les méthodes de contrainte.

Enfin, la satisfaction apportée par ce type d'expérience est telle qu'elle contrebalance largement les expériences malheureuses qu'on peut faire avec les autres, les déceptions, les malveillances, les haines. Elle seule peut empêcher de tomber dans la méfiance systématique, le pessimisme sur la nature humaine, le culte de la force et de la violence, en un mot dans cette paranoïa si fréquente aujourd'hui et qui mine l'humanité.

2. Une seconde différence entre psychothérapie et animation, qui découle de la première, consiste dans le fait que l'animation, contrairement à la thérapie, ne peut se faire sur un matériel tiré du passé et qui est seulement reconsidéré, mais doit nécessairement comporter de nouvelles actions. Elle part, si l'on peut dire, à zéro en ce sens que l'action qu'elle provoque et qui permet l'expérience est une action originale, neuve, même si elle utilise des données déjà existantes et met en jeu des réalités anciennes. L'acte même de communication, le rapport à l'autre surgissent à partir de rien, ou plus exactement à partir seulement des désirs qui les font naître. Ils ne consistent pas à recommencer une action déjà faite, à revivre un événement qui a déjà existé, comme cela se passe dans la thérapie. Plus précisément, s'il arrive que la communication soit communication d'un souvenir, ce n'est pas le souvenir lui-même qui est important mais sa communication, qui est nouvelle.

L'animation se tient toujours dans l' « ici et maintenant », comme l'ont bien vu les psycho-sociologues, contrairement à la thérapie qui se nourrit du passé. L'expérience évaluative se fait en effet dans l' « ici et maintenant » et consiste dans un vécu immédiat. Cela est vrai aussi de l'expérience ré-évaluative de la thérapie qui se produit aussi dans l'instant même où le souvenir est ramené à la conscience. Mais ce souvenir a un contenu passé et l'acte qu'il représente est lui aussi passé. Il n'est donc pas totalement dans le présent.

La raison profonde de cette différence entre thérapie et animation tient au fait que la thérapie comme l'animation utilisent l'une et l'autre les défenses de l'individu contre l'angoisse, qui structurent leurs comportements et leurs attitudes et qui préparent des voies dans un sens ou dans un autre. Or, comme je l'ai déjà dit, les défenses dans le domaine primaire consistent dans le rêve et l'imaginaire (structure névrotique), tandis que les défenses dans le domaine secondaire consistent au contraire dans l'objectation excessive (il faudrait dire l'objectivation : le fait de rendre objet), la chosification et la mécanisation (structure psychologique). Si donc l'animateur et le thérapeute veulent partir des désirs des participants et ne rien imposer, s'ils veulent respecter la spontanéité et les initiatives, ils doivent partir l'un du rêve et de l'imaginaire, l'autre de la réalité brutale de l' « ici et maintenant ». La plupart des individus auront en effet tendance à vivre « en rêve » leurs expériences primaires et spécialement sexuelles, et raconteront facilement ces expériences si elles ne sont pas présentes mais cantonnées dans le passé. Ils auront beaucoup plus de mal à vivre, d'une manière dirigée, de telles expériences si elles se font « ici et maintenant ». Inversement, ces mêmes individus auront tendance à communiquer avec les autres uniquement si ceux-ci sont présents, font sentir leur réalité physique, posent des problèmes immédiats, occupent du temps et de l'espace. Ils auront beaucoup plus de mal à vivre une expérience de communication dans l'absence et à distance, ce qui n'est après tout pas impossible. Nous arrivons donc à ce paradoxe que les expériences qui se font dans le présent et qui mettent en jeu le corps et le contact sont mieux effectuées si l'on prend de la distance et si l'on évite le contact, autrement dit si tout se passe verbalement et sur le divan d'un psychanalyste, à travers les rêves et les souvenirs, tandis que les expériences qui mettent en jeu des activités à distance, par représentations et contenus symboliques, se font mieux dans l' « ici et maintenant » et avec le maximum de contact corporel. Dans l'un et l'autre cas, les individus se sentiront plus en sécurité et ils pourront alors essayer des comportements qui leur apporteront les révélations souhaitées.

Les relations entre thérapie et animation.

Les différences que je viens de montrer entre psychothérapie et animation m'amènent à poser les deux problèmes que j'avais posés au début de ce chapitre, et qui concernent les rapports entre les deux.

Ces rapports, d'une manière générale, sont assez mauvais. Bien que l'une et l'autre aient des similitudes profondes et procèdent d'une même inspiration, elles se regardent de loin et d'un assez mauvais œil.

Les gens de la psychothérapie ont tendance à dédaigner et à rabaisser l'animation, comme quelque chose qui n'a pas grande valeur, comparativement à ce qu'ils font, eux, qui abordent les profondeurs du psychisme et va au fond de l'individu, jusque dans son inconscient. Nous aborderons au prochain chapitre certaines rationalisations qui vont dans ce sens, par exemple celles de Didier Anzieu et de son équipe. D'une manière générale, ils ont tendance à penser que les phénomènes de groupe n'existent pas et ne sont que des projections de phénomènes individuels, des épiphénomènes.

Inversement, les gens de l'animation ont peur de la psychothérapie sans pour autant la dédaigner. Ils craignent par dessus tout de s'aventurer sur ce terrain plein de pièges et de chausse-trappes dont ils prétendent toujours qu'ils ne sont pas connaisseurs. Leur timidité et leur retenue dans ce domaine sont stupéfiantes, si l'on pense qu'ils sont souvent aussi capables d'y travailler que les psychothérapeutes eux-mêmes. On dirait qu'ils craignent sans cesse de manier des explosifs et que ceux-ci ne leur éclatent à la figure, comme s'ils n'éclataient pas à la figure des psychothérapeutes. On les entend sans cesse déclarer qu'ils ne veulent surtout pas empiéter sur le domaine des psychothérapeutes, et que le risque de leur métier est précisément d'avoir parfois à traiter des cas qui relèvent de ceux-ci, ce qu'ils ne veulent surtout pas faire.

Naturellement, ces attitudes révèlent des rapports de pouvoir et des volontés de pouvoir dans la société actuelle. L'outrecuidance suffisante des psychothérapeutes et psychanalystes utilise la mythologie religieuse des profondeurs fabriquée par les névrosés, qui se gausse de l'imaginaire, du fantasme de l'inconscient, dont elle se nourrit, pour, en réalité, affirmer sa supériorité. De la même manière, la timidité extrême des animateurs, leur complexe d'infériorité, sont une façon de reconnaître cette supériorité, face à des gens qui cherchent à les écraser de toutes les façons, par leur façade médicale, par leur jargon moliéresque, par leur prétention à atteindre le fond du fond des choses.

Derrière ces querelles, il y a aussi une certaine ignorance

de ce que sont la psychothérapie et l'animation et de leurs rapports.

L'animation, en réalité est pleine de psychothérapie et la psycho-thérapie pleine d'animation. Les deux domaines s'interpénètrent largement et ne peuvent en aucune manière être séparés.

L'animation tout d'abord est elle-même une psychothérapie et d'une manière très élaborée.

J'ai déjà défini la psycho-thérapie comme une méthode qui permet de rendre à des individus certaines fonctions essentielles qui leur manquent et dont l'absence détermine des troubles graves, par augmentation de l'angoisse et des défenses (super-défenses) qui en résultent. L'expérience évaluative qu'elle fait faire a pour but de combler ce manque en redonnant à l'individu les pulsions et désirs qui correspondent à cette expérience. Elle permet de restructurer le psychisme dans un sens positif.

Mais naturellement les fonctions susceptibles de manquer à un individu ne sont pas seulement les fonctions sexuelles, même si leur absence détermine des troubles particulièrement spectaculaires (les névroses). Ces fonctions sexuelles sont finalement peu importantes, comparativement aux fonctions créatives, dans le domaine social et intellectuel, dont l'absence détermine des troubles aussi graves que les psychoses et les troubles de la personnalité.

Or, le psychothérapeute qui utilise une méthode classique, c'est-à-dire avec un rapport duel et par exploration du passé, est complètement incapable de guérir des choses aussi graves que les psychoses et les troubles de la personnalité. Cela, Freud, avec une extrême honnêteté, l'a toujours proclamé et a reconnu l'échec de sa méthode en face des troubles de ce genre.

Seules en effet des méthodes de groupe, ou des méthodes institutionnelles qui mettent en jeu les rapports sociaux, sont capables de supprimer de tels troubles. Seules elles peuvent faire faire l'expérience cruciale, qui manque aux psychotiques, aux schizophrènes et aux paranoïaques, à savoir l'expérience d'autrui ou l'expérience de moi en communication avec autrui ou l'expérience du moi en prise avec un groupe ou une collectivité. La psychothérapie institutionnelle et plus encore l'anti-psychiatrie anglaise ont été dans ce sens, la première en essayant de modifier les rapports hiérarchiques dans l'hôpital psychiatrique, la seconde en introduisant dans les groupes de prise en charge une authentique non-directivité. Ce sont en fait des expériences d'animation, qui n'ont qu'un rapport assez lointain avec la psychothérapie de cabinet pratiquée jusqu'alors. Les résultats sont d'ailleurs étonnants, comme le prouve un cas comme celui de Mary Barnes.

Si nous suivions la voie où nous venons de nous engager, nous risquerions d'aboutir à cette conclusion que l'animation, sous sa forme la plus élaborée et la plus intense, constitue la véritable psychothérapie, en tout cas celle qui va le plus loin. Mais ce serait une erreur, et il faut maintenir, envers et contre tout, l'idée que l'animation est faite pour tout le monde et pas seulement pour les malades, contrairement à la psychothérapie duelle.

L'animation en effet est par essence relationnelle, c'est-à-dire permet de mettre en relation non seulement les individus entre eux mais les individus avec les groupes et avec la société tout entière. Elle n'a donc plus aucun sens si on la cantonne au traitement de certains individus pathologiques ou marginaux, qu'elle permet précisément de remettre dans le circuit général, dans la communication avec l'humanité entière. Même si elle s'adresse à un groupe de malades sélectionné, non seulement elle permet de rendre ces malades à la normalité, ce que fait toute psycho-thérapie, mais elle le fait en rétablissant le contact entre ces malades et leur groupe social. Elle n'est donc jamais centrée sur la maladie comme telle, puisqu'elle aboutit précisément à traiter la maladie comme un élément dans la relation avec d'autres choses qui ne sont pas la maladie. Les phénomènes pathologiques ne l'intéressent que dans la mesure où ils risquent de perturber le cours de l'expérience évaluative, ils ne l'intéressent pas par eux-mêmes, en tant qu'objets à considérer, comme cela se passe dans la psychothérapie duelle.

Il faut donc bien maintenir la distinction entre le domaine de la psychothérapie, centré sur l'expérience libidinale, et le domaine de l'animation. Mais il faut ajouter immédiatement que le second domaine, loin d'être extérieur à la psychothérapie, au contraire intègre celle-ci. Cela nous oblige du même coup à critiquer ce complexe d'infériorité des animateurs, qui n'est probablement qu'une forme de soumission sociale et de dépendance à l'égard de gens qui se mettent eux-mêmes en position dominante. Ce complexe d'infériorité prouve que les animateurs ne comprennent pas complètement leur rôle et le sous-estiment. C'est une attitude qu'il faut abolir.

De même que l'animation est une forme de psychothérapie, de même la psychothérapie stricto sensu, c'est-à-dire duelle, est une forme d'animation.

Le travail psychothérapique lui-même n'est en effet que l'aboutissement d'une négociation entre le patient et son thérapeute, dans laquelle les rapports sociaux, financiers, etc., interviennent au premier chef. Le thérapeute et son patient forment un groupe. Ce groupe lui-même est intégré dans l'ensemble des groupes sociaux et dans le tissu social et en dépendent. D'autre part, de plus en plus, les thérapeutes forment des groupes entre eux, à la fois pour se soutenir, confronter leurs points de vue, se défendre professionnellement. Enfin, la psychothérapie utilise souvent les phénomènes de groupe, pour permettre de mieux revivre le passé et de mieux le ré-évaluer, comme cela se passe avec le psychodrame ou avec d'autres méthodes.

Les phénomènes de groupe, dans tous ces cas, risquent de rester opaques, d'être camouflés, et de masquer des rapports de pouvoir subtils, s'ils ne sont pas reconnus comme tels et analysés. Cette analyse peut être faite par les psychothérapeutes eux-mêmes se mettant en position d'animation, ou par d'autres venant de l'extérieur. Elle doit de toute façon être faite, sous peine de dysfonctionnements graves dans le monde psychothérapique, qui ne pourra échapper aux critiques de ses détracteurs, comme celles de Castel dans *Le psychanalysme*. » Il faut aussi que ce monde accepte de se remettre en question et de critiquer lui-même certaines de ses positions les plus ambiguës, comme sa position à l'égard de l'argent. Continuer à soutenir que celui-ci est le meilleur symbole de la motivation à la guérison, alors que précisément un des rôles de la psychothérapie est de faire naître cette motivation chez les gens les plus atteints, les plus inconscients de leur état, relève non seulement de la mauvaise foi mais d'une méconnaissance profonde du métier. Sélectionner les gens motivés au départ (et il est vrai que l'argent est un signe de cette motivation) revient à sélectionner ceux qui ont le moins besoin de la thérapie. Il est suffisant qu'ils se sélectionnent eux-mêmes en fuyant tout ce qui a l'apparence d'une thérapie, sans qu'on en rajoute encore et qu'on mette des barrières supplémentaires à leur demande. Cela ne veut évidemment pas dire que le thérapeute ne doit pas être payé, mais il doit considérer aussi que cette obligation où il est de demander une rétribution est un obstacle essentiel à son action, comme cela se passe souvent dans la vie sociale. Il faut souhaiter, avec Freud, qu'on en arrive un jour à une psychothérapie gratuite, prise en charge par le groupe social.

CHAPITRE V

LES MÉTHODES D'ANIMATION

Les premières formes du courant non-directif.

Au moment où la conduite non-directive des groupes a été inventée, aux environs de la dernière guerre, par K. Lewin et ses disciples, il n'y avait pas d'autre possibilité que d'adopter une attitude extrême, qui tranche complètement sur les pratiques antérieures.

Jusque-là, et d'une manière universelle, on considérait la directivité comme la seule méthode possible pour conduire un groupe, quel qu'il soit et quels que soient ses buts. Le maître, le professeur, le patron, le chef devaient être autoritaires, faire preuve d'autorité. Le rôle du subordonné est d'obéir, d'accepter les directives qu'on lui donne. Cela apparaissait à la fois comme moral — conforme au principe du respect de l'autorité — et comme efficace — susceptible de réaliser l'unité des volontés et des actions.

La méthode non-directive, dont l'inspiration provenait du courant démocratique très puissant aux États-Unis, se présente au début comme une méthode expérimentale : on met les gens dans une situation où ils ne reçoivent pas de directives et on regarde ce qui se passe. Les exigences de l'expérimentation justifient la rigueur méthodologique. Plus tard, lorsqu'on abandonne ce point de vue purement expérimental, on en reste encore à une conception techniciste de la non-directivité. Celle-ci apparaît comme une situation clairement définie, avec un groupe dont le nombre des participants est déterminé (autour de quinze) et qui dure un temps donné. Peu importe si le cadre dans lequel se situe ce groupe est

directif et même très autoritaire et si les participants n'ont
aucun pouvoir sur l'existence du groupe lui-même et sur ses
conditions de fonctionnement. La réalisation d'un îlot non-
directif dans un contexte tout à fait contraignant (même celui
du séminaire de formation dont le programme est prévu par
les psycho-sociologues), se justifie, aux yeux de ses promoteurs,
par l'utilité de faire vivre aux participants un tel type de
situation et non pas par des considérations générales sur les
rapports entre les êtres humains. On apprend, dans une telle
situation, comment se conduire face à d'autres individus dont
on ne sait rien au départ et qui se comportent d'une manière
imprévisible. Il faut trouver des moyens pour résoudre ce
genre de problème, un peu comme si l'on se trouvait au
milieu d'une forêt. Cela est largement développé par les
premiers théoriciens de la non-directivité dans un ouvrage
fondamental, *T-Group Theory and Laboratory Method*,
par Bradford, Gibb et Benne (J. Wiley and Sons, 1964).
Même le terme de T-Group — *Training Group* — est très
significatif, puisqu'il s'agit d'une situation d'apprentissage.
Il n'est pas question, dans cette optique, de faire valoir la
nécessité de l'autonomie pour apprendre, pour s'exprimer et
pour se réaliser. Tout l'accent est mis sur la nouveauté de la
situation et rien d'autre, c'est-à-dire sur les caractéristiques
de l'objet auquel on est confronté.

Autant dire que l'animateur doit rester aussi extérieur
et aussi muet que possible. Il ne peut intervenir. Toutes ses
interventions risqueraient de rompre le transfert qui apparaît
comme la chose la plus importante.

A vrai dire, tous les psycho-sociologues ne se font pas la
même idée de ce transfert fondamental. Certains, comme
les inventeurs du Training-Group, parlent surtout du transfert opéré par les participants, qui les amène à exprimer,
face aux autres, leurs pulsions et leurs comportements habituels. Cela pose problème à leurs camarades et les oblige à
réagir, à se situer par rapport à cela. C'est une manière, en
somme, de vivre, en résumé et dans un temps relativement
court, les problèmes qui se posent face à autrui dans la vie
courante. C'est une espèce de « simulation ».

D'autres se situent dans une perspective plus psychanalytique et parlent du transfert opéré sur le moniteur, c'est-à-

dire de la polarisation sur lui d'affects et tendances acquis dans la petite enfance et qui ont été profondément refoulés. Le moniteur devient, comme on dit, une « surface de projection ». Cela permet aux participants de prendre conscience de leurs affects et tendances refoulés, un peu comme dans une psychanalyse.

Quel que soit le schéma adopté, l'idée est toujours la même : la situation de groupe aboutit à *reproduire* des réalités antérieures et extérieures, et permet de se situer par rapport à ces réalités. Elle est cathartique. Elle ne crée pas les conditions pour l'apparition de nouvelles activités, de nouveaux affects et de nouvelles tendances, sauf d'une manière superficielle et instrumentale, dans la mesure où elle permet de mieux s'adapter à ces réalités extérieures. Elle est un lieu de projection, un peu comme une scène de théâtre. Elle n'est en aucune manière close et fermée sur elle-même, douée d'une véritable originalité. Sa nouveauté réside uniquement dans les modalités de réapparition des données externes et aucunement dans le vécu lui-même. La non-directivité du moniteur s'impose dès l'instant où il veut respecter l'émergence de ces forces qui ne dépendent pas de lui et qui, d'une certaine manière, ne le regardent pas. Nous sommes dans une conception *extérioriste* du groupe et la non-directivité n'est que l'expression de cette extériorité.

La tendance interprétative.

On ne pouvait cependant en rester là. Plus exactement, certains acceptent d'en rester là et définissent une certaine méthodologie d'animation que nous appellerons absentéiste. D'autres veulent aller plus loin, et prennent deux directions opposées. La première vise à approfondir la découverte de la non-directivité et à définir de nouveaux rapports entre les individus représentés par les animateurs et les participants, de telle sorte qu'une expérience nouvelle puisse en résulter. Il s'agit de la direction prise par le courant rogérien dont je reparlerai ultérieurement.

Je vais maintenant m'arrêter sur l'autre direction prise par le courant psycho-sociologique depuis quelques années et qui menace, nous allons le voir, son existence même.

Pour comprendre cette nouvelle direction, il faut bien voir que la conception qu'on se faisait initialement de la non-directivité, que je viens d'exposer, n'était en rien contradictoire avec une conception autoritaire de la conduite des groupes. La non-directivité, nous l'avons vu, avait, dans cette conception, une valeur purement pragmatique et opératoire. Elle était une manière, pour le moniteur, de s'effacer, de se mettre à l'écart, pour permettre la confrontation des participants avec des forces qui ne le concernaient pas directement. Ces forces pouvaient parfaitement être autoritaires. Par exemple, le participant qui voit dans le moniteur l'image de son père castrateur, vit son rapport avec lui comme un rapport autoritaire. De la même manière, le participant qui se trouve confronté à un autre participant qui a une personnalité autoritaire vit aussi avec cet autre participant un rapport autoritaire.

S'il en est ainsi, on ne voit pas pourquoi le moniteur doit s'abstenir radicalement et scrupuleusement de toute conduite autoritaire. Ne peut-il respecter la nature transférentielle de la situation tout en ayant, dans une certaine mesure, des conduites autoritaires ? Cela apparaît même, à la limite, plus logique. Le moniteur qui est perçu par un participant comme un père castrateur sera encore mieux « dans son rôle », semble-t-il, s'il se comporte réellement comme un père castrateur.

On peut même aller plus loin. Si l'on admet, comme le faisait le courant non-directif à son origine, que la situation de groupe non-directif n'a pas d'autre sens que de permettre la prise de conscience des forces qui existent en nous et dans les autres, on doit du même coup admettre qu'elle a une valeur purement instructive ou, si l'on préfère, cognitive. Elle apporte une sorte d'enseignement.

Mais il n'apparaît pas à l'évidence à tout le monde que l'enseignement, pour être efficace, puisse se passer des rapports autoritaires. Bien au contraire, il semble à beaucoup qu'il doive se fonder sur de tels rapports autoritaires.

C'est en effet le genre de réflexions qui se font depuis quelques années les psycho-sociologues qui s'inspirent de la doctrine psychanalytique et plus particulièrement des conceptions freudiennes de l'interprétation.

Certains pensent que les animateurs doivent prendre carrément une position interprétative, au sens freudien du terme, c'est-à-dire une position dans laquelle ils ne se contentent pas de proposer des hypothèses et des explications possibles à la conduite des participants, mais affirment, en toute connaissance de cause, quelle est leur signification — que les participants l'admettent ou ne l'admettent pas. A quoi cela ser- il, objectera-t-on, si les participants ne l'admettent pas ? A quoi on répond qu'il importe peu qu'ils l'admettent intellectuellement pourvu qu'ils l'admettent dans la pratique, c'est-à-dire qu'ils dirigent leur attention dans ce sens. Cela leur permettra d'arriver à la « réminiscence », comme disait Freud, qui les libérera de leur névrose. Il faut signaler tout de suite que ce processus est typiquement celui que toute autorité met en jeu à notre époque : elle donne des ordres au nom de sa compétence, même si ceux-ci apparaissent faux ou sans fondement, en promettant le bonheur si on les accepte ; et si on ne les accepte pas, elle menace de retirer son aide, ce qui peut mener à des préjudices graves (car elle est réellement compétente à certains niveaux).

Cette thèse a été soutenue récemment d'une manière brillante par D. Anzieu, dans un ouvrage intitulé *Le travail psychanalytique dans les groupes* (Dunod, 1972).

Tout d'abord D. Anzieu soutient que le moniteur ne peut avoir qu'une « fonction interprétante ». C'est sa manière à lui d'être psychanalyste, si, comme il le dit, « l'acte essentiel de la psychanalyse (est) d'interpréter » (p. 200).

Les participants, pour D. Anzieu, ne viennent dans les groupes que pour y recevoir l'interprétation. « Demander à participer à un groupe de formation, dit-il, c'est d'abord demander à re-naître à partir du désir du moniteur pour le groupe et du désir du groupe pour chacun de ses membres, c'est ensuite attendre, en la souhaitant et en la redoutant à la fois, en la provoquant, en la court-circuitant, en la débranchant, l'interprétation » (p. 158). Et encore : « Un de leurs motifs (des participants) de choisir une telle formation est en effet d'y faire l'expérience de ce qui est l'acte essentiel de la psychanalyse : celui d'interpréter » (p. 200).

En quoi consiste l'interprétation ? C'est, d'après D. Anzieu, une « parole de vérité transmise de l'inconscient du groupe à la conscience du moniteur, parole clarifiante pour ceux qui la reçoivent s'ils ont été préparés non seulement à l'entendre mais déjà auparavant à l'attendre » (p. 158). D'une manière plus concrète, l'interprétation consiste à dénoncer, derrière tous les phénomènes de groupe, des manifestations du transfert et de la résistance au transfert, c'est-à-dire des projections issues de systèmes archaïques. « La plupart des processus de groupe, dit-il, privilégiés par les psycho-sociologues (le leadership, les clivages entre sous-groupes, les affinités entre les membres, la recherche du consensus, etc.) sont en fait des résistances » (p. 166). Et encore : « D'une façon générale, le groupe, l'institution sont des topiques subjectives projetées. Interpréter, c'est repérer l'instance psychique, la pulsion, la défense attribuées par un membre au groupe et par le groupe à un membre ; c'est, à partir de là, renvoyer indirectement chaque participant à l'organisation de son propre appareil psychique et, en même temps, lui faire savoir qu'ainsi fonctionnent les relations humaines dans les couples, les groupes, les institutions. Mené dans cette perspective, le travail psychanalytique dans les groupes de formation est formateur dans la mesure où il provoque chez les sujets la mise en question de leur fonctionnement psychique au niveau de l'organisation topique » (p. 154-155).

L'auteur donne des exemples d'interprétation. « Un (...) exemple, dit-il, est fourni par la contestation, dès la première séance, des règles du jeu « imposées » par le moniteur : c'est au groupe seul, affirme un leader qui entraîne l'adhésion de la majorité, à se donner ses propres règles ; toute règle d'origine externe est incompatible avec les valeurs d'improvisation, de liberté, de spontanéité, d'autonomie que l'on demande à la formation et que l'on vient chercher dans ce type de session. L'interprétation aura à pointer là, ni trop tôt ni trop tard, non seulement la rivalité du leader avec le moniteur pour le pouvoir (ce qui resterait une intervention psychosociologique), mais la complémentarité de son défi à l'égard du reste du groupe et, ce faisant, sa qualité de porte-parole de la résistance collective à revivre dans le groupe une expérience œdipienne. Elle s'appuiera pour cela non seulement sur le processus groupal (le leadership), mais aussi sur la production groupale, en l'occurrence sur l'émergence, dans le groupe auquel nous pen-

sons, d'une fantaisie collective d'auto-génération, de parthéno-
génèse groupale (le groupe-mère engendrant ses propres
enfants sans l'intervention du moniteur-père), fantaisie dont
le sens est clairement contre-œdipien » (p. 151).

Critique de la tendance interprétative.

De telles conceptions sont assez nouvelles dans la pratique
des groupes. Elles sont en fait postérieures à 1968. « A cette
date (1968), dit encore D. Anzieu, nous étions encore per-
suadés, comme le soutenait la doctrine régnante, qu'un travail
intégralement psychanalytique ne pouvait être accompli
dans les groupes de formation » (p. 190).

Ces conceptions sont dangereuses, d'une part parce qu'elles
entretiennent et ressuscitent certaines des illusions les plus
tenaces du freudisme et, d'autre part, parce qu'elles rétablissent subtilement le rapport autoritaire dans des groupes
soi-disant non-directifs.

Admettons que les participants se contentent, dans la vie
de groupe, d'exprimer des tendances acquises dans la petite
enfance et plus ou moins refoulées ensuite. Admettons même
qu'elles soient devenues inconscientes, encore que cette conception de l'inconscient soit très contestable, comme l'a montré
Sartre, suivi en cela par le courant antipsychiatrique (voir
le premier chapitre de *Soi et les autres* de R. Laing).

Suit-il de là nécessairement que le seul moyen pour le
participant de progresser et de guérir soit de *connaître* ces
tendances inconscientes, selon un schéma essentiellement
intellectualiste. C'est évidemment la théorie de Freud : celui-
ci pense, on le sait, que la simple prise de conscience des tendances inconscientes suffit à s'en libérer (du fait qu'elles ne
suscitent plus alors de productions détournées et symboliques,
c'est-à-dire fausses).

Cependant, il n'est aucunement nécessaire de recourir à
ce type d'explication pour expliquer la guérison, même au
sein de la cure psychanalytique. L'efficacité d'un courant
thérapeutique ne suffit pas, à elle seule, à valider les explications qu'il propose pour rendre compte de son efficacité. Bien
des techniques parfaitement efficaces et utiles ont donné lieu
à des erreurs profondes concernant les mécanismes qu'elles

mettaient en jeu. Les guérisseurs guérissaient, et parfois très efficacement, avec des potions et des maléfices, croyant ne mettre en œuvre que des forces magiques. Leur efficacité n'était pas une garantie suffisante de leurs croyances.

On peut parfaitement admettre que la cure psychanalytique, avec ou sans groupe, acquiert son efficacité du fait précisément que les tendances anciennes font beaucoup plus que de resurgir et d'être amenées au grand jour par le patient. Non seulement elles resurgissent mais elle le font dans un nouveau contexte, à savoir celui d'un individu adulte, face à un moniteur bienveillant, à partir d'un travail spécifique qui permet de les retrouver. Le caractère dangereux qu'elles avaient initialement, quand elles étaient interdites et repoussées, se trouve en grande partie supprimé, et le patient peut, cette fois, pour la première fois, vivre son enfance dans l'innocence et sans culpabilité, ce qui n'était pas le cas quand il y était plongé. Il peut enfin vivre son « enfance retrouvée », comme disait Baudelaire, et cela va beaucoup plus loin que de vivre son enfance quand on est enfant. L' « enfance retrouvée » n'est pas l'enfance de l'enfant. C'est une enfance beaucoup plus heureuse, beaucoup plus positive, qui peut être une source de satisfactions nouvelles non éprouvées jadis. C'est une manière de retrouver un érotisme authentique, sans que celui-ci soit trop nocif puisqu'il est précisément passé. C'est une des meilleures manières de retrouver l'érotisme, quand on l'a éliminé de sa vie présente. Peu importe que cet érotisme soit de nature infantile et porte les caractéristiques que lui a attribuées la tradition freudienne. Le problème n'est pas de le « liquider », comme le dit Freud, mais au contraire de le réintégrer avec une nouvelle signification, à savoir celle d'une expérience sans risque et sans danger, pour ainsi dire « protégée » par son caractère lointain et fantasmatique. L'expérience du sexe redevient possible sous ses aspects les plus libidinaux et affectifs sans que les défenses actuelles du sujet soient trop bousculées.

En définitive, ce qui compte c'est l'expérience présente, même si elle se rapporte à des situations passées. Mais peu importe que ces situations soient passées si elles ont encore une valeur pour le présent. Je suis persuadé pour ma part que seule est thérapeutique l'expérience du plaisir et je pourrais ajouter l'expérience *présente* du plaisir. Seule en effet cette expérience est capable de restructurer notre personnalité sur une nouvelle base, c'est-à-dire non pas sur une base d'angoisse mais une base d'épanouissement. C'est pourquoi le retour au passé n'a par lui-même aucune espèce de valeur. Il n'aboutit qu'au fétichisme du passé et à une espèce de conservatisme psychologique. Quelle importance cela peut-il avoir pour nous de savoir que nous étions amoureux de notre mère et que nous cherchons à revivre cet amour avec quelqu'un d'autre si cela nous empêche de vivre complètement ce nouvel amour et de découvrir ce qu'il peut nous apporter. Cela ne peut que créer une culpabilité supplémentaire, celle de résister à l'interprétation. Après tout, toute pulsion procède d'expériences antérieures et il ne peut en être autrement. Par contre, le fait de repenser à notre mère si nous sommes privés de tout amour actuel peut constituer une compensation très importante pour notre équilibre psychique, en nous permettant de tourner les défenses actuelles opposées par notre moi au plaisir.

Autrement dit, il me paraît ni suffisant ni juste de présenter la cure psychanalytique comme le déchiffrage d'un grimoire, lequel serait rempli de symboles complexes difficiles à à déchiffrer, qui renverraient à notre passé le plus profond, et aux pulsions que nous aurions nous-même enfouies dans notre inconscient. Il ne s'agit pas de la lecture et du déchiffrage d'un texte. Cette conception qui fait du psychothérapeute un mage « interprétateur » et du sujet une sorte d'archéologue occupé à retrouver son passé grâce à un long et patient travail de fouille, conception qu'on pourrait appeler « talmudique » à cause des analogies avec l'exégèse et le commentaire de texte, cette conception n'offre aucune base solide pour comprendre qu'il y ait précisément thérapie, c'est-à-dire guérison, rétablissement, réveil. Le réveil, comme l'éveil, ne peuvent procéder que de la découverte de quelque chose qui *manquait*, à travers une expérience instituante, et non du retour pur et simple d'antiquités, qui ne peuvent avoir aucune valeur pour le présent. Même le retour du passé dans la cure psychanalytique est une expérience *présente*, en ce sens qu'elle donne un nouveau statut à des vieilleries, qui sont réutilisées avec une nouvelle signification et une nouvelle optique. Comme dans le « musée imaginaire » de Malraux, dans lequel les objets anciens reprennent vie grâce au traitement qu'on leur fait subir, il y a création, au sens propre du mot, et non pas seulement restauration (avec toutes les connotations politiques du terme).

Pour revenir à la situation de groupe non-directif, cette situation a le mérite essentiel de permettre une expérience *sui generis* du présent, dans l'*ici et maintenant*. Et même s'il arrive aux participants de revenir eux-mêmes apontanément à leur passé, cela n'a de valeur que par rapport à leur expérience actuelle. Le « moniteur interprétant » préconisé par D. Anzieu, qui veut absolument entraîner les participants dans une voie qu'ils n'ont pas choisie et leur dire que ce qu'ils sont en train de faire n'est pas ce qu'ils sont en train de faire, comme s'ils se mentaient à eux-mêmes, prend par rapport au groupe une position qui a été appelée « tangentielle » par Ruesch (1958) et qui ne peut que contrecarrer l'expérience actuelle du groupe, perturber les participants, créer l'angoisse en eux, gêner leurs progrès futurs. Ils vont peut-être prendre une voie qui ne leur convient pas, qui n'est pas la leur et où ils ne peuvent rien trouver sinon la confusion et le trouble.

Dépendance et contre-dépendance.

Le problème qui se pose maintenant est le suivant. Comment les participants réagissent-ils en face de ce genre spécial d'autorité qu'on pourrait appeler « autorité oblique » ou encore « manipulatrice », qui se manifeste non pas par des ordres francs, par des menaces claires et fortes, mais par des directives subtiles qui se justifient par la compétence et le savoir quasi-magique (interprétatif) de l'animateur et par la menace sourde d'un abandon au cas où ces directives ne seraient pas suivies. Quelles seront, dans ce cas, leurs attitudes et leur évolution ? Ce problème est capital, étant donné la multiplication actuelle de ce genre de groupes soi-disant non-directifs mais en réalité subtilement directifs.

Deux hypothèses sont ici possibles.

La première hypothèse, conforme aux idées classiques sur l'autorité, fait valoir la dépendance profonde des participants et prédit que ceux-ci vont se ranger, dans leur grande majorité, derrière les directives de l'animateur qu'ils s'efforceront de suivre le mieux possible, malgré leurs « résistances inconscientes ». Si ces directives sont assez discrètes et viennent au bon moment (comme dit D. Anzieu), elles amèneront les participants à s'interroger de plus en plus sur leur passé individuel et le groupe échappera ainsi à l'illusion groupiste, que D. Anzieu et ses élèves dénoncent à satiété.

La deuxième hypothèse va davantage dans le sens de découvertes récentes concernant les rapports à l'autorité et pose que la dépendance ne consiste pas à accepter toutes les directives et tous les conseils, même s'ils s'accompagnent de faibles pressions, mais à exagérer ou à surestimer la puissance, la malveillance et le caractère menaçant du pouvoir. S'il en est ainsi, la réaction en face d'un pouvoir qui se relâche, qui se libéralise, qui « abaisse ses armes » ne sera pas l'obéissance, mais au contraire la révolte la plus violente, la plus fanatique et, à certains points de vue, la plus cruelle. Ce sera, si l'on préfère, la « contre-dépendance », qui n'est que la face en creux de la dépendance, ou encore l'agressivité qu'on pourrait mieux appeler une contre-agressivité, ou encore, avec K. Lorenz, le « harcèlement » (*mobbing*).

Beaucoup d'expériences, banales ou scientifiques, vont dans le sens de cette seconde hypothèse. Ces expériences, comme celle de Lipitt et White, qui constatait une montée de l'agressivité quand on passait de la conduite autoritaire à un autre type de conduite (démocratique ou anarchique), comme celle du professeur autoritaire qui abandonne sa classe, d'où résulte un énorme chahut, comme celle de ces pouvoirs politiques qui se libéralisent, ce qui déclenche immédiatement la révolution (Louis XVI, le gouvernement de Kerenski, etc.), semblent prouver que l'autorité ne peut plus se faire obéir dès qu'elle cesse d'effectuer la pression maximale et d'agiter les plus grandes menaces. L'abaissement de la sévérité au-dessous d'un certain seuil déclenche l'attaque et la violence contre cette autorité, sans que pour autant elle soit nécessairement abolie, ni que le principe d'autorité soit mis en question.

Il faut pourtant préciser que, dans cette hypothèse, le seuil de sévérité au-dessous duquel l'autorité n'est plus respectée varie avec les individus. Ceux qui sont très dépendants, au sens où je l'entendais tout à l'heure, c'est-à-dire qui attribuent beaucoup de pouvoir à l'autorité, voient encore des menaces là où les autres n'en voient déjà plus et ne peuvent contester l'autorité que si sa sévérité se relâche considérablement. Lorsqu'elle descend au-dessous du seuil de sévérité, ils sont les plus violents et les plus farouches dans la contestation, car ils ont tendance à la noircir systématiquement. Par contre, ceux qui ne sont pas très dépendants sont capables de contester l'autorité alors qu'elle est encore très sévère, mais leur contestation est plus juste, moins passionnelle, moins contre-dépendante que celle des autres. Elle aboutit à nier le principe d'autorité partiellement ou totalement.

Il y aurait donc d'après cette hypothèse une espèce de loi qui affirmerait l'existence d'un rapport direct entre l'efficacité des menaces brandies par l'autorité et la violence de la révolte. Plus les menaces font peur à un individu, plus celui-ci s'oppose à l'autorité quand ces menaces se sont affaiblies et ont atteint le seuil de tolérance. Plus l'individu est obéissant, plus il est capable de devenir contre-dépendant. Cela oblige à définir toute une série de degrés dans la contre-dépendance. Au haut de l'échelle, je mettrai la forte contre-dépendance, qui consiste à critiquer très fortement la personne autoritaire sans pour autant contester le principe d'autorité ; bien au contraire, ce principe continue à être respecté et la personne en révolte est capable de s'emparer à son tour du pouvoir et de l'exercer. En bas de l'échelle, je mettrai la faible contre-dépendance, l'autonomie, qui consiste à contester le principe d'autorité sans attribuer trop de méchanceté et de puissance à la personne au pouvoir.

Du point de vue de l'évolution des groupes, cette hypothèse signifierait que les groupes non-directifs, dans lesquels le moniteur prend une position manipulatoire, qui implique que son autorité devienne faible, évoluent non pas vers la dépendance mais vers la contre-dépendance. Nous devrions y constater, si l'hypothèse est juste, une forte agressivité à l'égard du moniteur, des critiques acerbes à son égard, accompagnées d'ironie et parfois même de sentiments malveillants, une centration très forte du groupe sur lui, une attitude générale de harcèlement.

C'est en effet ce qu'on constate massivement dans les

groupes qui ne sont pas menés d'une manière totalement non-directive. La centration négative sur le moniteur est tellement énorme qu'elle fait problème à beaucoup, qui sont obligés de la justifier théoriquement dans des rationalisations diverses. Parmi ces rationalisations, on trouve naturellement des utilisations du système psychanalytique, à travers les idées de résistance au transfert ou autres, mais aussi des positions franchement masochistes voire sadiques quand cette révolte provoque un mutisme glacial et tranchant chez le moniteur. N'a-t-on pas été jusqu'à voir des moniteurs de groupes obliger le groupe à se centrer exclusivement sur eux, comme si c'était la seule chose qu'un groupe puisse et doive faire et comme si le moniteur devait être l'objet exclusif du groupe.

Ces confirmations qui sont si nombreuses qu'elles ne sont pas niables seront encore renforcées par les recherches que je présenterai au dernier chapitre.

La tendance techniciste.

Revenons maintenant à la préoccupation qui était la mienne en faisant les développements précédents, à savoir d'analyser les prolongements du courant non-directif par la réintroduction en son sein de principes autoritaires.

Je viens de montrer un premier mode de réintroduction grâce à l'analyse dite « interprétative ». Mais il y en a une autre, encore plus claire, et indépendante de la précédente, qui se fait à travers les techniques dites d' « entraînement » : entraînement à la communication, à la « conduite de réunion », « gestalt-therapy », « bio-énergétique », « encounter group », etc.

Certaines de ces techniques sont assez anciennes. D'autres, dites techniques californiennes, sont beaucoup plus récentes. Ces dernières sont d'ailleurs centrées davantage sur l'expression des émotions, l'expression gestuelle et corporelle, la rencontre physique entre les participants. Elles vont dans le sens des conceptions de Reich ou de Pearl.

D'une manière générale, ces techniques consistent à proposer aux participants des exercices nombreux et variés, des petits jeux, des activités structurées. Ces propositions sont justifiées par les moniteurs au nom du contrat initial passé entre l'institution formatrice et les participants. Ceux-ci

sont venus au vu d'une certaine « annonce » pour effectuer un
certain travail. S'ils acceptent l'offre qui leur est faite, c'est-
à-dire si leur demande va dans le sens de cette offre, ils *doivent*
accepter les consignes qu'on leur donne. Les moniteurs certes
ne donnent pas d'ordres avec menaces de sanctions et acceptent
à la rigueur qu'on refuse leurs consignes ; ils sont non-directifs en ce sens qu'ils ordonnent sans contraindre ; ils sont
comme des chefs qui auraient perdu leur pouvoir et qui
continueraient à commander, même au risque de n'être pas
obéis. Mais cela ne veut pas dire qu'ils refusent toute coercition. Celle qu'ils mettent en jeu consiste seulement à menacer
les participants de leur retirer leur soutien au cas où ils n'ac-
cepteraient pas leurs consignes, autrement dit à refuser leur
aide aux participants pour des activités qu'ils auraient choi-
sies eux-mêmes et qui ne seraient pas prévues par le programme. C'est de toute façon une coercition faible.

Il faut ici apporter quelques précisions supplémentaires
sur le sens que peuvent prendre des « propositions » faites
par des moniteurs de groupe. Disons tout de suite que toute
proposition n'est pas un ordre implicite qui révèle, chez le
moniteur, un désir de diriger. Il existe des situations de groupe
où les propositions sont tout à fait pertinentes et admissibles.
D'une manière générale, quand un groupe décide lui-même
de se centrer sur une « tâche » et ne se contente plus d'approfondir son vécu ou celui de ses membres, il est tout à fait
valable de lui faire des propositions, si celles-ci peuvent l'aider à atteindre les buts qu'il s'est lui-même fixés et à condition de lui faire des propositions variées, allant dans des sens
opposés et pouvant constituer des alternatives. Cependant,
pour que cela soit légitime et ne constitue pas un viol à l'égard
du groupe, il importe d'être certain que les buts qu'on cherche
ainsi à faire atteindre sont bien voulus par le groupe lui-
même sans pression quelconque de la part du moniteur.

Ce n'est évidemment pas le cas dans les techniques d'entraînement que je suis en train d'examiner. L'argument qui
consiste à dire que le groupe recherche les buts auxquels on
le soumet sous prétexte qu'il s'est réuni après avoir pris connaissance de ces buts offerts par l'organisme de formation, est
un pur alibi. L'annonce publicitaire et la demande des participants à partir de cette annonce publicitaire ne garantissent

en aucune manière que cette demande s'accorde à cette annonce. Tous les biaisements sont possibles, comme le prouve la pratique courante de l'animation de groupe. Des participants peuvent venir au vu d'une demande publicitaire en ayant en réalité une tout autre demande, qui se manifeste d'ailleurs assez vite si on veut bien l'écouter. Sans parler des demandes de thérapie qui peuvent amener le moniteur à envoyer le client ailleurs que chez lui, il peut y avoir par rapport à un objectif donné proposé par une annonce publicitaire toutes sortes d'approches diversifiées qu'il est essentiel de respecter. Le client, qui est venu sur une certaine annonce, ne demande pas nécessairement ces techniques, ces exercices, ces activités, même s'il est prêt à accepter, par passivité, n'importe quelle proposition. Il importe de connaître exactement ses demandes, et dans le détail, pour pouvoir y répondre.

Cela ne veut évidemment pas dire que l'annonce publicitaire n'ait aucune valeur, et qu'on doive lui substituer des offres du type : « Venez faire ce que vous avez envie de faire. » L'annonce contribue quand même à limiter le champ des demandes et à accorder, de ce fait, les possibilités et capacités des moniteurs aux attentes des participants. Si ceux-ci demandent par exemple à apprendre l'anglais, il est clair que leur demande *réelle* a un certain rapport avec l'anglais, qu'il s'agira de préciser.

Les justifications du technicisme.

Si les exercices et consignes qu'on donne dans le cadre d'un « entraînement » ne correspondent qu'accidentellement à la demande des participants, quelle signification ont-ils ?

Beaucoup de psychosociologues ont tendance à répondre qu'ils permettent aux participants de faire des actions qu'ils n'oseraient pas faire ou ne penseraient pas à faire eux-mêmes spontanément et qui leur apportent un profit.

Cette réponse est valable si l'on parle des exercices et consignes donnés dans une optique instrumentale et en liaison directe avec les buts concrets des participants. Dans ce cas en effet, je l'ai dit, on peut aider les participants en leur proposant des solutions auxquelles ils ne penseraient pas ou qu'ils n'oseraient pas adopter. Leur problème n'est pas alors de

réagir en face des situations dans l' « ici et maintenant »,
c'est-à-dire de trouver leurs réponses personnelles, ce qui
exclut qu'on leur « souffle » ces réponses d'une manière ou
d'une autre. Leur problème est d'atteindre un certain objectif
par rapport auquel les actes qu'on suggère de l'extérieur n'ont
qu'une valeur de moyens (instrumentale).

Or, la plupart des exercices et consignes d' « entraînement »
ne se situent pas dans un cadre instrumental, dans l'optique
d'accomplissement d'une tâche. Bien au contraire, ils prétendent favoriser la communication, l'expression verbale, la
direction de groupe, l'extériorisation des affects, etc., c'est-à-
dire des réponses ayant valeur par elles-mêmes d'une manière
immédiate. Comment peut-on admettre qu'elles puissent être
suggérées, sans cesser immédiatement d'être personnelles ?

Max Pagès, dans un texte récent non publié, qu'il a écrit
en rentrant de Béthel où il a pu voir les tendances actuelles
des psycho-sociologues américains, fait une hypothèse intéressante sur la signification de ces exercices et consignes dont
il a constaté la multiplication dans leurs stages. Il prétend que
ces exercices et consignes ont pour but non voilé, et aussi pour
effet, de calmer l'angoisse des participants, en interposant entre
eux et la situation des tas d'activités partielles et concrètes
qui les occupent, détournent leur attention, les centrent sur
une tâche, les sécurisent. Max Pagès fait une critique assez
vive de ces méthodes, en prétendant qu'elles éloignent l'angoisse qui devrait être l'objet premier, le problème majeur
des participants.

Il y a du vrai dans une telle critique. Il est certain que
l'interposition d'une tâche, même implicante, dans une activité centrée sur les participants et sur leur vécu, a pour effet
inévitable de détourner les participants d'eux-mêmes et de
leur vécu, donc de neutraliser la charge affective de la situation
et en particulier la charge d'anxiété.

Ceci n'est cependant qu'au niveau des apparences et non au
niveau de la réalité profonde.

A cet autre niveau, les exercices et consignes en question
ont au contraire pour conséquence de faire monter d'une manière considérable l'angoisse et les sentiments du même genre.
Ils rétablissent en effet le rapport de soumission et suscitent
du même coup de fortes « contre-dépendances » — agressi-

vité, critiques, mécontentement, tensions — qui sont chargées d'angoisse. Celle-ci ne s'adresse certes pas aux réponses et réactions de leurs auteurs mais aux moniteurs et à l'institution, ce qui est bien pire. L'angoisse n'est véritablement elle-même que quand elle s'adresse à des objets ou à des personnes extérieurs. On peut toujours s'arranger avec ses propres productions, tandis qu'on ne le peut plus avec les productions des autres qui, par définitition, nous échappent.

Et d'ailleurs l'intention explicite des moniteurs en proposant de tels consignes et exercices est, très souvent, de provoquer l'angoisse, le conflit, l'agression, la révolte, la tension. Par exemple, dans les techniques de la « Gestalt-therapy » ou de la « bio-énergétique », le moniteur cherche explicitement soit à faire émerger les sentiments d'angoisse et d'hostilité non exprimés, soit même à les susciter directement. Il demande aux participants de s'attaquer violemment aux autres s'ils en ont envie, de crier, de pleurer, de vivre l'agression ; il provoque systématiquement l' « acting-out », qu'il préfère d'ailleurs appeler « acting-in ». Ces techniques sont très différentes de celles qu'on utilise dans le psychodrame et le jeu de rôle. Dans ces derniers, les sentiments et les affects sont replacés dans un contexte de jeu, de scènes mimées, de théâtre qui contribue à les refroidir et à les faire revivre positivement. La dimension proprement théâtrale, les préoccupations de jeu, surtout avec les inversions de rôle, toutes choses qui tendent à être dévalorisées aujourd'hui, avaient une importance considérable pour Moreno, quand il inventa ces méthodes dans le cadre du « théâtre spontané » viennois. Il en est de même dans toutes les techniques qui utilisent un medium faisant appel à la créativité artistique comme dessin, peinture, sculpture, danse, etc.

Les moniteurs qui utilisent des techniques provocatrices se justifient en faisant appel à une théorie émise pour la première fois par Breuer, et reprise en partie par Freud, celle de l'abréaction et de la catharsis. Ils pensent que les émotions et sentiments ont besoin, pour se résoudre, pour ne pas empoisonner le sujet, d'être exprimés à l'extérieur le plus fortement possible. Cela va de pair avec une valorisation, très courante aujourd'hui, de l'agressivité et du conflit dans les relations humaines. Sous prétexte que celles-ci doivent être vraies, authentiques, sincères, on prétend qu'elles doivent comporter une part de conflit, car celui-ci, dit-on, constitue un mode de contact, une forme de communication, un langage privilégiés.

Nous nous trouvons donc maintenant devant un nouveau problème, extrêmement important, celui de savoir quelle est la valeur, en thérapie et en formation, de l'agressivité et de l'angoisse. Ce problème rejoint d'ailleurs un autre problème, que j'ai précédemment posé, celui de la valeur de la contre-dépendance mise en jeu par les méthodes interprétatives. La différence est qu'ici la contre-dépendance est volontairement et consciemment suscitée, sous prétexte que le participant doit se trouver en face d'une autorité forte et consistante, qui « prend ses responsabilités ».

Valeur de l'agressivité et de l'angoisse.

Par rapport à ce nouveau problème, ma position est très nette et sans aucune ambiguïté, et c'est pourquoi je la formule d'entrée : l'angoisse, l'agressivité, le conflit, la frustration n'ont pour moi aucune espèce de valeur thérapique ou formative ; bien plus, ils ont une valeur négative et sont la source de toutes les régressions, souffrances, perturbations, affaissements et effondrements psychologiques. Ils constituent pour moi la seule chose objectivement néfaste pour l'individu, quelle que soit la manière dont on les considère.

Cette position, qui va heurter beaucoup de gens par son radicalisme, a de fortes justifications qui rejoignent d'ailleurs certaines intuitions de la pensée populaire. La justification principale est que ces sentiments et rapports négatifs, auxquels on attribue bizarrement une valeur, non seulement font souffrir, ce qui est évident par soi (ils sont la souffrance elle-même, qui n'est pas un objet mais une expérience du sujet), mais surtout abaissent le niveau énergétique, les capacités de tension et de résolution du sujet, son attention à la réalité, ses ressources et ses facultés. Ils sont en effet un facteur de dépression, comme l'a montré P. Janet, qui a donné à ce dernier état le nom de Psycholepsie (*Les Névroses*, Alcan 1909, p. 288). P. Janet a démontré magistralement que les états dépressifs, qui sont à base d'angoisse et d'hostilité et qui se traduisent d'une manière primaire par des pertes de mémoire et d'attention, sont aussi à l'origine des états de désorganisation du comportement. « Cette période de dépression, écrit-il, précède toutes les obsessions, toutes les manies mentales et toutes les phobies » (*Ibid.*, p. 284). Il ajoute : « la période de dépression est plus longue que la crise d'agitation et elle l'enveloppe ; c'est l'existence d'une telle période qui est le fond de la maladie et qui en explique les accidents » (*Ibid.*, p. 286). Ainsi non seulement l'angoisse supprime la paix et la sérénité intérieures, mais elle enlève au sujet les capacités qui lui permettraient d'en sortir. Elle est auto-génératrice en ce sens qu'elle crée les conditions pour son propre développement. D'où la répétitivité et la stéréotypie qui caractérisent les conduites qui en découlent. Elle enferme l'individu en lui-même et dans le malheur d'une manière irrémédiable. On ne peut donc rien construire sur elle, ni d'une manière directe ni d'une manière indirecte. Elle ne peut avoir une valeur que dans ses formes les plus affaiblies, quand elle se contente d'être une peur, une hostilité limitées et circonscrites : elle peut alors susciter des comportements utiles et efficaces (l'agression, au sens de K. Lorenz). Mais, même alors, il y a toujours des risques de dépassement du seuil et sa valeur psychologique reste faible.

A cela, les psychologues précipités répondent d'une part qu'ils n'attribuent pas une valeur à l'angoisse elle-même mais aux problèmes qu'elle suscite et qui permettent ultérieurement de la résoudre et, d'autre part, qu'ils proposent surtout de l'exprimer, de la sortir à l'extérieur, ce qui est la seule façon de pouvoir la supprimer.

La première réponse est, à mon avis, purement verbale. Dire qu'on ne valorise pas l'angoisse mais les problèmes qu'elle pose ne suffit pas. Il faut encore dire comment un individu peut traduire son angoisse en problèmes à résoudre et surtout comment il peut être capable de résoudre lesdits problèmes. Ce n'est pas l'angoisse elle-même qui le rend apte à poser les problèmes et à les résoudre, comme je l'ai signalé avec P. Janet. Si ce n'est pas l'angoisse, c'est autre chose et il faut dire quelle est cette autre chose.

La deuxième réponse, qui précise que cette autre chose est la sortie de l'angoisse vers l'extérieur sous forme de décharge émotionnelle, est tout simplement fausse. Je refuse cette conception mécaniste de l'émotion, qu'on retrouve par exemple chez H. Wallon (*Les origines du caractère chez l'enfant*), qui fait de l'émotion une « décharge » aboutissant à une libération d'énergie, comme si le psychisme était un réservoir qui se trouverait tout à coup trop plein et qui devrait déverser vers l'extérieur son trop-plein. Il y a peut-être certaines apparences que les choses se passent ainsi, mais ce ne sont que des apparences. Freud avait d'ailleurs bien vu le caractère superficiel de cette conception qu'il avait rejetée.

La raison pour laquelle cette conception est fausse, c'est tout simplement qu'on ne peut séparer l'émotion et le sentiment de leur expression, comme l'avait bien vu W. James (théorie centripète de l'émotion). Une émotion, un sentiment ne sont rien d'autre que leurs expressions, intériorisées (en fantasmes) ou extériorisées (en agitation, cris, pleurs, etc.). La tristesse ne peut être disssociée des images internes et des manifestations externes qu'elle est censée produire. On pleure parce qu'on est triste mais on est triste parce qu'on pleure, comme l'a très bien dit W. James. Alain (*Propos sur le bonheur*) a développé lui aussi cette thèse d'une manière très démonstrative. Pratiquement, cela veut dire que le sujet qu'on contraint à sortir son émotion et son sentiment s'enfonce dans cette émotion et ce sentiment, contrairement à ce qu'on pense. Il a peut-être l'impression que cela « lui fait du bien » de pleurer et de s'exprimer, mais ce n'est qu'une impression, due au fait que l'expression émotionnelle a pour but de détourner son attention du problème initial et de le couper de la réalité, comme l'a montré Sartre à propos de l'évanouissement (*Esquisse d'une théorie des émotions*). Mais cette coupure qui a aussi des aspects physiologiques n'est que momentanée et ne résout en aucune manière la perturbation intérieure, comme le prouve l'expérience la plus constante.

La réponse que je suis en train de faire semble pourtant aller contre l'expérience thérapique, telle que Breuer l'avait déjà décrite. Quand il pratiquait avec Anna O. ce qu'il appelait une « talking cure » (cure par la parole), il se contentait de faire exprimer à sa patiente les fantasmes et pensées qui la hantaient et qui la ramenaient à l'époque où elle soignait son père malade. Il ne provoquait donc chez elle ni prise de conscience supplémentaire ni réminiscence (au sens freudien) puisqu'elle était amenée à les provoquer elle-même. Breuer se contentait donc de permettre l'expression d'Anna O. et cela était efficace puisqu'Anna O. fut pratiquement guérie.

Cependant il y avait une chose que Breuer ne pensait même pas à remarquer, tant cela était évident, à savoir le fait que cette manifestation des sentiments d'Anna O. à l'extérieur aurait été impossible s'il n'avait pas pris à son égard une attitude d'extrême bienveillance et, bien plus, s'il n'avait pas accepté d'entendre le récit de conduites parfaitement déraisonnables, absurdes, régressives dont la patiente pouvait légitimement avoir honte. C'est, à mon avis, ce qui était capital, et cela est si vrai qu'Anna O. tomba très vite amoureuse de son médecin, ce qui provoqua chez lui une véritable panique. C'est à partir de là que Freud eut, la première fois, l'idée du transfert qui lui apparut comme l'élément déterminant de la cure.

La notion de transfert a été ensuite défigurée par les psychanalystes postérieurs à Freud qui y virent une projection sur l'analyste des sentiments acquis dans la période œdipienne (et la résistance au transfert comme un refus de reconnaître ce lien). Peu importe que le transfert soit ou non une projection — ce qu'il n'est certainement pas, car il est exclu que l'analyste reproduise les attitudes qui étaient celles du père ou de la mère du sujet (s'il est un véritable analyste). Ce qui est par contre capital, c'est que le transfert établit entre l'analyste et l'analysé un nouveau type de rapport fondé, du côté de l'analyste, sur l'acceptation, l'élimination de la honte, la bienveillance, la compréhension et, du côté de l'analysé, sur la confiance, le plaisir d'être reconnu, la mise à distance de l'angoisse contenue dans les productions évoquées, etc. Autrement dit, ce qui était bénéfique pour Anna O., ce n'était pas de repenser obsessionnellement aux années passées, et cela dans le détail — ce qui aurait pu constituer à la rigueur une bonne catharsis, selon la théorie que je combats. Cela, elle le faisait elle-même spontanément, et sans que cela la guérisse, bien au contraire. Ce qui était par contre bénéfique pour elle c'était d'évoquer tous ces souvenirs angoissants *dans un contexte* d'amour et d'acceptation, ce qui en changeait le sens, par addition de sentiments positifs qui contrebalançaient les sentiments négatifs inhérents à ses pensées.

On pourra encore objecter que Breuer avait de toute façon intérêt à « faire sortir » les affects angoissés de sa patiente pour lui permettre de les transformer, au cas où elle ne l'aurait pas fait elle-même. La thèse que je soutiens semble en effet justifier une action du thérapeute pour faire sortir les sentiments d'anxiété, qu'il peut ensuite transmuer en d'autres sentiments, et pour qu'il puisse le faire. Mais cela même me semble très contestable. Il n'est pas certain *a priori* que l'attitude du thérapeute suffise à neutraliser les sentiments d'angoisse que le patient est susceptible d'exprimer et rien ne peut donner au thérapeute cette certitude. Il est même possible qu'il soit préférable pour le patient d'évoquer des affects heureux et positifs de son propre passé, plutôt que des affects négatifs et anxieux. Autrement dit, rien ne justifie que le thérapeute fasse du forcing pour obliger le patient à « sortir » ses angoisses et ses difficultés. La situation est évidemment différente si le patient ne peut s'empêcher de « sortir » de tels sentiments, tant il est obsédé par eux. Dans ce cas, la seule solution pour le thérapeute est d'accepter *sans conditions* de telles manifestations et expressions, quel que soit le dégoût qu'elles puissent lui inspirer.

Revenons à la situation de groupe. Dans une telle situation, je viens de montrer le danger de techniques provocatrices qui cherchent systématiquement à « faire sortir » l'agressivité, l'angoisse, l'hostilité, la conflit, la contre-dépendance. Cela rique simplement de plonger les participants dans le trouble et la confusion, voire dans des sentiments suicidaires qui peuvent conduire à des « passages à l'acte ». La seule chose qu'on puisse dire, et qui aille en apparence dans le même sens que les conceptions cathartiques, est que le moniteur doit accepter avec le maximum de compréhension les expressions émotionnelles et affectives les plus négatives. Il y est contraint si celles-ci apparaissent spontanément et s'il veut essayer d'en changer le sens. Elles apparaissent souvent dans la réalité et font partie intégrale de la situation de groupe. Elles accompagnent inévitablement tous les efforts pour découvrir la communication avec autrui. Les empêcher — attitude inverse extrême — serait dangereux, du fait qu'on accentue-

rait alors leur caractère négatif. Il faut les accepter et les laisser
sortir, autant que les participants le veulent. Mais cela ne veut
pas dire qu'il faille les « faire sortir ». Déclarer « vous pouvez
être agressifs » ne signifie pas « vous devez être agressifs ».
Il y a là un équilibre à tenir qui est extrêmement difficile.

Résumé des tendances à la manipulation.

Je viens de passer en revue, dans les développements précédents, un certain nombre de tendances, apparues successivement dans le temps, de la psychosociologie contemporaine.
Ces tendances correspondent à des techniques d'animation
différentes.

En gros, j'ai distingué trois tendances qui correspondent à
trois syles d'animation.

1. Une première tendance, que j'ai appelée absentéiste et
qui est la plus ancienne, fait du moniteur une espèce de
« sphinx » observateur, qui se tait le plus souvent et qui fait de
temps en temps mais rarement des remarques sur le groupe
qui ont l'air anodines. On peut à peine parler d'analyse à
propos de ces interventions qui visent plutôt à signaler au
groupe la présence-absence du moniteur. Ce qu'il y a de positif
dans cette animation, c'est sa non-directivité, mais conçue
d'une manière négative et privative, c'est-à-dire sans qu'il y
ait aucune « aide » venant du moniteur. Les participants sont
confrontés à une « figure d'autorité » sans pouvoir apparent,
ce qui cause chez eux une énorme contre-dépendance. Le moniteur devient très souvent la cible privilégiée des participants
et il s'institue une sorte de rapport sado-masochiste entre participants et moniteurs. Cela est d'autant plus marqué que le
moniteur garde son pouvoir « institutionnel » et se montre très
rigide sur les heures, les coupures, les rentrées et sorties dans
le groupe, etc.

2. Une deuxième tendance, plus récente et d'inspiration
psychanalytique (D. Anzieu), rétablit franchement le rapport
d'autorité, sous la forme de la « fonction interprétative ». Il
ne s'agit pas, rappelons-le, d'une attitude consistant seulement
à faire des hypothèses explicatives sur le groupe et sur les
participants — ce qui est parfaitement légitime — mais d'une
attitude pour ainsi dire « sacerdocale » consistant à révéler la

vérité cachée des choses dont les participants n'ont aucunement conscience et qu'ils ne peuvent remettre en question —
ils en sont incapables —, et qui, par voie de conséquence, les
oblige à poursuivre dans ce sens leurs investigations. C'est à
la fois une « vérité révélée », donc un dogme, au sens religieux
du terme, et une consigne impérative concernant leurs démarches futures (qui doivent les amener à retrouver cette
vérité).

J'ai proposé l'hypothèse, qui sera à vérifier, que les participants n'obéissent pas, dans ce cas, au moniteur, du fait de
la faiblesse de ses menaces, mais qu'ils s'enfoncent par contre
dans la contre-dépendance. Celle-ci se trouve alimentée par
l'attitude interprétative sur laquelle se centrent les discours
du groupe, dans un esprit critique, voire franchement malveil-
lant. Les participants peuvent ironiser sur cet individu qui
joue au grand-prêtre, lequel répond par un souverain mépris,
qui provoque à son tour l'hostilité. Les rapports entre participants et moniteur sont franchement mauvais et remplis
de tensions.

3. Une troisième tendance que j'appellerais « techniciste »
et qui vise à permettre des « entraînements », réintroduit, elle
aussi, le rapport d'autorité, mais sous une forme plus franche,
plus directe que dans le cas précédent. Le moniteur dit « ce
qu'il faut faire », donne des consignes, dirige les opérations.
Il peut même intervenir dans le détail et par rapport à des
actions tout à fait extériorisées.

Les participants acceptent le plus souvent les exercices
du fait qu'ils sont présentés comme des jeux ouverts, mais les
sabotent et les biaisent de l'intérieur en les orientant dans le
sens qu'ils veulent. Là encore ils se montrent contre-dépen-
dants. Cependant, les accusations qu'ils formulent contre ce
moniteur sont différentes de celles qu'ils formulaient précédemment. Ils l'accusent maintenant d'être manipulateur et
affirment qu'il est passé maître dans l'art de la manipulation.
Cela, au sens strict, ne veut pas dire grand-chose, car si le
moniteur était vraiment manipulateur il serait assez habile
pour les empêcher de l'accuser de manipulation. Cette accusation est beaucoup plus une attaque contre la personne même
de l'animateur, qui est censé ne pas respecter autrui et chercher à les posséder — ce qui est vrai dans la circonstance —,

qu'une attaque contre sa technique. Les participants savent bien qu'en définitive ils font ce qu'ils veulent, mais mettent en question l'esprit qui préside à l'animation. Il en résulte que l'agressivité que le moniteur cherchait à insuffler entre les participants se retourne contre lui et qu'il réalise son but d'une autre manière que celle qu'il avait cherchée. Là encore ce sont les rapports entre moniteur et participants qui se trouvent détériorés et c'est l'image du moniteur — voire de tous les psycho-sociologues en général — qui se trouve altérée.

Les trois courants que je viens de présenter ont de grandes similitudes malgré leurs oppositions.

Les deux similitudes les plus importantes que j'aperçois sont les suivantes : 1) le moniteur constitue un pouvoir « faible », même défaillant, malgré la puissance institutionnelle qu'il continue à détenir ; 2) la fonction d'animation, au sens positif et constructif du terme, n'est pas assurée.

La première similitude a pour conséquence de faire de ces groupes théoriquement non-directifs des lieux de révolte et de tensions. C'est souvent la seule impression qu'en gardent les participants. Ils disent, après, que l'expérience qu'ils y ont faite a été éprouvante, dure, voire traumatisante. Les profits restent maigres sans être tout à fait inexistants. L'image des psycho-sociologues s'en trouve quelque peu ruinée.

La deuxième similitude est plus grave et pose des problèmes importants. Elle amène à se demander ce qui résulte du fait que la fonction d'animation n'est pas assumée et, par contre-coup, ce que serait une véritable animation, en quoi elle pourrait consister.

La doctrine rogérienne.

Essayons de répondre, pour terminer, aux deux problèmes qui viennent d'être posés, ce qui me permettra de définir ma conception de l'animation, qui constituera, si l'on veut, *la quatrième forme possible*.

Beaucoup de psycho-sociologues déçus par les conceptions de l'animation proposées précédemment ont cherché ailleurs et ont découvert les conceptions de C. Rogers qui leur ont paru novatrices et capables de fonder une théorie valable de l'animation psycho-sociologique.

Ces conceptions font une place centrale à l'autonomie du client ou du patient, puisqu'elles prétendent qu'il est capable seul — ou presque — de résoudre ses problèmes et d'assurer ses propres progrès. Il a en lui toutes les ressources nécessaires pour cela et cela ne peut lui venir de l'extérieur. Il est son propre agent de changement et de développement.

Remarquons tout de suite que ces conceptions ne se contentent pas d'affirmer que l'être humain a en lui-même un appel au développement et une capacité active de développement. On peut en effet admettre cela et penser en même temps qu'il a besoin pour se développer de l'intervention du milieu extérieur. Les conceptions rogériennes affirment en plus que l'être humain trouve en lui-même les instruments, les ressources et les stimulations de son propre développement, c'est-à-dire la substance même de ce développement sous tous ses aspects. C'est une doctrine extrémiste qui pousse jusqu'à son extrême limite l'autonomie de l'individu humain.

Il en résulte logiquement, d'un point de vue pratique, que le psychothérapeute — puisqu'il s'agit de lui dans les premières formes de la pensée de C. Rogers — ne peut réellement « intervenir » sur l'évolution de son client. Il est condamné à rester à l'extérieur et à jouer un rôle secondaire, voire accessoire.

Ce n'est pourtant pas ce que postule *la pratique rogérienne*, et il y a là une contradiction qu'il faut signaler. C. Rogers en effet ne demande pas au psycho-thérapeute de rester passif et spectateur en face de son client. Bien au contraire, il estime qu'il doit « parler » et s'exprimer assez fortement. Il reproche même à la psychanalyse classique de cantonner le psychanalyste dans le mutisme, ce qui l'empêche de jouer le rôle qu'il devrait jouer.

Ce rôle est très clairement défini par C. Rogers. Il s'agit d'une « acceptation inconditionnelle », c'est-à-dire d'une présence chaude et affective, d'une forme très extrême d'amour, qui permet au client de ne pas avoir honte de lui-même et de ses pulsions. Cette attitude toute nouvelle, non expérimentée jusque-là, provoque chez le client non pas un transfert, au sens de la tradition freudienne, c'est-à-dire un ensemble de projections de sentiments archaïques sur une figure parentale, mais au contraire un sentiment nouveau, nonprojectif, de sécurité, de bien-être, de satisfaction. C'est ce sentiment et lui seul qui assure la guérison, le rétablissement, la résolution des problèmes. C. Rogers est très formel là-dessus et les textes de lui sur ce sujet sont sans ambiguïté. Ce qui revient à dire qu'il assigne au thérapeute une fonction déterminante, bien qu'il appartienne au milieu extérieur. La contradiction est flagrante.

D'un point de vue encore plus concret, l'acceptation incon-ditionnelle se traduit par des attitudes d'empathie et de congruence qui amènent le thérapeute à prendre une posi-tion de *miroir* par rapport au client — soit au point de vue des productions de celui-ci, soit au point de vue de ses sentiments — mais entendons-nous bien, ce miroir n'a pas pour but de permettre au client de se regarder, donc de mieux se connaî-tre ou de mieux prendre conscience de ce qu'il exprime, mais de se rendre compte « ici et maintenant », à chaque instant, qu'il est accepté, reconnu, écouté. C'est le signe de la bienveil-lance et de la présence active du thérapeute et non pas un « feed-back » qui jouerait un rôle fonctionnel. Ce point est capital pour comprendre la doctrine rogérienne.

Cette fonction purement affective attribuée au « miroir » explique le caractère extrémiste de la pensée rogérienne au plan théorique et par là la contradiction dans laquelle elle tombe. Ce qui frappe C. Rogers en effet et lui fait dire que le client se développe et se guérit seul, c'est que le thérapeute ne lui apporte rien, au sens propre du mot. Il ne lui fournit aucune connaissance supplémentaire, aucune information, aucun conseil, même pas une prise de conscience. Il ne lui sert à rien sur le plan cognitif et reste, de ce point de vue, parfaitement inutile.

S'ensuit-il, comme le ferait croire la *philosophie* rogérienne, que le thérapeute n'apporte purement et simplement rien et n'est qu'un accessoire ? Évidemment pas, puisque C. Rogers lui-même affirme son rôle essentiel dans la pratique et qu'il est un facteur déterminant de la guérison.

En fait, il me semble que C. Rogers reste prisonnier de la problématique classique qui situait toute influence du milieu extérieur sur le terrain cognitif. Comme il lui semble qu'une telle influence n'est pas nécessaire en psychothérapie, il nie l'existence d'une influence quelconque. Ce qui ne l'empêche pas en même temps d'affirmer l'influence du thérapeute puisqu'il est un agent de guérison. C. Rogers ne voit pas qu'il existe une influence de type affectif, qui passe par l'expérience du client. Celui-ci, grâce au thérapeute, découvre l'existence d'un certain type de rapport, à savoir le rapport amoureux authentique, et c'est cette découverte qui est capitale pour lui, car elle lui permet de contrebalancer et de neutraliser les affects négatifs qui ont envahi sa psychologie. Elle constitue une véritable révélation, la même d'ailleurs qui a lieu dans une psychanalyse classique et qui en explique l'efficacité. Le transfert est bien premier, comme le pensait Freud, qui y voyait d'ailleurs un sentiment amoureux, et C. Rogers a le grand mérite de faire sortir cette notion de l'ornière dans laquelle l'avait enfoncée la tradition psychanalytique. Il lui donne enfin un contenu valable, sans aller pourtant jusqu'au bout de sa découverte, c'est-à-dire jusqu'à une théorie expérientielle de la thérapie.

Au-delà de C. Rogers.

L'intervention que C. Rogers exige de la part du psychothérapeute n'a cependant de sens qu'en psycho-thérapie et est insuffisante dans la conduite des groupes. Il faut donc aller plus loin que C. Rogers dans la ligne qu'il a lui-même tracée dans ses écrits pratiques, en contradiction avec sa doctrine philosophique. Il faut redonner un sens aux interventions et influences du milieu extérieur, et c'est ce que je vais essayer de faire maintenant.

La plupart des méthodes psycho-thérapiques permettent au client de plonger dans ses propres fantasmes et de parcourir son univers fantasmatique comme un plongeur explorant des fonds sous-marins. Le client tente l'aventure difficile de la rencontre avec lui-même grâce à une « longue marche » dans sa propre subjectivité qui lui permet non seulement de se connaître mais surtout de revivre des expériences qu'il a autrefois vécues. Il utilise une « machine à remonter le temps » qui lui permet ce voyage à travers son histoire et son passé. Comme dans tout voyage, il y a des avatars et il peut y avoir des accidents. Mais il y a surtout la griserie de la découverte face à des paysages et à des spectacles nouveaux.

Comment cela peut-il être nouveau et constituer une expérience, au sens fort du mot, alors qu'il s'agit d'un contact avec des réalités anciennes et usées, souvent même périmées.

J'ai déjà répondu à cette question et montré qu'il y a deux facteurs qui permettent d'en faire des réalités nouvelles, *des objets d'expérience*. Le premier est la distance par rapport à son propre passé, qui en change la nature en le rendant moins corrosif. Le second, plus important, est précisément l'intervention du thérapeute et la centration sur le thérapeute qui enlèvent dans une certaine mesure aux événements passés — souvent érotiques et sexualisés — leur caractère honteux et condamnable. Ils ne sont en effet honteux et condamnables que par rapport à quelqu'un qui les condamne. Dès lors que le thérapeute prend une attitude d' « acceptation inconditionnelle », il y a vraiment une transformation qui s'opère. Il faudrait ajouter à ces deux processus, qui constituent des mécanismes d'immunisation, un troisième qui est précisément le rapport avec le thérapeute, en dehors de la médiation qu'il exerce par rapport au passé du client : ce rapport de confidence et de bienveillance fait lui aussi l'objet d'une expérience originale.

Quels que soient les processus mis en jeu, le client trouve en lui-même et en lui seul à la fois le matériel sur lequel il travaille et les méthodes pour le faire. Il est profondément solitaire, malgré la présence du thérapeute, puisqu'il trouve ses ressources en lui-même. Le thérapeute ne peut rien faire d'autre que de prendre une certaine position par rapport à lui, non-répressive et accueillante. Cette attitude d'accueil, qui n'est pas purement négative, qui ne consiste pas seulement à être un non-obstacle mais qui consiste de plus à devenir partenaire dans la relation avec le client, n'entraîne pourtant pas le thérapeute à injecter des contenus cognitifs dans le matériel du client.

Tout autre est le travail d'un groupe, qui exige de la part du moniteur des attitudes nouvelles et de véritables interventions.

Un groupe est un ensemble d'individus qui sont en interaction, c'est-à-dire qui opèrent des transformations les uns dans les autres et des transformations dans l'ensemble qu'ils forment. Pour chacun des participants, les transformations extérieures à lui qu'il est amené à effectuer se traduisent par de véritables actions. Par action, je veux signifier une influence sur le milieu extérieur, qui suppose des projets, des techniques précises, des évaluations, des risques courus, des buts atteints ou non atteints. La liberté du participant de groupe s'en trouve diminuée, par rapport à ce qu'elle était dans la relation thérapique à deux. Il ne peut plus, comme le client du thérapeute, faire ce qu'il veut, parcourir à sa guise son monde intérieur, jouer « la fille de l'air » ou le plongeur sous-marin, se laisser aller à tous ses caprices et à toutes ses initiatives. Il rencontre des obstacles, des contraintes, des limitations. En revanche, l'expérience qu'il fait me paraît plus importante que celle qu'il peut faire en psychothérapie. C'est en effet une *expérience de l'autre*, de la réalité humaine et sociale, et pas seulement une expérience de soi-même.

Il y a évidemment beaucoup de groupes, même non-directifs, qui ne visent pas explicitement la réalisation d'une telle expérience. C'est le cas en particulier des groupes institutionnels qui sont généralement centrés sur des tâches, sur des objectifs à atteindre, et non sur une découverte expérientielle. Les moniteurs de tels groupes, s'ils adoptent une conduite non-directive, permettent à ces groupes de mieux réaliser leurs tâches et leurs objectifs.

Cependant les groupes qui me paraissent les plus intéressants à considérer, parce qu'ils travaillent plus en profondeur et visent à mettre en place les dispositifs psychologiques qui seront utilisés par les autres (collaboration, échanges, coordination, division du travail, consensus, prise de décision, etc.), sont les groupes dits « de base » ou encore « d'évolution », que les premiers auteurs anglo-saxons appelaient T-Group.

Ces groupes visent explicitement à permettre aux participants l'expérience de la communication, c'est-à-dire d'un type de rapport dans lequel le plaisir d'agir sur autrui, de créer avec lui des liens, est primordial.

Il s'agit en réalité d'une véritable assomption de quelque chose qui se présente normalement comme une nécessité ou comme une espèce de contrainte. Comme l'a très bien analysé Laing dans *Soi et les autres*, la référence à l'autre ne peut jamais être évitée et colore toutes nos activités et toutes nos conduites. « Même si l'on décrit une seule personne, dit Laing, il ne faut jamais oublier que chaque personne *agit* toujours sur les autres et qu'elle *subit les agissements* des autres. Les autres sont là aussi. Personne n'agit ou ne fait une expérience quelconque dans le vide. La personne que nous décrivons et qui fait l'objet de nos théories *n'est pas le seul agent dans son* « *monde* ». La façon dont elle perçoit les autres et se conduit à leur égard, la façon dont ceux-ci la perçoivent et agissent envers elle, celle dont ils la perçoivent en tant que les percevant, sont toutes des aspects de « la situation ». Elles contribuent toutes à faire comprendre le rôle qu'y joue la personne » (¹).

Étant donné ce face à face perpétuel de l'individu avec les autres et le fait qu'il ne peut être évité, il est important qu'il soit pris en charge pleinement par l'individu, c'est-à-dire qu'il se transforme pour lui en source de plaisir. Sinon, on aboutit à une sorte de paranoïa, qui caractérise beaucoup de nos contemporains, qui vivent l'implication avec les autres comme un viol incessant de leur personnalité, comme une source de menaces, comme une justification de rapports purement défensifs.

Pour que cette prise en charge de la communication soit possible, il importe d'apprendre à aimer non seulement l'acte de « remuer » les autres, mais l'acte de les « saisir ». En définitive, toute communication aboutit à « faire partager » aux autres nos opinions, nos sentiments, nos émotions, nos expériences, nos entreprises. Le processus qui aboutit à ce partage possède une face qu'on pourrait appeler « active » qui va de l'émetteur au récepteur, par lequel le premier « transmet » ce qu'il veut transmettre et vise à « remuer », « intéresser », « provoquer » l'autre, et une face qu'on pourrait appeler réceptive qui va du récepteur à l'émetteur, quand celui-ci « saisit » le message et l'intègre en lui affectivement et intellectuellement, ce qui lui permet à son tour de pénétrer dans l'autre comme l'autre pénètre en lui. Cette pénétration mutuelle, qui fait beaucoup penser à l'acte sexuel, est entièrement réciproque. Elle implique en particulier ce que Laing appelle la « confirmation », c'est-à-dire que celui — émetteur — qui désire

(¹) R.D. Laing, *Soi et les autres.* Gallimard, 1971, p. 98.

« pénétrer » trouve une voie ouverte à cette pénétration, c'est-à-dire un désir chez l'autre de lui « prendre » ce qu'il désire lui donner. Ce n'est qu'alors qu'il « compte » pour l'autre et qu'il se trouve confirmé par lui, à la fois dans son existence et dans son pouvoir. Celui qui « prend » — le récepteur — se trouve aussi confirmé du fait que quelqu'un le croit capable d'effectuer cette « préhension » ou cette « prise » par laquelle il affirme son existence. En bref, c'est le besoin mutuel de prendre ou d'être pris qui fonde la communication, qui apporte un plaisir dans la mesure où elle « ajoute » quelque chose à chacun des partenaires.

Étant donné cette interdépendance continuelle des participants dans la communication, les obstacles sont nombreux et surviennent avec une grande facilité. Il suffit que le partenaire se referme sur lui-même et n'éprouve pas le besoin de cette pénétration réciproque (le besoin de l'autre). Celui qui en prend l'initiative se trouve alors impuissant et littéralement désarmé en face de ce refus. Ce refus est le plus souvent motivé par des peurs, des craintes, des angoisses, des appréhensions, ou par ce que les psychanalystes appellent des « projections ». Les participants projettent sur les autres leurs pulsions et fantasmes de la vie courante et ceux-ci sont le plus souvent négatifs et stérilisants, aboutissant à l'incompréhension, la haine, la méfiance, l'agressivité, l'anxiété, la division. Le problème est de dépasser et de surmonter ces projections et non pas seulement, comme le croient les freudiens, de les reconnaître. Les projections sont l'obstacle fondamental à la réalisation de nouvelles expériences.

Pour que cela puisse se faire, il importe que le groupe qui vise à l'expérience de communication soit coupé au maximum de la vie quotidienne, avec toutes ces contraintes, ses lourdeurs, ses rituels, ses habitudes, ses préoccupations. Il importe qu'il constitue un lieu clos et pour ainsi dire « artificiel », un lieu fermé et protégé. C'est d'ailleurs, soit dit en passant, la condition de toute éducation, qui exige la séparation et ne peut se faire « dans la production ». C'est pourquoi le système des examens et des diplômes, qui introduit dès l'entrée la hantise de la réussite et de l'insertion sociales, est un système néfaste.

L'animateur-moniteur est précisément celui qui est chargé

de maintenir cette séparation, non seulement par ses initiatives institutionnelles mais par toutes ses interventions qui permettent aux participants d'effectuer plus facilement une communication qui rencontre de tels obstacles. Il les aide dans le travail et contribue par là à éloigner les influences du milieu extérieur. Je vais examiner maintenant la manière dont cela peut se faire concrètement.

Le rapport d'aide.

L'attitude empathique préconisée par C. Rogers est naturellement une composante essentielle de l'animation du moniteur non-directif. Elle sous-tend en effet toutes ses interventions et lui permet de les faire, même si ces interventions dépassent la simple reformulation rogérienne.

Ce qui caractérise en effet cette animation, c'est que l'animateur ne « s'implique » pas, ne fonctionne pas comme un participant.

Il importe de bien voir ce que cela veut dire, car beaucoup de confusions et de méprises sont venues d'une mauvaise compréhension de cette formule. Dire que le moniteur ne s'implique pas ne veut dire en aucune manière que le moniteur n'est pas concerné par le groupe qu'il anime, auquel il resterait extérieur et indifférent. Bien au contraire, il a des désirs pour lui et, en ce sens, il a des affects, des sentiments et des fantasmes qui le concernent.

Mais le désir qu'il a pour le groupe c'est précisément que celui-ci réalise ses propres désirs, autrement dit que les participants expriment et satisfassent leurs désirs, de telle sorte qu'ils trouvent dans le groupe un réel épanouissement. Cet épanouissement est le but véritable de l'animateur, davantage encore que la satisfaction des désirs des participants. Il y a en effet des désirs qui n'apportent pas d'épanouissement mais seulement un soulagement passager pouvant lui-même être à l'origine de beaucoup d'angoisse. Ces désirs-là, l'animateur les accepte aussi, car il les renforcerait et les aggraverait s'il cherchait à les empêcher, mais il ne les valorise pas autant que les autres. Il a donc bien son échelle des valeurs, contrairement à ce qu'on a dit parfois, et n'a pas la même attitude envers tous les désirs des participants. En ce sens, il poursuit des objectifs spécifiques et ne sombre pas dans une acceptation indifférenciée.

Pourtant, ses désirs coïncident avec les désirs des participants puisqu'ils visent à les favoriser, et c'est pourquoi on peut vraiment dire qu'il ne « s'implique pas ». Il ne s'autorise pas lui-même à formuler ou à satisfaire des désirs particuliers, différents de ceux des autres membres du groupe, quand même ils seraient en accord avec ceux-ci, mais se contente de les aider à se réaliser.

On peut trouver bizarre une telle attitude et lui reprocher d'être une forme particulièrement vicieuse d'inhibition et d'auto-répression. On peut aussi suspecter cette attitude d'aide et y voir une volonté cachée de pouvoir ou de manipulation. Toutes ces critiques ont été faites et d'une manière fort brillante.

Il faut pourtant signaler que cette attitude n'a rien de particulièrement originale. Elle est celle qu'adoptent tous les gens en situation professionnelle, qui ne prétendent pas imposer leur volonté à autrui mais seulement effectuer une « prestation de service ». C'est l'attitude du médecin qui essaye de soigner et de guérir le malade parce que celui-ci le souhaite et le lui demande. C'est l'attitude du commerçant qui s'efforce de fournir à son client la marchandise que celui-ci lui demande et peut-être dont il rêve. C'est l'attitude de l'expert qui donne un conseil à celui qui l'appelle pour résoudre un problème, etc. Si cette attitude paraît bizarre dans le domaine de l'aide psychologique, c'est peut-être parce qu'on a trop l'habitude de ne concevoir dans ce domaine que des rapports d'autorité, de domination et, à la limite, de tromperie. C'est en effet le domaine par excellence où l'art et l'habileté des mages, des sorciers, des devins, des magnétiseurs, des charlatans, des « directeurs de conscience » se sont donné libre cours, quand ce n'est pas ceux des psychologues qui décident autoritairement du destin des individus. Il est important de « professionnaliser » enfin ce type d'activité, ce qui ne peut se faire sans recourir aux notions de service, d'aide et de réponse à une demande.

Affirmer par ailleurs qu'une telle attitude est à base d'inhibition, sous prétexte que le moniteur n'y affirme pas ses désirs particuliers, relève du plus pur sophisme. C'est con-

fondre simplement l'inhibition qu'on pourrait appeler technique, qui consiste à limiter ses désirs temporairement à un
certain champ pour des raisons d'ajustement, à l'inhibition
qu'on pourrait appeler caractérielle, qui consiste à craindre
d'affirmer et de satisfaire ses propres désirs dans n'importe
quel contexte. Le fait d'ériger la spontanéité en valeur universelle et pour ainsi dire quotidienne (dans n'importe quelle
situation) aboutit simplement à la nier, car elle devient alors
la source de conflits tels qu'elle ne peut être que condamnée,
repoussée et interdite. Certes, il est important que celui
qui se met au service du désir d'autrui ait réellement envie
de le faire, c'est-à-dire qu'il affirme sa spontanéité profonde
et, comme le dit Rogers, la « congruence » avec lui-même, mais
pourquoi n'en serait-il pas ainsi ? L'animation de groupe est
une activité assez difficile, assez subtile et assez problématique pour pouvoir passionner ceux qui désirent s'y adonner
(et qui ne sont pas obligés de le faire).

Revenons au problème posé au début, celui de l'aide apportée aux participants. Cette aide, disions-nous, permet
d'opérer une coupure à l'égard du monde extérieur. Et en
effet, la non-implication du moniteur est déjà par elle-même
une coupure, du fait que le moniteur, au lieu d'injecter des
« projections » supplémentaires dans le groupe, qui seraient
ses propres projections, que les participants vivraient comme
ils ont l'habitude de vivre les rapports à l'autorité ou aux
images parentales, se contente de jouer un rôle précis, limité,
circonscrit, modeste et, à la limite, technique.

Ce rôle limité et, dans cette mesure, original, ne peut être
qu'un rôle cognitif. Sa signification est d'apporter à chacun
des participants des lumières sur le monde obscur et mystérieux dans lequel il s'enfonce comme dans une forêt, qui est
formé de tous ceux qui l'entourent, les autres participants,
et des actions et sentiments de ceux-ci. Chacun des participants vit en effet cette découverte de la communication comme
une aventure difficile, qui se fait dans l'obscurité, dans
laquelle on peut l'aider en projetant sur l'extérieur le faisceau
d'un phare puissant et suffisamment mobile.

Puisqu'il s'agit d'une activité d'éclairage — il vaudrait
mieux dire d'éclairement ou d'éclaircissement — on peut
vraiment dire que le moniteur est un « éclaireur ». Il faut

naturellement enlever à ce terme le sens qu'il a pris dans
certains mouvements de jeunes et lui redonner son sens
premier, qui se réfère aux déplacements d'une troupe sur un
terrain inconnu. En faisant cela, le moniteur a naturellement
une influence sur le groupe. Mais pourquoi n'en aurait-il pas?
Cela n'est condamnable que pour ceux qui confondent falla-
cieusement influence et manipulation. Il y a des influences
qui ne sont ni manipulatoires ni contraignantes.

Les niveaux d'éclairement.

L'activité d'éclairement du moniteur peut se situer à
plusieurs niveaux qui correspondent aux diverses directions
dans lesquelles peut s'orienter un groupe.

1. Tout d'abord le groupe peut s'interroger sur lui-même,
sur les relations qui s'instituent en lui, sur les communications
elles-mêmes. Nous dirons qu'il est centré alors « sur le groupe »
et que son discours porte, comme le dit Watzlawick (dans
Une logique de la communication), sur la métacommunication.

En réalité, c'est chacun des participants qui s'interroge
alors sur le groupe et qui se livre à une métacommunication.

L'interrogation des participants porte à ce moment-là sur
ce qu'il y a de plus complexe dans la situation, sur sa zone
la plus obscure. Le groupe dans son ensemble est en effet une
réalité extrêmement confuse, dans laquelle s'exercent des
forces contradictoires qui s'annulent, se contredisent ou
s'accumulent. Ces forces ne sont pas seulement extérieures
aux individus mais intérieures à eux. Par exemple, un participant peut avoir des sentiments d'un certain type envers
une fraction des autres participants et des sentiments complètement opposés envers une autre fraction. Si l'on additionne
tous ces sentiments intrinsèquement contradictoires, on
obtient un véritable imbroglio.

Le rôle du moniteur ne peut être à ce moment-là que d'analyser ce qui se passe dans le groupe, c'est-à-dire de procéder
à un démontage, fil par fil, de cet écheveau emmêlé. Il est le
mieux placé pour le faire dans la mesure où il est non-impliqué
et possède le recul suffisant. Des gens trop impliqués en sont
incapables. Il suffit, pour s'en convaincre, de lire, dans *Une*

logique de la communication, l'analyse remarquable que fait l'auteur des rapports entre les quatre partenaires de la pièce *Qui a peur de Virginia Woolf?* Les partenaires sont les derniers à pouvoir faire cette analyse, étant enfermés dans leurs rôles respectifs et pour ainsi dire piégés par eux.

Les qualificatifs qui sont susceptibles d'être appliqués à ces interventions du moniteur relèvent des catégories de la vérité et de la fausseté, ce qui n'est pas le cas, nous le verrons, de ses interventions aux autres niveaux. Chacune de ses interventions peut être dite « juste » et « exacte », ou au contraire « fausse » et « inexacte ». La qualité qui est demandée alors au moniteur est la perspicacité.

Ce qu'il y a de plus important à analyser dans cette perspective est l'ambiguïté des communications, autrement dit leurs contradictions internes. Ces communications en effet procèdent le plus souvent chez la même personne d'instances psychiques opposées, relevant par exemple d'un côté du désir de se défendre et de l'autre de celui de communiquer. Cela produit des phénomènes singuliers que la psychiatrie contemporaine — d'un côté l'école américaine issue de Bateson et de l'autre l'école anglaise d'anti-psychiatrie — a longuement analysés et auxquels elle a donné le nom de « double contrainte ». Un exemple particulièrement frappant de « double contrainte » est l'ordre donné à quelqu'un : « soyez spontané » ou « je vous somme de vous exprimer ». Le désir de voir l'autre être spontané ou s'exprimer chez celui qui parle se conjugue au désir de lui imposer ces attitudes, ce qui revient à l'empêcher d'être spontané et de s'exprimer ; on ne peut en effet être spontané et s'exprimer si on le fait « sur ordre » et sous la menace. La personne qui parle contredit sa propre affirmation et celle qui reçoit ce message se trouve dans la confusion la plus totale.

Les écoles psychiatriques auxquelles on vient de faire allusion ont construit sur ce phénomène toute une théorie, par laquelle elles expliquent la maladie mentale. Elles prétendent que celle-ci résulte purement et simplement de la confusion constante dans laquelle se trouve celui — par exemple un enfant — qui se trouve constamment soumis à des « doubles contraintes » de la part des autres — par exemple ses parents. La « double contrainte » produit le trouble mental

chez celui qui la subit, du fait qu'il ne sait plus où il en est
et ne peut plus se reconnaître lui-même.

Je ne suivrai pas les écoles psychiatriques précitées dans
leur théorisation, qui attribue un rôle beaucoup trop déterminant à la structure formelle de la situation, en dehors des
projections affectives auxquelles elle donne lieu. Je me rallie
en effet à une conception expérientielle de la maladie mentale qui fait jouer un rôle capital aux expériences passées et
spécialement aux expériences de plaisir du sujet. Ces expériences sont seules capables de neutraliser les expériences
traumatiques qui produisent la maladie mentale.

Quoi qu'il en soit de cette théorisation, la « double contrainte » joue un rôle important dans les groupes du fait
qu'elle rend difficile la communication avec un autre participant. Celui qui se trouve en face de ces « doubles contraintes »
ne sait pas en effet s'il doit les interpréter comme un désir de
communiquer, ou au contraire comme une réticence à le faire.
Il risque d'interpréter comme un refus de communiquer ce
qui est un appel à la communication, mais un appel ambiva-
lent et équivoque. Ce n'est pas tant la contradiction comme
telle qui est néfaste, du fait de son caractère illogique, que la
nature des éléments qu'elle met en jeu. Certains de ces éléments peuvent être de véritables obstacles, mais il importe
de leur donner leur véritable poids et de ne pas exagérer leur
importance. L'animateur est là pour permettre d'en faire une
estimation juste.

La centration sur les individus.

2. Le groupe est amené tôt ou tard à se centrer sur les
individus. Il ne peut en effet se centrer sur la communication
que s'il y a communication et celle-ci à son tour ne peut
exister sans contenus à livrer et sans objets à considérer. La
communication doit être « agie » avant d'être réfléchie.

Quand je dis « avant », il faut bien me comprendre. Je ne
veux pas parler d'une antériorité chronologique mais seulement logique. La métacommunication est postérieure à la
communication uniquement en ce sens qu'elle ne peut exister
sans celle-ci. Dans les faits, elle lui est souvent antérieure
chronologiquement, et c'est pourquoi je l'ai mise en premier

dans ma classification. Cela peut paraître paradoxal mais s'explique aisément si l'on songe que la métacommunication d'une part est moins implicante que la communication et d'autre part peut avoir une valeur préparatoire. Elle est moins implicante parce qu'elle considère le groupe « en bloc » comme un ensemble dans lequel les individus se trouvent un peu perdus. Elle a une valeur préparatoire du fait qu'elle permet de tracer des réseaux et de prévoir des modes d'échanges avant même que ceux-ci aient encore eu lieu. Elle n'est toutefois non-implicante que lorsqu'elle est préparatoire. Lorsqu'elle suit par contre une période d'échanges assez intenses, elle est au contraire plus implicante que la communication elle-même du fait qu'elle révèle des liens existants et cachés.

La centration sur les individus a deux faces : d'une part la centration de l'individu sur lui-même et d'autre part la centration sur l'autre. La centration sur soi-même est le fondement de la vie du groupe car, sans elle, il n'existe pas de communication. Par « centration sur soi-même » j'entends le fait que quelqu'un exprime quelque chose sur lui-même, quelle que soit la manière dont il le fait. Il peut même le faire en se taisant et en refusant de communiquer. Comme l'a très justement fait remarquer Watzlawick, on ne peut pas ne pas communiquer ; la non-communication radicale n'existe pas. Quelqu'un qui se tait ou qui réagit poliment et conventionnellement, ou qui s'enfuit ou qui tourne le dos, si quelqu'un d'autre cherche à entrer en contact avec lui, en réalité exprime quelque chose concernant ses sentiments et ses désirs. Il est impossible de faire « comme si on n'était pas là », ce que certains schizophrènes cherchent à réaliser. Naturellement, la vraie communication consiste à sortir de cette communication involontaire et à exprimer volontairement des sentiments, des opinions, des perceptions, des informations, dans le but, plus ou moins affirmé, de faire partager aux autres ces contenus psychologiques.

Comme je l'ai fait déjà remarquer, une telle intervention, de la part d'un participant, n'a de sens que si elle est reçue et intériorisée par quelqu'un d'autre car elle vise explicitement à cela. Elle demande une « confirmation ». Cette confirmation peut se réaliser de diverses manières, soit avant, soit pendant,

soit après la communication elle-même. Si elle se situe avant,
elle s'appelle « question » ou « interrogation », par lesquelles
quelqu'un signifie qu'il attend cette communication et qu'il
est prêt à la recevoir. Si elle se situe pendant, elle se traduit
chez le récepteur par un silence attentif et une polarisation
sur le discours produit. Si elle se situe après, c'est la « réponse »
proprement dite qui peut prendre, à son tour, plusieurs
formes et plusieurs significations. Très souvent, elle prend
la forme d'un discours sur le discours ou encore d'un discours
sur l'individu qui s'exprime. Le discours sur le discours tient
une très grande place dans les groupes et prend souvent lui-
même une valeur de communication (au sens actif du terme).
Il est en effet plus facile que le discours lui-même, étant moins
impliquant et ne demandant pas de prendre l'initiative. Comme
l'a remarqué Festinger, cette sorte de « réaction » ou de centration sur un participant s'adresse très souvent aux déviants,
non pas tellement, comme le croit Festinger, pour les pousser
à la conformité, mais parce qu'ils fournissent, plus que
d'autres, un aliment aux échanges. La déviance, si elle
s'exprime (et elle doit s'exprimer pour être connue), met
l'individu en relief, en valeur et constitue, de ce fait, un excellent support de communication.

Les choses ne sont pourtant pas si simples. Les interventions des participants se situent souvent dans le registre de
l'anti-communication, c'est-à-dire sont faites avec l'intention
de nier le discours (ou le silence) de l'autre. Cette anti-
communication, qui procède le plus souvent d'attitudes de
dominance et de soumission, ne consiste pas à dire qu' « on n'est
pas d'accord », ce qui est une façon de « reconnaître » le discours de l'autre, mais, comme l'a analysé Watzlawick, à se
mettre en « position haute » (ou « basse ») par rapport à lui.
On lui fait savoir qu'il ne *doit* pas s'exprimer soit en l'empêchant tout simplement de le faire, grâce à un autre discours
vide et divergent, soit en répondant à son discours par un
autre discours où l'on affirme des capacités supérieures aux
siennes, soit en faisant des remarques superficielles et négatives sur la forme de son discours ou sur certains détails de
celui-ci, soit en affirmant simplement que son discours n'a
pas d'intérêt et qu'on n'est pas disposé à l'écouter (parasi-
tage). Cet anti-discours, qui vise à réduire l'émetteur au

silence, peut d'ailleurs paradoxalement, et de la même manière, consister à critiquer le silence d'un autre, qu'on accuse de ne pas parler et qu'on contraint à parler. C'est, de toute façon, une façon d'exprimer sa supériorité, soit vis-à-vis de celui qui parle, soit vis-à-vis de celui qui ne parle pas.

Cet antidiscours aboutit à un refus de se constituer partenaire-récepteur dans la communication et de donner à un émetteur l'écoute et l'attention qu'il désire. Celui-ci se trouve renvoyé à sa solitude et condamné au soliloque (tout au moins par rapport à ce partenaire précis).

De même que le discours a pour corrélatif l'antidiscours dont je viens de parler, le silence attentif d'un récepteur de communication a pour corrélatif le mutisme de celui qui refuse de parler et qui empêche par là même l'écoute de celui qui voudrait l'entendre. Le « muet » au sens qui vient d'être défini renonce à devenir émetteur, comme l'auteur d'anti-discours renonçait à devenir récepteur. Il nie sa propre parole et non plus la parole de l'autre ; par contre, il nie le silence attentif d'un autre qui pourrait le recevoir.

Paradoxalement, le mutisme est un effet direct de l'anti-discours, ou plutôt de l'attitude de celui qui prononce des antidiscours. C'est en effet une réaction soit circonstancielle, soit caractérielle aux critiques, ironies et dénégations venant de celui-ci. Le « muet » a peur de s'exprimer en face de gens qui risquent de ne pas l'écouter avec toute la bienveillance désirable.

Réciproquement, l'auteur d'antidiscours justifie conti-nuellement son attitude négatrice en invoquant l'existence des muets et du mutisme. Il prétend que personne ne parle et n'est capable de parler, ce qui l'oblige soi-disant à « remplir le vide ». Cette situation, dans laquelle personne ne parle plus, en fait lui plaît, même si en apparence il s'en plaint, car elle lui permet de se mettre en « position haute » par rapport à des muets en « position basse ». C'est pourquoi il réduit tout le monde, et même ceux qui cherchent à s'exprimer, à cette position, en pratiquant l'antidiscours.

Schématisons tout ce système de rapports par la figure ci-dessous :

Les signes ↔ veulent dire que le discours et l'antidiscours s'excluent réciproquement (du fait que l'antidiscours empêche le discours), de même que le silence et le mutisme (le mutisme empêche le silence attentif du récepteur). Les flèches inversées qui vont du discours au silence signifient que le discours entraîne le silence (attentif de celui qui écoute le discours) et que le silence suscite le discours (de celui qui se sait entendu) ; celles qui vont de l'antidiscours au mutisme signifient que l'antidiscours provoque le mutisme et que celui-ci à son tour justifie l'antidiscours. D'un point de vue formel et non plus dynamique, les oppositions se situent en diagonale puisque le discours a pour antithèse le mutisme et que le silence (attentif) a pour antithèse l'antidiscours qui est par définition la non-attention.

Quel est le rôle de l'animateur dans une telle situation ? Son rôle est très différent de celui qu'il avait quand il était centré sur le groupe. Il ne s'agit plus maintenant pour lui de débrouiller les fils embrouillés d'un réseau de communication complexe, mais d'aider chacun des participants à la fois à émettre ses messages et à recevoir ceux des autres. Ces messages sont souvent timides et limités, à cause des obstacles nombreux que j'ai examinés, et la difficulté réside plus dans leur simplicité que dans leur complexité, comme il arrivait précédemment. Il s'agit de les aider à s'approfondir et, d'une certaine manière, à se complexifier.

La seule méthode possible pour atteindre ce but est, pour l'animateur, de se centrer soit sur l'émetteur (réel), soit sur le récepteur (possible). S'il se centre sur l'émetteur, il peut essayer de reformuler et d'expliquer son message, non pas seulement, comme dans la technique rogérienne, pour lui montrer qu'il l'a écouté et accepté, mais pour éclairer *les autres* sur sa signification. Le problème est ici de retraduire le message en des termes qui soient compris par les autres. S'il se centre sur le récepteur (ou plutôt les récepteurs), il peut poser des questions à l'émetteur aussi proches des questions que les récepteurs se posent, ce qui amène le premier à mieux s'adapter aux attentes des seconds.

Par ces procédés, l'animateur non seulement élucide le sens des messages et des attentes, mais il attire l'attention des participants sur **certains** d'entre eux. Il choisit ceux qui lui

paraissent les plus importants et par là exerce une influence
déterminante sur le groupe. Cette influence n'est en rien une
manipulation, dans la mesure où il attire l'attention non pas
sur ceux qui sont les plus importants pour lui, mais sur ceux
qui lui paraissent les plus importants pour le groupe (en fonction des besoins et désirs exprimés de celui-ci) Cet effort pour
attirer l'attention est absolument nécessaire et pleinement
justifié puisque, comme je l'ai dit, les messages des émetteurs
dans un groupe rempli de difficultés risquent simplement de
n'être pas perçus, donc de ne pas entraîner les réponses qu'ils
ont pour but de provoquer. Il s'agit donc d'une fonction « pha-
tique » qu'exerce le moniteur qui s'oppose à la fonction analy-
tique qu'il exerçait dans son premier rôle (au niveau de la
métacommunication). Cela lui permet de s'engager plus profondément dans la vie du groupe. Il prend d'ailleurs des
risques en exerçant cette fonction (on peut l'accuser de manipulation) qui exige de lui beaucoup de doigté, de circonspection
et d'empathie. Les qualificatifs qu'on peut appliquer à ces
interventions ne sont plus la justesse et la fausseté, mais la
pertinence et la non-pertinence.

La centration sur la tâche.

3. **Tout groupe peut se centrer** non seulement sur lui-même
et sur ses participants, mais aussi sur une tâche, sur un
travail, sur un thème de réflexion ou d'étude, sur une action
extérieure. Il se transforme alors en groupe de recherche, en
groupe d'apprentissage, en groupe d'action.

Cette centration sur une activité « extérieure » a souvent
une origine elle-même extérieure, c'est-à-dire autoritaire et
bureaucratique. Elle résulte alors de la volonté de quelqu'un
d'autre qui peut selon les cas, soit se trouver intégré dans le
groupe (comme dirigeant du groupe), soit se trouver hors du
groupe et exerçant sur lui une surveillance et un contrôle.

Il serait intéressant de réfléchir sur le fait, assez mystérieux,
que la société organisée et hiérarchique tend d'un côté à
empêcher l'existence des groupes centrés sur eux-mêmes et
sur les participants, tandis qu'elle tend à provoquer l'existence
des groupes centrés sur des tâches et des actions extérieures.
Cela tient probablement au fait que les groupes de la

deuxième catégorie sont au sens propre des groupes exogènes et non endogènes. Leur finalité externe les rend capables de rester extérieurs aux participants (à la fois quant aux buts poursuivis et à la volonté de ceux-ci), ce qui est évidemment impossible pour les groupes de la première catégorie. Cela ne veut évidemment pas dire qu'ils restent toujours extérieurs aux participants puisque ceux-ci peuvent, dans certains cas, vouloir explicitement qu'ils existent et qu'ils fonctionnent.

Il est quasiment impossible d'animer d'une manière non-directive un groupe centré sur une tâche, qui n'est pas voulue explicitement par ses participants. L'animation non-directive risque en effet de permettre aux participants d'aller dans le sens qu'ils désirent et de centrer le groupe soit sur une autre tâche, soit sur les participants. Le groupe change alors de nature et échappe à la volonté de ceux qui le commandent. Cela peut avoir une valeur de contestation, qui est loin d'être sans valeur, mais on ne peut plus dire alors que le groupe en question soit *le même groupe* que celui dont il était question initialement. Il s'agit d'un autre groupe, même s'il est composé des mêmes participants.

Un groupe issu d'une volonté étrangère et qui doit rester centré sur la tâche prévue ne peut être mené que d'une manière autoritaire, c'est-à-dire d'une manière directive. Cela ne veut pas dire qu'il deviendra efficace et productif pour autant. Bien au contraire, les groupes de ce genre se caractérisent généralement par leur inefficacité et leur improductivité. Les participants ont l'air de « faire quelque chose » car ils acceptent « l'ordre du jour » et travaillent dans le sens prévu, mais ils ne font la plupart du temps qu'entériner des décisions déjà prises par d'autres ou que faire une activité de pure exécution. On peut à peine parler de groupe, tant les participants sont séparés les uns des autres et sans rapports entre eux.

Mettons de côté ces groupes issus d'une volonté étrangère et considérons seulement les groupes issus de la volonté même des participants et qui se centrent sur une tâche.

Tout d'abord, il faut faire remarquer que de tels groupes ne peuvent exister s'ils ne se centrent pas, à un moment quelconque, sur eux-mêmes et sur les participants. En effet, même si ceux-ci se sont réunis entre eux « pour réaliser cette tâche » (ou parce qu'on la leur a proposée) et non pour faire une expérience de communication, ils ne peuvent pas ne pas comparer, à un moment ou à un autre, leurs intentions, leurs projets et leurs finalités. Cela est indispensable pour qu'ils réalisent le minimum d'unité qui est nécessaire à leur efficacité. Certes, cela n'implique pas qu'ils se centrent sur la vie personnelle et les sentiments intimes de chacun, ni sur toutes leurs communications interpersonnelles, mais cela implique au moins qu'ils se centrent sur les objectifs, les projets, les moyens, les rapports de travail en tant que ceux-ci sont intériorisés et vécus par chacun et par tous. Il s'agit bien d'une centration sur la subjectivité, qui exclut la seule centration sur des objets et des contenus.

Dans cette phase de la vie du groupe, l'animateur se comporte comme il le ferait dans un groupe centré sur lui-même ou sur les participants, à cette différence près qu'il accepte lui aussi les limites imposées par la situation (de centration sur une tâche) et ne cherche pas à tout prix à transformer ce groupe en « groupe de base », ce qui va contre la volonté des participants.

En ce qui concerne l'animation du groupe sous son aspect essentiel, l'animateur fait des interventions très différentes de celles qu'il faisait dans les types de groupes précédents. Il a en effet pour rôle alors d'éclairer non pas les participants eux-mêmes, ou leurs messages, ou leurs communications, mais les procédures et organisations qu'ils se donnent, les thèmes et sujets qu'ils abordent, les réalités qu'ils rencontrent à l'extérieur.

L'animateur devient un expert et, d'une certaine manière, un enseignant. Certes, il ne peut se comporter comme un enseignant traditionnel qui fait des cours magistraux et prétend détenir le savoir. Il doit considérer que les participants eux aussi possèdent des compétences et des connaissances qu'ils doivent utiliser. Il n'en reste pas moins qu'il transmet un savoir, qu'il donne des conseils, qu'il détermine des choses à faire et à ne pas faire, qu'il fait des actions extérieures.

Ses interventions se situent dans trois champs distincts et complémentaires, qui correspondent à trois types de compétence, à savoir :

1. Sur le plan de l'organisation. Le moniteur est alors un conseiller d'organisation.

2. Sur le plan des connaissances théoriques ou appliquées. Le moniteur est alors un enseignant ou tout au moins un spécialiste.

3. Sur le plan de l'action extérieure. Le moniteur est alors un guide et un modèle.

Je ne détaille pas les interventions possibles du moniteur dans chacun de ces trois champs. Il est loisible au lecteur de les imaginer. Contentons-nous de dire que de telles interventions ne peuvent consister qu'à proposer et non à imposer. Il faut plutôt poser des questions, susciter des problèmes, montrer des choix possibles, stimuler, que donner des solutions fermées qui ne laissent plus place qu'à l'exécution.

Les risques de déviations possibles sont extrêmement nombreux, étant donné la multiplicité, dans la vie sociale, des « groupes de tâche » n'ayant aucun caractère non-directif. Il existe des « mauvais modèles » et ceux-ci ne demandent qu'à être suivis. Signalons seulement trois de ces déviations.

1. Le moniteur risque très vite de se centrer sur les objets plutôt que sur les besoins, à cause du caractère apparemment clair et rassurant des premiers. Il en résulte qu'il décroche des besoins réels des participants, sous prétexte de logique, de cohérence et d'objectivité. Les participants ne sont plus concernés et le moniteur les embarrasse plutôt qu'il ne les aide.

2. Le moniteur, même s'il répond aux demandes et aux besoins, peut fort bien exagérer son rôle et son importance et prendre trop de place, ce qui veut dire souvent trop de temps. Il se laisse aller à des développements exagérés et souvent à de véritables cours. Il justifie ceux-ci en disant qu'ils sont demandés, mais c'est une fausse justification.

3. Le moniteur, trop sensible aux demandes formelles qui justifient ses interventions, risque de ne pas voir la part de dépendance, de passivité et de biaisements qu'il y a dans ces demandes. Au lieu de les comprendre et de les interpréter, il les considère comme des consignes impératives. De ce fait, il accentue la dépendance des participants qui n'ont que trop tendance à attendre de lui la vérité et à exécuter ses directives. Il ne peut, à aucun moment, cesser d'être un « psychosociologue » qui analyse des demandes et comprend des besoins.

La position institutionnelle du moniteur.

Dans tout ce qui précède, j'ai considéré le moniteur dans le cadre étroit des relations qu'il a avec le groupe lui-même une fois constitué, indépendamment des relations qu'il a ou peut avoir avec l'extérieur. J'ai analysé ses rapports endogènes avec le groupe et non exogènes. Pour parler un autre langage, je n'ai pas fait allusion à la position institutionnelle du moniteur.

Cette position institutionnelle est cependant très importante car elle détermine :

1. l'existence du groupe,
2. la position du moniteur par rapport au groupe et en particulier le fait qu'il est moniteur,
3. les rapports du moniteur avec la société globale dont dépend, indirectement, la signification même du groupe.

Considérons successivement ces trois points :

1. Le moniteur fait généralement partie d'une institution qui peut être, selon les cas, une institution psychosociologique, une institution scolaire ou une institution productive quelconque. Cette institution vit, d'une manière ou d'une autre, des prestations qu'elle fait aux participants, en ce sens que ceux-ci « paient » ces prestations ou, s'ils ne les paient pas, les font payer indirectement par d'autres (par exemple par l'État). Dans cette mesure, elle a intérêt à recruter des clients, à les prendre en charge matériellement, à leur offrir toutes les conditions favorables pour qu'ils puissent exercer leurs activités. Nous parlerons donc d'un « désir » de l'institution qui se matérialise dans les désirs de l'ensemble de ses membres. Ce désir concerne non seulement les participants mais le moniteur lui-même, qui devient objet de désir de la part de l'institution. Ou encore on pourrait dire que l'institution a une volonté *sur* le moniteur.

En face de ce désir de l'institution, il y a ce désir du moniteur lui-même qui ne s'identifie pas avec le désir de l'institution. Le moniteur a en principe choisi le métier qu'il fait et, s'il l'a choisi, c'est que celui-ci lui plaît et lui apporte des profits psychologiques non négligeables. Il se peut évidemment,

comme le feront remarquer les psychanalystes, qu'il cherche
ce faisant à revivre certains rapports qu'il a eus avec son père
ou avec sa mère, par exemple en cherchant à avoir sur d'autres
personnes l'influence que ceux-ci voulaient l'empêcher d'avoir
ou en instituant avec autrui un rapport non-directif opposé
au type de rapport qu'il a eu avec eux, etc. Tout cela est possible mais n'a pas, à mon avis, une énorme importance. L'important n'est pas l'origine de ces attitudes et de ces désirs, qui
n'intéresse qu'un observateur extérieur, mais leur nature et
la manière dont il les vit. Il y a une grande différence, de ce
point de vue, entre un moniteur qui a eu la possibilité de
découvrir le rapport d'aide, quelle que soit la manière dont
il l'ait découvert, et celui qui n'a pas eu cette possibilité.

Celui qui a eu la possibilité de découvrir le rapport d'aide
est capable de se situer dans un tel type de rapport. Cela
signifie qu'il est capable de s'articuler et de s'ajuster au désir
d'un autre, pour le plaisir même de le faire. C'est cela en effet
le rapport d'aide, qui s'oppose en ceci au rapport de protection : il ne s'agit pas de vouloir le bien de l'autre malgré lui et
même contre lui (contre ses désirs destructifs), mais comme
il le voit lui-même, même s'il se trompe. Certes, tous les désirs
des participants n'ont pas la même valeur pour permettre
un tel type de travail, un tel type d'ajustement, et en ce sens
le moniteur a des objectifs, mais ces objectifs concernent
davantage son action même (qu'il veut effectuer et pouvoir
effectuer) que l'action des participants.

Quand le moniteur est hostile au rapport d'aide tel qu'il
vient d'être défini, il se réfugie souvent dans des désirs régressifs de puissance. J'entends par là des désirs de puissance qui
ne peuvent pas se réaliser complètement et qui se satisfont
de situations insuffisantes pour les satisfaire. Les situations
de groupe non-directif sont par excellence de telles situations
qui ne permettent pas, nous l'avons vu, un vrai exercice du
pouvoir mais seulement un exercice tronqué et diminué. C'est
toujours mieux que la soumission pure et simple et la situation de simple exécutant. Cela vous donne une apparence de
pouvoir.

Quels que soient les désirs du moniteur dans la situation de
groupe, ces désirs entrent en interférence et souvent en conflit
avec les désirs de l'institution que j'ai évoqués plus haut.

Cela peut se passer à deux niveaux : soit au niveau du rapport direct entre le moniteur et l'institution, soit au niveau du rapport indirect entre les deux à travers les participants. Ceux-ci en effet ne voient pas seulement le moniteur en lui-même, mais aussi à travers l'institution qui le présente et qu'il représente. Cette perception peut fausser considérablement les rapports du groupe avec le moniteur.

Ces interférences affectent toutes les relations du moniteur avec le groupe, et tout particulièrement au moment où il s'agit de constituer celui-ci, de le faire naître.

Il se pose en effet à ce moment des problèmes spécifiques, que je ne peux pas passer tous en revue mais simplement évoquer. Un de ces problèmes est celui de l'offre qu'on fera à des participants éventuels qui pourront peut-être ultérieurement constituer un groupe. Un autre est celui des règles et des limites qu'on impose à un groupe au départ. Un troisième est celui de la dimension du groupe.

Par rapport à ce dernier problème, le moniteur se heurte souvent au désir de l'institution de ne constituer que des petits groupes qui posent moins de problèmes que les grands groupes. Les petits groupes en effet ressemblent plus aux groupes de la vie courante qui sont très fortement chargés de menaces, à cause des rapports de face à face qu'ils créent. Ces menaces provoquent un accroissement des défenses et, par voie de conséquence, un refoulement plus fort de l'expression des désirs et un camouflage plus fort des défenses elles-mêmes, d'où résulte une apparence de bienveillance, de bon fonctionnement et d'accord, qui n'est en fait qu'une neutralité armée. Les grands groupes sont généralement plus explosifs que les petits groupes et, même s'ils vont plus loin, cela tend à les faire redouter par les institutions. Il y a alors conflit entre les impératifs de sécurité et d'efficience.

Cette opposition des institutions aux grands groupes s'exprime souvent dans un refus de l'institution de laisser les participants prendre en charge l'organisation du stage (ou de la formation) en totalité ou en partie. C'est un refus de la co-gestion avec les participants ou de l'auto-gestion. Beaucoup des idées des psycho-sociologues « institutionnalistes » dans les années 60 ont été dans ce sens. Ils se sont heurtés à la résistance des institutions.

L'animation non-directive des groupes.   14

2. Les interférences entre l'institution et le moniteur se situent encore à un autre niveau, différent du niveau très institutionnel que je viens d'analyser. Il s'agit du niveau de l'animation elle-même, où se pose le problème du style d'animation et d'intervention qu'adopte le moniteur.

Nous rencontrons ici deux formules extrêmes qui ont chacune des inconvénients importants. La première est représentée par une attitude fusionnelle de l'animateur qui exclut toute animation, au sens propre du terme ; la seconde par une attitude pseudo-directive ou pseudo-autoritaire de celui-ci.

L'attitude fusionnelle ne se rencontrait guère dans les débuts de la psycho-sociologie, vers les années 50 et 60, à cause du souci des psycho-sociologues de prendre une attitude nettement « professionnelle ». On a commencé à la rencontrer davantage à partir de 1968 en France et elle est actuellement assez fréquente.

Elle a pour origine généralement une certaine position du psycho-sociologue à l'égard de son institution et des institutions en général. Il veut à tout prix se désolidariser de celles-ci, ne pas passer pour son représentant, se trouver à égalité avec les participants, et, à la limite, devenir un participant « comme les autres ». Il décide donc d'intervenir dans le groupe comme le ferait n'importe quel participant, sans se contrôler et en exprimant ses désirs « particuliers ».

Malheureusement il ne supprime pas ainsi son statut institutionnel, qui consiste, selon les cas, à être un « animateur » au titre salarié, un « professeur » ou un enseignant dans une hiérarchie enseignante, l'organisateur du stage et de la formation, etc. Le statut ne peut être « gommé ». Il est connu par les participants et ceux-ci voient le moniteur à travers ce statut, quelle que soit son attitude. Il en résulte paradoxalement que le moniteur, au lieu de réaliser une situation « égalitaire » avec les participants, accentue encore davantage le poids de son statut en voulant « fonctionner » et se comporter comme eux. Il les écrase littéralement et beaucoup plus que s'il restait dans une position d'analyste non impliqué. Au lieu en effet d'établir une sorte d'équilibre, de compensation vécue à l'égard de son statut institutionnel, en s'effaçant volontairement et en se constituant comme aide extérieure, il lève tous ses contrôles et se permet toutes les interventions dont il a envie, qui ont cent fois plus de poids que celles des autres participants. Ceux-ci réagissent et il en résulte une centration massive sur le moniteur, avec une multiplication des manifestations de contre-dépendance et une élévation considérable du taux de l'angoisse. Les participants, au lieu de vivre une expérience de communication, vivent une expérience de contre-dépendance, qui n'a rien de spécialement originale et qui ne leur apporte pas grand-chose.

L'autre position, celle qui consiste à rétablir carrément des rapports d'autorité, aboutit aux mêmes résultats par une voie différente.

Nous avons déjà vu en quoi elle consiste, quand nous avons analysé les procédés d'animation qui rétablissent la directivité par le biais de « l'interprétation » ou de l'utilisation de techniques préformées. J'insisterai seulement ici sur le fait que l'adoption de tels procédés résulte très souvent d'une négociation complexe entre l'institution et le moniteur. La première, pour se sécuriser et même pour obtenir de la clientèle, offre des « produits » relativement structurés et rigides, et les impose à ses moniteurs. Le moniteur est contraint de les accepter, ou plus exactement, il s'y croit contraint selon le niveau de sa dépendance à l'égard de l'institution. Très souvent aussi, il le fait spontanément et pas sous la contrainte, pour trouver une protection contre les dangers de la situation. Par exemple, il invoque le « contrat » que le participant a « passé » avec l'institution (ou qu'il est censé avoir « passé », ce qui est généralement faux) et refuse, sous ce prétexte, d'avoir avec les participants d'autres rapports que ceux qui sont prévus par ce contrat. Toutes ces manipulations subtiles aboutissent aux résultats que nous avons déjà entrevus, qui se résument dans une augmentation considérable de la contre-dépendance et du taux de l'angoisse. Cela est loin d'être positif.

3. Un troisième aspect du rapport du moniteur avec le monde extérieur se traduit dans les objectifs « à long terme » du moniteur et dans les positions qu'il adopte quand il n'est plus moniteur et qu'il est seulement un membre de la société globale. Non seulement il a des opinions et des attitudes vis-à-vis de cette société, mais ceux-ci modifient ses comportements de moniteur. Si, par exemple, il « conteste » les buts

et les structures de la société globale et traduit cette contestation dans des options politiques, il en arrive souvent à justifier son activité de moniteur par ces options politiques.

Cela peut avoir une valeur très positive s'il y a congruence
entre les options politiques du moniteur et les tendances de
sa personnalité. Ses options politiques renforcent alors son
attachement au métier de moniteur et à une certaine forme
d'animation, en lui fournissant des motivations supplémentaires à l'un et l'autre.

Mais il se peut aussi qu'il n'y ait pas congruence, et que,
par exemple, le moniteur n'éprouve pas une inclination particulière à se mettre au service des autres et ne ressente pas un
très grand plaisir dans l'activité d'ajustement en quoi consiste
spécifiquement l'animation. Son activité de moniteur n'a plus
alors qu'une valeur instrumentale et devient une forme parmi
d'autres d'agitation politique. Il est fort probable qu'il insis-
tera alors davantage sur certaines innovations institutionnelles
proposées par certains, dans le sens de la co-gestion et de
l'auto-gestion, qui lui apparaîtront non pas comme des moyens
pour augmenter la liberté des participants et le champ de son
intervention, mais comme des méthodes pour agir politiquement. Georges Lapassade représente assez bien ce genre de
tendance ; il affirmait récemment que l'auto-gestion n'était
pour lui qu'une méthode parmi d'autres pour introduire des
« analyseurs », c'est-à-dire des explosifs, dans le champ social.

Cela est extrêmement dangereux du fait que cela introduit
un biaisement non seulement dans l'animation elle-même,
mais dans l'action politique.

La centration exclusive sur le « but final » qui connote une
indifférence radicale à l'égard des « moyens » qui sont considérés seulement comme des « moyens », justifie en effet la réintroduction à ce niveau de toutes les attitudes possibles et
même des pires. La non-directivité ne sera plus prise au sérieux
en elle-même, à cause des rapports positifs et constructifs
qu'elle permet entre toutes les « parties » (entre participants
et entre moniteur et participants), mais sera considérée comme
un procédé d'agitation. Elle sera respectée dans sa forme, à la
rigueur, mais sûrement pas dans son esprit. Le moniteur
réintroduira la directivité de tous les côtés par les méthodes
les plus subtiles. Il en résultera une très forte contre-dépen-

dance des participants et, par voie de conséquence, une véritable impuissance de l'animateur qui fera reculer d'autant le « but final ».

Il faut ajouter à cela que les participants, même s'ils sont d'accord avec les options politiques du moniteur, non seulement en arriveront à critiquer sa personne et ses méthodes personnelles, mais même les institutions qui prétendent aller dans le sens de l'ouverture et du changement social. Ils se trouveront renforcés dans l'idée que toute entreprise humaine procède de « sombres desseins » et de « noires manipulations », ce qui est l'expression même de la dépendance et du conservatisme, et en aucune manière l'expression de l'esprit révolutionnaire.

La conclusion évidente de tout ceci est qu'il doit y avoir harmonie entre les options politiques et sociales de l'animateur et les positions qu'il prend dans l'animation. Cette harmonisation n'est pas automatiquement réalisée du seul fait que l'animateur a des positions « de gauche » ou contestataires. Celles-ci peuvent très bien résulter d'une volonté sourde de domination, elle-même issue d'attitudes paranoïdes à l'égard des hommes et de la société. La méfiance systématique à l'égard de ceux-ci n'est en rien une garantie d'authenticité dans l'animation, bien au contraire (pas plus que dans n'importe quoi).

Cette harmonie existera par contre si l'animateur est capable de « se finaliser » dans l'activité même qu'il fait, ce qui ne veut évidemment pas dire qu'il s'en contente. Il se « finalise » en elle s'il est capable d'éprouver dans cette activité un plaisir qui la lui fasse rechercher pour elle-même et non pour un but extérieur quelconque. Il se trouve alors en symbiose avec sa propre conduite dans l' « ici et maintenant », dans une position d' « intériorité », dans le refus d'un perpétuel « ailleurs » (expression de l'aliénation), ce qui peut lui assurer son bonheur personnel. C'est du moins une des voies vers le bonheur personnel. Le « principe de plaisir » est en définitive la garantie de l'authenticité de l'animation.

CHAPITRE VI

DYNAMIQUE DES GROUPES NON-DIRECTIFS

Arrivons-en au problème essentiel : comment évoluent les groupes qui sont menés d'une manière non-directive ? Comment se comportent les participants dans ces groupes ?

Je dis que c'est le problème essentiel pour la raison bien évidente que l'animation n'est destinée à rien d'autre qu'à permettre une telle évolution à la fois du groupe et des participants ? S'il est vrai, comme j'ai essayé de le montrer, qu'elle doit être voulue pour elle-même par l'animateur non pas pour « provoquer des changements » mais pour satisfaire son désir d'entrer dans une relation d'aide, il n'en reste pas moins que les changements en question sont visés explicitement à la fois par les membres du groupe et par leur environnement et constituent donc la vraie finalité du groupe.

Les effets de la non-directivité.

Il n'est pas évident *a priori* que la Dynamique des groupes non-directifs, quelles que soient leur forme et leur insertion, soit identique à la Dynamique des groupes directifs. Et cependant il doit exister une certaine relation entre les deux. Ce sont les mêmes individus qui y participent, avec les mêmes pulsions et les mêmes tendances fondamentales, avec la même psychologie et les mêmes structures. La différence, s'il y en a une, doit provenir du fait que dans un cas, celui du groupe non-directif, on libère les tendances et les pulsions, on leur permet de s'exprimer au maximum, on les favorise, tandis que dans l'autre, celui de groupe directif, on les limite, on les canalise et on les réprime.

Toute notre réflexion peut partir de cette différence fondamentale.

Que doit-il se produire si on libère les tendances et les pulsions d'individus en groupe ? Beaucoup prédiraient l'anarchie et le désordre. Et il est possible en effet que de tels phénomènes se produisent. L'anarchie et le désordre ne sont pas à exclure de notre considération, sauf si l'on éprouve à leur égard une répulsion invincible, qui demande à être analysée. Une telle répulsion ne constitue en rien une position raisonnée mais seulement une réaction émotionnelle. Elle n'a pas grande valeur pour aider à la compréhension.

Je pourrais cependant faire un pari, qui constitue déjà plus qu'une hypothèse, une quasi-certitude, à savoir que l'anarchie et le désordre finiront par être dépassés et laisseront la place à d'autres transformations, de caractère positif et constructif. Le groupe de ce genre deviendra, finalement, un lieu de développement considérable pour les individus et un foyer d'énergie pour l'entourage. Il sera un facteur de progrès social et humain.

Sur quoi puis-je m'appuyer pour émettre une opinion aussi tranchée et aussi optimiste ?

Avant de répondre à cette question, je ferai une distinction préalable entre les groupes que j'appellerai « naturels », centrés sur une production quelconque, fortement insérés dans le champ social, qui peuvent être de taille extrêmement variable, et les groupes que j'appellerai « artificiels », centrés sur la formation, qui sont nécessairement de taille assez réduite et plus ou moins séparés du contexte social ambiant. L'école rentre dans cette seconde catégorie.

Le problème avec les groupes naturels — que nous avons déjà entrevu antérieurement — est qu'ils ont tendance à ne pas rester longtemps non-directifs, même s'ils le sont au point de départ. Ils courent en effet de très grands dangers. Ces dangers peuvent avoir une double origine. D'un côté, le risque existe que des forces extérieures dominatrices interviennent et s'imposent au groupe non-directif auquel elles enlèvent du même coup leur non-directivité. D'un autre côté, il y a le risque que des forces internes au groupe émergent et se transforment en pouvoirs dominateurs qui rétablissent la directivité.

La non-directivité ne peut se maintenir que s'il existe une protection contre de tels dangers, venant soit de la nature, soit de contingences historiques.

Considérons le cas où la protection vient de la nature ou, si l'on préfère, des conditions géographiques. Cela se produit quand il y a la conjonction de deux phénomènes, à savoir d'un côté l'insularité, qui crée un éloignement à l'égard de toutes les collectivités extérieures, et de l'autre un environnement favorable à l'homme, à cause du climat, de la fertilité du sol, du relief, etc., qui assure l'efficacité de l'action productive et un développement corrélatif des facultés humaines.

L'insularité se rencontre fréquemment sur le globe terrestre et crée d'emblée un milieu tout à fait particulier et intéressant à considérer. Elle a d'ailleurs attiré l'attention de nombreux penseurs, qui ont fabulé sur le mythe du groupe ou de l'individu isolés, qui échouent sur une île déserte et se trouvent coupés du reste du monde. Contrairement à ce que certains affirment, les phénomènes habituels des sociétés humaines n'ont pas tellement tendance à réapparaître.

Cependant, l'insularité par elle-même ne suffit pas. Elle doit être accompagnée d'un environnement favorable à la vie humaine, qui permet l'apparition en grand nombre d'individus créatifs et riches, qui s'opposent aux tentatives de domination de certains autres et qui mettent en place des institutions démocratiques. Celles-ci, je l'ai déjà dit, ont pour fonction de protéger la collectivité contre les principales forces de domination.

La conjonction entre insularité et environnement favorable s'est produite souvent à l'époque proto-historique, à une époque où les moyens de transport limités ne permettaient pas de vaincre l'insularité et où, par contre, un certain développement technologique permettait de profiter vraiment d'un environnement favorable (dans la période qui a suivi le néolithique). Elle a donné naissance aux premières grandes civilisations, celles qui ont assuré les premiers progrès de l'humanité. Parmi ces civilisations on en trouve de proprement insulaires, comme celles qui sont apparues en Grèce (où la civilisation a commencé dans les Iles à l'époque néolithique), en Polynésie (phénomène de l'île de Pâques), dans l'archipel de la Sonde (Java, Sumatra, Bali, etc.). On en trouve aussi des semi-insulaires, comme celles qui apparurent dans les grandes vallées des zones désertiques et semi-désertiques, en Mésopotamie, en Égypte, en Chine, en Inde, au Mexique, au Pérou, etc., à une époque où les grandes hordes venues des montagnes et des déserts — dangers majeurs pour l'humanité — ne se sont pas encore manifestées.

Ce n'est pas un hasard si la démocratie, malgré toutes ses limitations, est apparue en Grèce, si la Polynésie et les Iles de la Sonde ont connu un développement artistique sans précédent, si l'agriculture et l'industrie (découvertes du métal, du verre, de la poterie, de l'écriture) se sont développées surtout dans les grandes vallées précédemment énumérées. Cela confirme la théorie de la valeur éminente d'une non-directivité pour ainsi dire naturelle. Les phénomènes qui se sont produits postérieurement à l'époque proto-historique, dans les grandes vallées des zones désertiques, quand les invasions eurent créé ce qu'on appelle aujourd'hui les « despotismes orientaux », confirment *a contrario* cette même théorie.

La protection, je l'ai dit, peut aussi venir de conjonctures historiques précises, quand des courants humains opposés et contradictoires se rencontrent et entrent en interférence, et quand il se crée, de ce fait, des zones de transition où la créativité devient possible. Cela s'est produit dans les endroits du monde relativement isolés, sans pour autant être tout à fait protégés, qui échappaient, du fait de leur faible protection, à la domination exclusive d'une seule puissance dominatrice. Deux cas historiques peuvent être cités. Le premier est celui de l'Europe Occidentale qui échappe partiellement du fait de sa situation péninsulaire et de ses barrières montagneuses aux diverses invasions : perses (Marathon), tartares (les Huns), mongoles (Gengis Khan), arabes, etc., et qui finit par être le théâtre de toutes les influences et courants qu'on peut rencontrer sur la planète. Les heurts entre toutes ces forces permettent à un grand nombre d'individus d'échapper à chacune d'elles et de devenir des chercheurs et des inventeurs dans tous les domaines. Ces individus marginaux, à cheval sur plusieurs collectivités et n'appartenant vraiment à aucune d'elles, sont les grandes figures du monde occidental et en ont assuré l'évolution. Le second cas est celui de l'Amérique, qui, du fait de son isolement par rapport à l'ancien monde, n'a pas connu d'invasions mais seulement des immigrations. Cela a permis à des collectivités étrangères et opposées de se retrouver sur le même sol et de connaître ces phénomènes d'interférences dont j'ai parlé. Je ne peux pas entrer ici dans une analyse en profondeur de ces phénomènes, qui sont complexes, et parfois difficiles à saisir.

Si l'on veut bien y réfléchir, on s'apercevra que tous les grands progrès dans l'humanité se sont produits à la suite d'un relâchement des contraintes, d'une libéralisation, bref d'un surgissement de non-directivité. Par exemple, la révolution industrielle, sous ses aspects positifs, c'est-à-dire en tant qu'elle met en place de nouveaux dispositifs technologiques, est intimement liée aux révolutions démocratiques du XVIIᵉ et XVIIIᵉ siècles. La bourgeoisie se libère du carcan féodal et aristocratique, en même temps que les classes populaires, et profite de cette libération pour affirmer sa créativité. Cela ne l'empêche pas de devenir à son tour dominatrice et d'imposer à son tour son carcan aux autres catégories sociales. Il faut maintenant se libérer de la bourgeoisie dont les tendances fascisantes risquent d'engendrer la paralysie. C'est la condition pour une nouvelle créativité, etc.

La libération des pulsions.

Les considérations précédentes risquent de ne pas être très démonstratives pour certains, qui ne sont pas sensibles aux phénomènes historiques de caractère général. C'est pourquoi je préfère m'appuyer, pour montrer le caractère positif de la non-directivité, sur une analyse clinique des groupes de formation, ce qui permettra en même temps de mettre en lumière les mécanismes fins de la Dynamique des groupes.

Revenons à nos remarques préliminaires, et spécialement sur le problème de la libération des pulsions à travers la non-directivité. Ces pulsions ne sont naturellement pas toutes positives et constructives. Certaines d'entre elles sont franchement destructives, agressives, dominatrices, super-défensives. Elles risquent donc de prendre le pas sur les autres et de transformer le groupe en un lieu d'affrontements et de

conflits, qui auront pour effet d'augmenter l'anxiété des participants.

Ce n'est pourtant pas ce que nous devons *a priori* prévoir.

Cela devrait se passer si les pulsions positives et négatives
étaient indépendantes les unes des autres et pouvaient
seulement s'équilibrer. Nous devrions assister alors à un
développement parallèle des deux systèmes de pulsions, à la
fois en eux-mêmes et quant à leurs conséquences. L'un des
deux systèmes prendrait le pas sur l'autre, selon les groupes
et selon les circonstances. Nous aurions des groupes qui évolueraient vers le conflit généralisé et qui ne permettraient
ainsi qu'une expérience de conflit, et d'autres qui évolueraient
vers des accords et des rapprochements et qui permettraient
une expérience de la communication.

En réalité, les deux systèmes de pulsion ne sont pas indépendants, comme nous l'apprend la psychologie. Le système
des pulsions négatives est subordonné à l'autre, celui des
pulsions positives. Ces dernières pulsions non seulement ont
tendance à se développer et à produire leurs effets spécifiques, mais elles contribuent en même temps à neutraliser
les pulsions négatives. Le schéma qu'on peut appliquer à été
découvert en psychologie animale et se vérifie dans la psychologie humaine. Les jeunes singes, chats ou rats qu'on
soumet à des traumatismes importants ne ressentent pas
de la même manière ces traumatismes s'ils ont à leur disposition des sources de satisfaction substantielles, parmi lesquelles il faut mettre la présence maternelle, et s'ils n'ont pas
à leur disposition ces sources de satisfaction. Dans le premier
cas, ils supportent assez bien les traumatismes et les oublient
rapidement. Dans le second cas, ils deviennent névrotiques,
craintifs, anxieux et pratiquement inguérissables.

La plupart des groupes de la vie courante, à cause de leur
rigidité et de leur caractère contraignant, ne comportent pas
ou comportent peu d'éléments positifs. C'est pourquoi ils
ne font qu'activer et renforcer les angoisses.

Les groupes non-directifs par contre, du fait de leur
ouverture, permettent tous, à un degré ou à un autre, le
développement et l'expression des pulsions positives.

Ce dernier point reste naturellement à démontrer. On pourrait imaginer des groupes non-directifs dans lesquels les

pulsions négatives prendraient d'emblée le dessus et bloque-
raient toute apparition des pulsions positives. En fait, cela
ne risque pas de se produire, pour une simple raison, à savoir
que les pulsions s'expriment toutes, si elles peuvent s'exprimer,
autrement dit s'il n'y a pas d'obstacle qui les empêchent. Or,
les obstacles ici, qui ne sont pas inexistants, sont cependant
extrêmement faibles, au moins dans les débuts. Il ne peuvent
venir ni du contexte institutionnel qui est permissif, ni des
participants eux-mêmes qui se trouvent dans un champ
ouvert, non structuré, qui ne comporte que des menaces
potentielles non actualisées.

L'ouverture initiale du champ permet l'émergence de
toutes les pulsions, sans exception, et, par voie de conséquence,
la création d'une dynamique dans laquelle les pulsions positives, même faibles dans les débuts, suffisent à ouvrir une
brèche dans le système de défense et d'angoisse, qui ne va pas
cesser de s'élargir, pour aboutir à un véritable abîme. Nous
allons assister à une lutte entre les deux systèmes de pulsions,
qui va assurer progressivement la victoire des pulsions positives, qui non seulement vont s'affirmer progressivement de
plus en plus mais vont neutraliser les autres pulsions.

Tout dépendra, en définitive, du fait qu'on aura donné au
départ leur chance aux pulsions positives, même faibles et
même embryonnaires, ce qui se produit rarement dans les
groupes de la vie courante.

Ce qui vient d'être dit n'est naturellement que le résultat
d'un raisonnement. Il reste à voir si les choses se passent bien
ainsi dans la réalité, c'est-à-dire quand on examine l'évolution
des groupes à partir de recherches précises.

C'est ce que nous allons faire maintenant, et, pour cela,
nous allons examiner successivement les points suivants :

1. Analyse des deux systèmes de pulsions en présence dans
les groupes : les pulsions négatives et positives.

2. L'évolution du groupe et des groupes en général.

3. Les différentes formules d'évolution qu'on rencontre
empiriquement dans les groupes.

4. Les différences entre les groupes centrés sur eux-mêmes
et centrés sur une tâche.

5. Application des données précédentes aux groupes naturels, insérés dans la production.

Le champ affectif initial.

Pour comprendre l'évolution des groupes, il faut partir, je l'ai dit, du champ affectif, qu'on pourrait aussi qualifier de pulsionnel, qui existe au départ, et qui va déterminer tous les phénomènes qui suivront.

Dans ce champ, j'ai noté la présence de deux types de pulsions, à savoir les pulsions négatives et les pulsions positives. Que faut-il entendre par là?

1. Les pulsions négatives. Le terme de négatif qu'on applique à ces pulsions ne connote aucun jugement péjoratif ou réprobateur. Il signifie seulement que ces pulsions visent à éviter ou à supprimer un mal, une douleur, une menace et non pas à provoquer un bien, un avantage, un plaisir. Je pourrais encore les appeler pulsions suppressives, ou même réductrices, en me référant au schéma de la « réduction de tension », chère à la doctrine de l'homeostasis. Ces pulsions recherchent l'apaisement plutôt que l'euphorie, la délivrance plutôt que le bonheur. Elles s'identifient avec la crainte, la peur, la jalousie, la tristesse, sous leur forme modérée, et, sous leur forme extrême, avec l'angoisse, l'anxiété, la haine, la panique, etc. Nous avons vu ailleurs (*Pour ou contre l'autorité*, chap. 4) que les superdéfenses — idéologies, croyances, mythes — procèdent directement d'elles sous leur forme extrême et visent à les satisfaire.

Un point important à noter est le fait que ces pulsions, bien que bonnes en elles-mêmes puisqu'elles visent à supprimer des maux, sont cependant mauvaises en ce sens qu'elles impliquent douleur et souffrance, tant que ces maux ne sont pas supprimés, et comme causes qui les font apparaître. Il n'y a pas de peur possible, par exemple, si on ne ressent pas l'événement dont on a peur comme une menace, c'est-à-dire si la pensée et l'attente de cet événement ne provoquent pas une souffrance. Cette souffrance dure tant que la peur n'a pas atteint la fin vers laquelle elle tend, à savoir la suppression de l'événement menaçant. On peut donc dire, sans abus de langage, que la peur elle-même fait mal, et on peut très légitimement vouloir se délivrer de la peur. On peut avoir peur de la peur. Ce qui signifie pratiquement qu'on peut craindre d'être sensibilisé à certaines menaces ou à certains maux, si cette sensibilisation n'est pas indispensable à la survie.

C'est pour cette raison que j'ai toujours considéré l'angoisse comme le pire des maux, même si elle vise à la suppression d'un mal possible. Elle est un mal subjectif, si l'on peut dire, par opposition au mal objectif qu'elle cherche à réduire. Elle est d'ailleurs à l'origine de toutes les maladies dites « mentales » qu'il faudrait plutôt appeler maladies « affectives », telles que névrose, psychose, paranoïa, schizophrénie, volonté de domination, etc.

Dans le domaine des groupes, l'angoisse est liée aux relations humaines et se traduit en haine, méfiance, agressivité, hostilité, sentiment de persécution, etc. Il faut toutefois distinguer l'angoisse qu'on pourrait appeler primitive, qui s'adresse à tout acte d'autrui susceptible de nous nuire ou de nous heurter, avec l'angoisse qu'on pourrait appeler réactive qui est une réponse à l'angoisse d'autrui et plus exactement à ses actes de défense ou de superdéfense, tels qu'autorité dominance, supériorité, etc. Dans le premier cas, l'angoisse répond à une attitude quelconque de l'autre. Dans le second cas, elle répond à l'angoisse de l'autre et se structure dans la réciprocité. C'est l'attaque et la contre-attaque.

L'angoisse primitive à l'égard de l'autre est à l'origine de toutes les attitudes qu'on pourrait qualifier d'offensives, qui aboutissent à la volonté de domination. Cette volonté de domination engendre effectivement la domination, le pouvoir, l'autorité, si l'autre est assez faible pour se laisser dominer, ou à une lutte de conquête, si l'autre se défend efficacement et ne se laisse pas dominer. Cependant il ne faut pas se faire d'illusion. Les attitudes que je qualifie d'offensives sont en réalité défensives pour celui qui les vit, car il les adopte parce qu'il se croit menacé, à tort ou à raison, par celui qu'il attaque ou qu'il écrase. Elles ne sont offensives qu'objectivement, si l'on peut dire, dans la mesure où elles dépassent la « légitime défense », la sauvegarde de ses intérêts immédiats, et vise à un état de choses qui neutralise complètement l'autre et le met à votre merci. La domination est en effet une réponse surdéterminée, qui ne vise pas seulement à résoudre un conflit d'intérêts actuel ou potentiel par la recherche d'une solution adaptée qui respecte les intérêts et l'existence de l'autre, mais qui vise à supprimer la possibilité même du conflit d'intérêts par l'écrasement et la suppresion de l'autre comme sujet autonome.

Les attitudes extrémistes qui aboutissent à la domination peuvent naître soit d'une erreur dans la perception de l'autre, soit d'un excès dans la réponse à des actes qu'il fait effectivement. Dans le premier cas, l'individu dominant exagère et comprend mal les comportements d'autrui, en lesquels il voit des signes de maux éventuels. Ils peuvent en effet avoir cette signification, mais cela ne les rend pas mauvais pour autant. Tout peut être signe de tout, et l'erreur est précisément de voir les comportements comme des signes et non pas comme des réalités. Dans le second cas, les comportements d'autrui qui sont effectivement nuisibles, pour une raison ou pour une autre, ne sont vus que sous leur aspect nuisible et uniquement comme des choses à supprimer. Dans l'un et l'autre cas, l'angoisse qui résulte d'une sensibilisation excessive à la nocivité d'autrui aboutit à considérer comme purement et simplement mauvais ce qui ne l'est que potentiellement ou relativement.

L'angoisse réactive, par contre, se caractérise par des attitudes qui sont explicitement défensives. La menace à laquelle on répond alors ne consiste plus dans un comportement quelconque de l'autre, mais dans son comportement de domination. On réagit à ce comportement de domination, c'est-à-dire finalement à l'angoisse de l'autre en face de vous. On réagit à l'image qu'il se fait de vous et qui est une image négative. On réagit à ses attaques, à ses agressions et à ses violences.

Cependant, là encore, l'attitude qu'on adopte ne consiste pas uniquement à se défendre efficacement de manière à ne plus être lésé, écrasé et exploité, tout en sauvegardant l'autonomie de celui qui vous lèse, vous écrase et vous exploite, mais à aller plus loin, en lui enlevant son autonomie et en le supprimant comme sujet humain. On fait à son égard ce qu'il fait à votre égard. On le traite comme il vous traite. Cela dépasse la simple vengeance, qui peut n'être qu'une réaction émotionnelle de prestance, et aboutit à la revanche, qui va beaucoup plus loin.

Deux attitudes sont possibles à partir de cette angoisse réactive, selon que le dominant exerce son pouvoir ou ne l'exerce pas.

La première de ces attitudes, que j'appellerai la dépendance, apparaît quand le dominant exerce son pouvoir et ne permet pas qu'on contrevienne à ses ordres et à ses volontés. La dépendance consiste à exagérer sa méchanceté et sa nocivité, et à se soumettre totalement à ses ordres et à ses volontés, au point de ne plus réagir contre eux en aucune manière, même pas par la critique intérieure ou l'insoumission larvée. C'est la servilité. Cela aboutit à supprimer le dominant comme personne, du fait qu'il ne se trouve plus défini et vécu que comme dominant. Il est pour ainsi dire enfermé dans sa dominance, c'est-à-dire finalement dans sa méchanceté. On ne discute plus, on ne traite plus, on ne négocie plus avec lui, on n'a plus aucun rapport d'égalité avec lui, là où le rapport d'égalité reste possible. On n'est plus qu'un subalterne, on se définit comme tel, ce qui revient à le définir entièrement comme supérieur. Si on le pouvait, on prendrait sa place et on ferait comme lui, puisqu'on ne conçoit pas d'autre rapport avec lui que l'écrasement. On l'écrase par sa soumisson comme on l'écraserait, éventuellement, par sa contre-dominance.

C'est en effet ce qui se passe dans la contre-dépendance, qui constitue l'attitude inverse dans le système de l'angoisse réactive : au moment où le dominant cesse d'exercer son pouvoir, ou ne peut plus l'exercer par faiblesse, ou ne veut plus l'exercer par libéralisme. La méchanceté absolue qu'on lui attribue continue d'exister pour celui qui a subi son pouvoir, malgré les preuves évidentes de sa faiblesse ou de sa bonne volonté. On profite donc du relâchement dans les menaces et dans les pressions exercées pour se mettre à son tour en position de dominant par rapport au dominant, et faire maintenant avec lui ce qu'il faisait antérieurement avec vous. On se symétrise par rapport à lui, on l'imite et on lui rend la monnaie de sa pièce. Politiquement cela donne le fascisme de gauche — l'extrême gauche — par opposition au fascisme de droite, qui est aussi totalitaire et aussi oppressif. Les armes se contentent de changer de camp. On renverse le sablier et on recommence, sans beaucoup de modifications.

Inutile de dire que le dominant, lorsqu'il est confronté à ces attitudes qui soit le constituent dans une situation de supériorité absolue, soit visent à le détruire à la fois comme dominant et comme être humain, renforce de ce fait sa dominance, pour laquelle il trouve d'excellentes justifications. L'extrémisme de gauche suscite le fascisme de droite. Nous entrons dans un cercle infernal dont il est difficile de sortir, car même les attitudes différentes qui permettraient de le faire sont rendues périlleuses du fait du caractère explosif de la situation.

2. Les pulsions positives. Les pulsions que je vais décrire maintenant sont positives en ce sens qu'elles ne se contentent pas de réduire un mal, une souffrance, une négativité mais créent au contraire des tensions, de l'action, de la recherche, du plaisir, de l'euphorie, de la positivité. Elles apportent quelque chose au sujet qui les possède. Elles lui permettent de croître et de se développer.

Ces pulsions se situent dans deux domaines possibles, l'un qui concerne plus directement le corps — le domaine primaire — où l'on rencontre le plaisir physique, l'autre qui concerne moins directement le corps et davantage le mental, la représentation, l'action à distance — le domaine secondaire — où l'on rencontre la créativité et l'épanouissement intérieur. Les pulsions positives primaires résultent de la sensori-motricité et de la sexualité, c'est-à-dire de systèmes d'action centrés sur le corporel. Les pulsions positives secondaires résultent des actions qu'on a appelées autotéliques, centrées sur elles-mêmes, qui consistent à chercher pour chercher, construire pour construire, créer pour créer, inventer pour inventer. Toutes visent un dépassement du sujet par lui-même et se traduisent dans la volonté de puissance, au sens de Nietzsche et Freinet, c'est-à-dire non pas dans la volonté de domination mais dans la volonté de s'affirmer et de se réaliser. Il y a dépassement dans les pulsions primaires, en ce sens que le sujet cherche à rencontrer le corps étranger, par exemple le corps d'autrui, et à s'identifier à lui, ce qui est particulièrement net dans l'acte sexuel, mais qui peut aussi se vérifier dans le jeu ou encore dans la jouissance esthétique. Dans les pulsions secondaires, ce dépassement s'effectue à travers une création de sa propre activité, des structures qui la sous-tendent, des objets et dispositifs qu'elle permet d'obtenir, des effets à long terme qu'elle vise.

Dans le domaine plus particulier des relations humaines, ces pulsions positives poussent à la communication, à la collaboration et à la participation. J'ai déjà parlé de la communication, qui consiste dans un échange des contenus psychiques et dans une action réciproque sur les mentalités, dans le but de pénétrer dans le monde de l'autre et de laisser le monde de l'autre pénétrer en soi. C'est la pulsion la plus importante dans ce domaine, qui aide les autres à se réaliser. La collaboration vise à une action faite en commun et aboutissant à un résultat extérieur aux deux partenaires. Elle peut parfois être voulue pour elle-même, en prenant seulement le prétexte d'une œuvre commune. Enfin, la participation consiste à s'accorder aux buts et aux entreprises d'un groupe ou d'une collectivité dans un but pratique ou désintéressé.

Ces pulsions se situent plutôt au niveau secondaire et définissent un sentiment qu'on pourrait appeler la fraternité, qui consiste à aimer et à désirer la relation avec autrui pour elle-même. Au niveau primaire, où le corps entre en jeu, on trouve évidemment une plus forte sélectivité, du fait qu'il est difficile d'avoir des relations corporelles avec tout le monde, comme cela est possible au niveau secondaire. L'amour, qui est le sentiment le plus important à ce niveau, est fortement sélectif et exclusif. Il implique toujours une certaine part de jalousie, qui ne devient pathologique que si elle prend des formes superdéfensives. L'amour vous attache à l'autre et attache l'autre à vous. Dans cette mesure, il permet souvent les contacts prolongés et répétés, qui sont indispensables pour établir des rapports humains en profondeur. Il débouche donc normalement — mais pas nécessairement — sur l'amitié, qui s'intègre à lui et en devient une composante.

L'amitié est un sentiment ambigu et mal défini, qui apparaît d'emblée comme sélectif, ce qui le caractérise. Il faut toutefois se méfier de cette sélectivité, qui ne joue plus cette fois au niveau primaire mais au niveau secondaire. Cela peut tourner à l'étroitesse et au rejet de tous ceux qu'on n'estime pas être des amis. On trouve souvent dans les groupes un tel rejet au nom de l'amitié et de la recherche de l'amitié. En réalité, cette sélectivité n'est admissible et positive que si elle résulte seulement des limitations dans les rapports et du fait qu'on doit se borner, par nécessité, à n'en établir qu'avec quelques-uns. L'idéal serait plutôt de pouvoir lier une amitié avec tout le monde et d'avoir une ouverture telle qu'on puisse multiplier ses amitiés dans toutes les directions.

L'amour, au sens large du terme, pourrait probablement servir à désigner toutes les pulsions positives, à quelque niveau qu'elles se situent. Aimer tout le monde et chacun, du plus proche au plus lointain, constitue probablement l'état maximal dans le cadre de ces pulsions. La seule condition est qu'on puisse rencontrer celui qu'on prétend aimer, ce qui est probablement désigné par le terme de « prochain » dans le langage biblique. La formule « aimer son prochain » signifierait donc aimer ceux qu'on est amené à rencontrer, quels qu'ils soient et où que ce soit. Cela ne peut être évidemment qu'un point vers lequel on tend et auquel on n'arrive jamais complètement. Il désigne un achèvement dans la fraternité et dans la sociabilité.

L'évolution des groupes centrés sur eux-mêmes.

Venons-en maintenant au problème central de ce chapitre : comment évoluent les groupes non-directifs centrés sur eux-mêmes ? Quelle est leur dynamique ?

J'ai parlé précédemment d'une lutte entre les pulsions négatives et positives dans le champ du groupe aboutissant à une certaine victoire des secondes sur les premières.

C'est en effet ce qu'on constate la plupart du temps et qui a été vérifié par tous ceux qui animent des groupes non-directifs.

Les deux phénomènes apparaissent : la lutte entre les deux systèmes et la victoire (relative) de l'un sur l'autre.

Voyons les deux choses successivement.

La lutte entre les deux systèmes se manifeste par une émergence massive, dans les débuts, des sentiments négatifs — agressivité, anxiété, etc. — qui s'attaquent de préférence aux manifestations de sentiments positifs. Cela se traduit de diverses façons, en particulier par les *silences*, les *attaques*, les *projections* et les *rationalisations*.

Les *silences* constituent un des phénomènes les plus importants dans les groupes. Le dépassement du silence, qui correspond à son acceptation, est essentiel et se réalise toujours. Le silence peut très bien résulter d'une simple difficulté à trouver quelque chose à dire (ou à faire) et à découvrir un terrain de dialogue. Mais il peut aussi provenir d'une crainte des autres, d'une peur de leurs réactions, d'une peur de soi-même, d'une peur de l'animateur.

Ce qui le rend dangereux est le fait qu'il est immédiatement compris et interprété avec cette dernière signification, en ce qui concerne les autres et soi-même. On ne s'inquiète pas d'un silence qui provient d'une convention sociale ou d'une censure sociale vis-à-vis de la communication, par exemple dans le métro. Cela apparaît normal et ne signifie rien du point de vue des sentiments d'autrui. Par contre, on s'inquiète du silence qui s'établit là où pourrait et devrait s'établir la communication. Il devient alors la preuve tangible que les autres se méfient de vous et qu'on se méfie d'eux. Puis, par un phénomène de boule de neige, la perception de cette méfiance — qui est une forme de communication — augmente encore la méfiance, et on s'enfonce dans un état de paralysie générale, dans un silence dense « à couper au couteau », dans lequel l'anxiété atteint son maximum.

On peut heureusement en sortir, puisque tout est possible dans un groupe non-directif, et on le fait généralement en rompant le silence « pour le rompre » et en finissant par parler du silence lui-même. Cela permet de calmer l'angoisse et de la neutraliser par le processus inverse, c'est-à-dire par la communication, qui prend dès lors une valeur quasiment curative. On entre, à partir de ce moment, dans un processus lent et progressif, qui amènera les membres du groupe d'une part à avoir moins peur des autres, donc à pouvoir s'exprimer, et d'autre part à pouvoir vivre les silences comme des choses normales et non chargées d'angoisse.

Le même phénomène se passe pour les silencieux du groupe, qui ont à la fois peur de leur propre parole et peur de la parole des autres. L'angoisse qu'ils éprouvent du fait qu'ils ne parlent pas se trouve très vite diminuée par le fait qu'ils participent tout de même à la communication en tant que récepteurs. Cela ne serait évidemment pas possible si on les contraignait à s'exprimer.

Un autre phénomène, bien connu dans les groupes et soumis, comme le précédent, à une forte évolution, est *l'attaque*. J'en ai déjà parlé précédemment et j'ai dit qu'il fallait y voir l'amorce du processus de domination. L'attaquant est un dominant potentiel qui manifeste son angoisse face à autrui de cette manière. Malheureusement, dans un groupe non-directif, il y a peu de possibilités pour aller plus loin et pour structurer un vrai rapport de domination. Les instruments institutionnels font défaut. L'autorité (l'attitude autoritaire) est possible mais non le pouvoir.

L'attaque se manifeste de multiples façons. Une de ses formes les plus habituelles consiste, de la part des participants du groupe, à observer attentivement les autres, pour arriver à les prendre en défaut. Cela une fois fait, on fait remarquer la faute avec complaisance, on insiste sur elle, on la met en relief, comme si elle définissait le comportement de celui qui s'exprime. Cette attitude négative peut devenir une véritable manie dans le groupe et aboutir au phénomène de cascade.

Le phénomène de cascade consiste, de la part d'une série de participants, à se reprocher les uns aux autres leurs attitudes de reproche, de telle sorte que chacun se comporte vis-à-vis du précédent comme le suivant se comporte vis-à-vis de lui. Par exemple :

— Pierre. Je ne comprends pas comment Odile peut parler ainsi de sa mère. Elle se masque à elle-même la réalité. Les bonnes relations qu'elle évoque cachent autre chose qu'elle ne veut pas voir.

— Albert. Tu ne vas tout de même pas suspecter la parole d'Odile et prétendre que tu sais mieux qu'elle ce qu'elle ressent pour sa mère. Quelle outrecuidance !

— Jean. Pourquoi agresses-tu ainsi Pierre ? Tu es trop agressif. Il a le droit de dire ce qu'il veut et il peut tout de même suspecter les paroles d'Odile. Où allons-nous si on ne peut même plus dire ce qu'on veut ?

— Madeleine. Ce n'est pas vrai. Albert n'est pas du tout agressif. Tu passes ton temps à t'en prendre à lui et tu lui prêtes ta propre agressivité. Tu es toujours injuste et excessif.

— Jeanne. Je ne suis pas d'accord. Albert est très agressif

et Madeleine ne peut pas dite le contraire. Cela prouve qu'elle
a un problème avec Jean... etc.

La chaîne qui s'établit alors peut être symbolisée de la manière suivante :

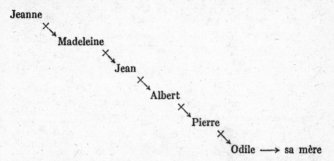

Une autre forme d'attaque, moins fréquente, et qui porte
cette fois-ci plutôt sur la parole elle-même que sur son contenu, consiste à interdire la parole à autrui en la prenant
soi-même d'une manière intempestive. La parole devient alors
une arme entre les mains de celui qui l'utilise, qui la dirige
contre qui il veut. Généralement, cela aboutit, chez ce dernier, à des contradictions incessantes, à des répétitions inu-
tiles, bref à un flot verbal dont le contenu n'a pas grand intérêt et n'est pas très personnalisé.

Cette dernière forme d'attaque s'accompagne souvent d'un
refus d'écouter autrui ou de l'entendre, qui aboutit à parler
en même temps que lui ou à couper sans cesse la communication en passant à un autre sujet ou en introduisant un nouveau thème. Cela contribue à créer des moments de confusion
qui sont très fréquents dans les débuts des groupes et qui
alternent avec les silences dont j'ai parlé antérieurement.

Le problème posé par ces attaques, sous toutes les formes
décrites, concerne autant celui qui attaque que celui qui est
attaqué. Le premier en effet est souvent aussi angoissé que
l'autre et même quelquefois plus. Il doit donc surmonter son
anxiété, de même que tout à l'heure, il fallait surmonter la
paralysie du silence.

Les intéressés n'y arrivent pas généralement en cessant
leurs attaques et en passant à un autre mode de communica-

tion, mais en prenant conscience qu'ils s'affirment ainsi eux-
mêmes, qu'ils expriment leurs propres sentiments et qu'ils
communiquent à leur façon. Ils en arrivent donc au bout d'un
certain temps à relativiser leurs affirmations et à s'objectiver
moins en elles, ce qui se traduit par des expressions comme
« c'est ma perception », « c'est ce que j'éprouve », « c'est le sentiment que j'ai vis-à-vis de toi », etc., ce qui leur permet
d'être moins sensibles aussi aux attaques récurrentes de ceux
qui leur reprochent leurs attaques en les attaquant. Ils décou-
vrent une nouvelle dimension de la parole, qui est une dimension de communication. La satisfaction qu'ils en éprouvent
diminue leur anxiété tant vis-à-vis de ceux qu'ils attaquent
que vis-à-vis de ceux par lesquels ils sont attaqués.

Passons au troisième phénomène, que je considère comme
une manifestation des pulsions négatives, à savoir le phénomène de *projection*.

J'en ai déjà beaucoup parlé au cours de cet ouvrage et j'ai
analysé son origine. Il ne consiste pas, comme l'attaque, à
réagir à des attitudes dangereuses ou menaçantes d'autrui,
mais à se faire une image d'autrui qui le rend dangereux et
menaçant, même s'il ne l'est en aucune manière. Il y a une
espèce de reconstruction de l'autre qui est opérée par celui
qui s'y livre à partir de simples signes, de simples indices, de
simples ressemblances. Autrui, à la limite, n'est presque plus
concerné puisqu'on accroche à lui, artificiellement, des sentiments qui n'ont qu'un rapport très lointain avec lui. On
l'assimile à son père ou à sa mère, à son patron, à un per-
sonnage connu, à un familier ou à n'importe qui. On manipule
son image qui se prête à toutes les déformations et altérations
possibles. Ces attitudes, comme les précédentes, débouchent
directement sur la domination, même si celle-ci ne peut pas se
réaliser pleinement dans un groupe non-directif.

La traduction la plus fréquente de l'attitude projective est
l'interprétation, qui se différencie assez nettement de l'attaque. Elle consiste, à partir des paroles et comportements
d'autrui les plus visibles, à se livrer à tout un travail de
reconstitution et d'explication, dans lequel autrui généralement ne se reconnaît pas. Quand il refuse l'interprétation,
on lui dit que de toute façon il n'en a pas conscience, car les
processus qu'on met en lumière sont chez lui inconscients, ce

qui est la meilleure façon d'avoir barre sur lui et de le supprimer comme sujet autonome et responsable.

Là encore, l'évolution ne consiste pas en général à cesser
les interprétations mais à prendre conscience qu'elles viennent
de soi, qu'elles sont une certaine position qu'on prend par
rapport à l'autre, une certaine idée qu'on a sur lui. Cela se
traduit par des formules de plus en plus fréquentes du type
« c'est mon idée sur toi », « c'est comme ça que je te vois »,
etc. La distance qu'on prend vis-à-vis de sa propre attitude et
le fait qu'on se l'attribue, comme quelque chose qui vient de
vous et qui appartient à votre subjectivité, vous introduit
dans la communication, puisque celle-ci consiste à affirmer
comme expression de soi-même ce qui apparaît comme affirmation de la réalité et de l'autre. Le passage à la communication calme l'angoisse, comme précédemment.

Le dernier phénomène qui nous semble procéder des pulsions négatives est la *rationalisation*. Elle ne consiste en aucune
manière à introduire une recherche dans le groupe, à poser
un problème, mais consiste à introduire en force et pour
ainsi dire par la violence le monde extérieur, l'univers, l'ab-
straction, les idées générales. C'est une façon d'échapper à
l' « Ici et maintenant » et aux autres et aussi de nier leur existence. On manifeste ainsi aux autres qu'on se s'intéresse pas
à eux, sous le prétexte fallacieux qu'on ne veut pas se laisser
enfermer avec eux dans une situation limitée.

Encore une fois, il ne faut pas confondre cette attitude avec
celle qui consiste à poser un problème d'ordre intellectuel, ce
qui ne peut évidemment se faire dans un groupe qu'en affirmant « que cela vous intéresse », ou « que cela vous préoccupe »,
donc en parlant de soi-même. Ici, on ne parle ni de soi-même
ni des autres. On parle de « on », de la société, de n'importe
quoi et ces réalités qu'on introduit n'ont de valeur que par
leur étrangeté, leur extériorité, leur non-pertinence. Elles
sont faites pour couper le contact, rompre la communication,
et introduisent d'emblée l'insécurité et l'anxiété, du fait que
les participants se sentent gênés par cette intrusion de choses
mal définies sur lesquelles ils n'ont pas prise. Ils disent généralement que cela les ennuie, qu'ils ne se sentent pas concernés, ce qui provoque souvent une prise de conscience chez celui
qui se livre à ces rationalisations.

Cette prise de conscience, une fois de plus, amène à relativiser et à subjectiviser sa propre attitude. Le responsable en arrive à dire qu'il a besoin de s'exprimer ainsi, de se référer à des notions générales, de ne pas se laisser enfermer dans l'affectif, etc., ce qui l'entraîne du même coup à une véritable communication. Celle-ci diminue son anxiété, qui était à l'origine de sa rationalisation.

L'accès à la communication.

Nous avons vu, au paragraphe précédent, comment la communication s'introduit par le canal même de l'anxiété, de l'hostilité et de l'indifférence, par approfondissement des processus utilisés par ces sentiments pour se manifester, et dans le but explicite de les neutraliser et de les apaiser. Ce mécanisme est fondamental et n'est possible, répétons-le, que dans les groupes non-directifs. Ceux-ci, en effet, par le fait qu'ils n'imposent rien, permettent la recherche de « portes de sortie », de solutions même transitoires, qui deviennent des pierres d'attente pour autre chose. Toutes les voies sont ouvertes, et, dans le domaine psychologique, une voie ouverte est généralement prise en vertu d'une sorte de poussée interne des forces subjectives.

Ce n'est pourtant pas le seul canal par lequel s'introduit la communication. Un autre canal, aussi important et beaucoup plus direct, est tout simplement le besoin de communication, qui existe chez tout le monde à un titre ou à un autre.

Ce besoin peut être, selon les participants, fort ou faible. Dans le premier cas, il se renforce et s'exprime de plus en plus, du fait de l'accumulation d'expériences et de savoir-faire. Dans le second cas, il est amené à se constituer et quasiment à naître, sous l'effet de l'expérience fondamentale de la communication.

Quel que soit le niveau du besoin initial, la communication est appelée à augmenter pour ainsi dire en progression géométrique du fait des possibilités de la situation non-directive.

Cette situation, à cause de son ouverture, favorise énormément toutes les activités centrées sur elles-mêmes, c'est-à-dire où on ne s'intéresse qu'à la recherche des moyens propres à atteindre les buts qu'on s'est soi-même fixés.

Du fait qu'elle n'exclut a priori aucun but et aucun moyen, elle favorise une telle recherche, qui s'accroît par son propre mouvement.

On constate en effet, dans les groupes non-directifs, une espèce de paradoxe qui n'existe que dans ces groupes. D'une part, les problèmes ne cessent de croître et de se multiplier par une espèce de génération spontanée, ce qui devrait normalement décourager et lasser les participants. Mais, d'autre part, on s'aperçoit qu'en réalité les participants s'intéressent de plus en plus au groupe et veillent de plus en plus à son intégrité, et finissent même par s'y attacher profondément comme s'il leur apportait quelque chose d'essentiel et quasiment une révélation. Cela s'explique sans aucun doute par le fait que les problèmes, au lieu d'apparaître comme des obstacles à une action extérieure obligatoire ou comme des impasses sans issues possibles, apparaissent comme des excitants, comme des choses qu'on peut surmonter, comme des appels à aller plus loin.

De quelle manière s'opère cette centration croissante sur la communication, ou plus exactement sur les rapports entre les participants ?

Cela se manifeste non seulement par un accroissement des échanges, mais surtout par une augmentation de l'attention apportée au phénomène même de communication. Cette manière de se centrer sur la communication elle-même a été appelée par certains auteurs (par exemple Watzlawick [1]) méta-communication. Il se produit une polarisation de plus en plus grande sur la méta-communication.

Pratiquement cela se traduit par un nombre croissant d'échanges portant sur l' « ici et maintenant », ou plus exactement sur les participants en tant qu'émetteurs et récepteurs des messages, en tant que jouant un rôle actuellement dans le groupe.

En 1971-1972, j'ai étudié systématiquement, dans les groupes que je menais à Vincennes, le contenu des échanges. Chaque séance de six heures qui avait lieu était étudiée de ce point de vue.

---

[1] P. Watzlawick, J. Helmick-Beavin, D. Jackson, *Une logique de la communication*, Le Seuil, 1972.

Il ressortait très nettement de cette étude l'existence d'un schéma qui était applicable à chaque séance. Après un premier temps où les échanges portaient plutôt sur des problèmes généraux ou sur des faits extérieurs au groupe, on en arrivait à parler des participants eux-mêmes, qui devenaient le thème presque unique du discours du groupe. La manière dont on en parlait ne consistait d'ailleurs pas à les analyser en eux-mêmes, du point de vue de leur personne, de leur passé ou de leurs problèmes, mais plutôt du point de vue de leur participation. Le thème abordé était la participation, ou, si l'on préfère, le groupe.

Naturellement cette centration apparente sur les autres n'est qu'une manière de parler de soi-même. On parle de soi-même confronté aux autres, on parle de ses sentiments en face des autres et de leurs attitudes, on parle de ses propres réactions dans le groupe. S'il n'en était pas ainsi, il n'y aurait même pas de communication possible, car on ne peut parler de quelqu'un s'il n'a pas parlé préalablement de lui-même. Cependant le fait qu'on parle de soi-même *de cette manière, c'est-à-dire en situation*, prouve qu'on est préoccupé par cette situation et par les facilités ou difficultés qu'elle offre pour la communication. Cela prouve en définitive qu'on est préoccupé par la communication.

L'acte de communication est donc vécu à deux niveaux à la fois, c'est-à-dire « in actu exercito » et « in actu signato », comme disaient les scolastiques. Il est vécu « in actu exercito » au moment où quelqu'un dit quelque chose sur soi-même, sur ses sentiments, ses impressions, ses perceptions. Il communique alors quelque chose sur lui et fait passer à l'extérieur ses contenus intérieurs. Mais il est vécu en même temps « in actu signato », dans la mesure où ce qu'il dit a pour but d'exprimer ses attitudes et sentiments face à celui à qui il parle, qui se situe lui-même de la même manière. Autrement dit, l'interlocuteur joue un double rôle ; d'une part, il est récepteur de communication, et se situe à ce titre après la communication, mais en même temps il est l'objet de cette communication même qui exprime quelque chose sur lui et sur son rôle dans la communication, et se situe à ce titre avant la communication.

Si l'on étudie les personnes qui sont les objets privilégiés de communication, c'est-à-dire dont on parle le plus volontiers, on ne fait que confirmer les conclusions précédentes. Ces personnes sont très nettement celles qui se mettent en relief dans le groupe, d'une manière ou d'une autre, soit parce qu'elles expriment plus que les autres leurs sentiments, soit parce qu'elles ont plus d'influence sur le groupe, soit parce qu'elles essaient de le dominer, soit parce qu'elles posent des problèmes particuliers au groupe, soit parce qu'elles ont des personnalités plus affirmées, etc. On peut les qualifier de leaders, tout en se méfiant de ce terme ambigu et mal défini. Festinger, dans des études célèbres, les a qualifiées de marginales et a postulé que les communications se dirigeaient de préférence vers les marginaux pour les faire rentrer dans le groupe et opérer ainsi une pression vers la conformité. Il n'y a rien de plus contestable et d'autres études montrent au contraire que les leaders en question sont généralement les moins anxieux, les mieux intégrés, etc... Il est préférable de penser que ces gens sont plus que les autres centrés sur la relation au sens positif ou négatif, et provoquent de ce fait davantage de sentiments chez des gens qui sont en train de vivre cette même relation. On parle d'eux non pas parce qu'ils sont plus intéressants, mais parce qu'ils provoquent plus de réactions dans une situation de ce genre dans laquelle ils jouent un rôle plus actif et plus déterminant, qui peut être à la limite provocateur.

Il ne faudrait pourtant pas croire que ces progrès dans la communication, qui sont incontestables, s'effectuent d'une manière linéaire et sans heurts. Ils s'effectuent en réalité, à travers des attaques, des agressions, des affrontements qui n'ont pas pour but explicite la communication.

Un chercheur espagnol, Luis Pelayo, a essayé de mesurer, à travers un certain nombre de mes séances de groupe de six heures, l'évolution des accords et des désaccords. Il remarque ([1]) que le maximum de désaccords se produit toujours, dans toutes les séances, au cours de la troisième heure. « Il se réalise, écrit-il, dans cette période culminante un peu plus de la moitié des désaccords qui se produisent au long de chacune des séances ». La quantité de désaccords ne cesse de

([1]) Luis Pelayo, *Les désaccords verbaux dans la vie d'un groupe.* Thèse non publiée pour l'Université de Paris VIII.

croître jusqu'à cette période et décroît ensuite d'une manière spectaculaire.

Cela prouve, sans doute, que la communication ne peut réellement s'établir, vers la fin de la période de six heures, tant que les pulsions agressives et négatives n'ont pas été liquidées. Pour qu'elles le soient, il faut qu'elles atteignent un maximum, ce qui provoque, en vertu du processus déjà analysé, une apparition du phénomène inverse. La communication prend alors une signification d'apaisement et de réconciliation, ce qu'on peut nettement observer dans les groupes. De la même manière, on observe presque toujours dans les séminaires résidentiels qui durent plus de trois jours une crise dans le groupe qui se situe le deuxième ou le troisième jour et qui finit par être surmontée. C'est probablement le même phénomène que celui qui se passe au cours d'une séance.

Naturellement, dans cette progression vers la communication, l'animateur joue un rôle essentiel. Je ne reviens pas sur ce rôle que j'ai précédemment comparé à celui d'un éclaireur — formule que je préfère à celle d'analyste. Il est possible, nous l'avons déjà vu, que l'animateur, comprenant mal son rôle ou incapable de l'assumer, injecte littéralement de l'anxiété dans le groupe, soit par une extériorité excessive, soit par une attitude hautaine et lointaine, soit par des attaques directes ou indirectes contre les participants, soit par une directivité larvée, etc. Le groupe dont il a la charge risque fort de ne pas pouvoir dépasser sa négativité ou de la dépasser peu. L'accès à la communication se fait mal.

Le fait que la communication se réalise très souvent par un dépassement de l'anxiété, dans le but de la neutraliser, ne doit pas nous faire croire que cette anxiété soit indispensable et justifier une surenchère de l'animateur dans ce sens. Elle est certes inévitable, et c'est pourquoi on ne doit pas l'empêcher. Mais elle est par elle-même nocive et destructrice, je ne reviendrai jamais assez là-dessus. Il faut conclure que toute action visant à l'augmenter est condamnable. Cette action peut prendre deux formes : soit la forme qu'elle prend dans la pédagogie classique, où l'animateur — le professeur — interdit les manifestations d'agressivité, d'hostilité, de conflit, et augmente de ce fait les sentiments négatifs en empêchant toute résolution ; soit la forme qu'elle prend souvent maintenant dans l'animation, qui consiste à l'exciter et à la renforcer par des moyens adaptés et souvent très subtils, ce qui aboutit à une véritable manipulation.

Les différentes formules d'évolution.

Venons-en maintenant aux différentes formules d'évolution qu'on peut rencontrer dans des groupes non-directifs centrés sur eux-mêmes. La formule générale précédemment analysée se vérifie toujours, mais avec des variantes importantes que je vais considérer.

Le facteur le plus important qui influe sur ces variations est ce qu'on pourrait appeler l' « acte de naissance » du groupe. Il faut entendre par là la combinaison entre un certain nombre de choses, qui ne sont pas totalement indépendantes les unes des autres, à savoir la composition du groupe, c'est-à-dire la personnalité des participants, la taille du groupe et enfin la demande initiale des participants, qui est en fait la réponse spécifique à l'offre institutionnelle qui leur est faite.

Toutes ces variables modifient l'équilibre initial entre les pulsions négatives et positives — le champ affectif — qui, nous l'avons vu, est l'élément le plus déterminant dans l'évolution du groupe.

Pourquoi cette importance accordée à l'état initial, lui-même déterminé par l' « acte de naissance » ?

Nous en avons déjà vu la raison. C'est le fait que l'état initial permet, dans une situation non-directive, la création d'un champ affectif ouvert, non structuré, dans lequel les pulsions sont *toutes* présentes et peuvent *toutes* s'exprimer. Cela ne se produit naturellement que dans l'état initial. Postérieurement, les forces en présence se renforcent et se spécifient, en fonction de leur dynamique interne, et deviennent, de ce fait, beaucoup plus dures et résistantes, empêchant l'émergence d'un certain nombre de pulsions. Dans l'état initial, au contraire, des pulsions même faibles, par exemple les pulsions à la communication, peuvent se manifester et jouer ensuite une rôle qui ne va pas cesser de grandir. On leur donne pour ainsi dire leur chance à ce moment-là et seulement à ce moment-là.

La structuration initiale, qui est en principe faible, est

cependant variable, et elle varie précisément en fonction de l' « acte de naissance ». Il est possible que celui-ci produise une conjonction d'influence dans le sens de la communication, ce qui permettra une évolution très rapide du groupe dans la voie en question et aux participants de faire une expérience forte dans ce sens. Les autres groupes se situent entre ces deux extrêmes.

Voici deux exemples du premier extrême, lorsqu'il y a une structuration qui va dans le sens de l'anxiété.

Le premier est celui d'un groupe que j'ai eu il y a quelques temps dans le cadre universitaire et qui présentait deux éléments qui poussaient fortement dans le sens de l'anxiété. Le premier élément était la polarisation sur moi — l'animateur — de beaucoup de participants qui venaient pour me voir et à cause de ma réputation. Cette attitude très dépendante ne pouvait qu'entraîner la contre-dépendance, ce qui n'a pas manqué de se passer. Le deuxième élément était la présence dans le groupe de tout un noyau de jeunes qui venaient là pour causer de l'agitation, c'est-à-dire pour faire ce qu'ils avaient l'habitude de faire partout dans l'université. Ils étaient certes attirés par le halo qui entoure la « Dynamique de groupe », mais surtout pour se livrer à des provocations qu'ils croyaient plus faciles dans un tel cadre.

J'ai déjà parlé de ce groupe à la fin du chapitre II. Toutes les tentatives du noyau de jeunes ayant échoué successivement pour empêcher le groupe de fonctionner, pour le dresser contre moi, et enfin pour le faire immigrer « ailleurs », le groupe se retrouve pantelant et traumatisé et le restera jusqu'à la fin de l'année. Le traumatisme qu'il avait subi le marque comme il aurait pu marquer un individu. Il ne réussira jamais à s'en sortir et à accéder à un discours cohérent et satisfaisant pour lui. La seule chose qu'il réussira à faire, et c'est beaucoup, sera d'être un lieu d'accueil pour un tas d'individus désœuvrés et curieux, qui y trouveront une atmosphère de calme et de sympathie. La communication y restera jusqu'à la fin non-verbale, c'est-à-dire plutôt vécue comme une atmosphère, une ambiance fraternelle, que comme une vraie communication.

Le second exemple est celui d'un groupe qui a fait, en 1972-73, l'objet d'une recherche approfondie par une équipe de chercheurs, avec utilisation du magnétoscope et enregistrements divers. Ce groupe part lui aussi sur une équivoque au niveau de la demande. Les participants y viennent en grande partie pour l'animateur, qui a la réputation d'être jeune, sympathique, et surtout intéressé par les expériences corporelles et par les techniques nouvelles du style gestalt-therapy, bio-énergie, etc. Malheureusement une telle demande n'est pas assez articulée pour pouvoir aboutir à des conduites claires et positives. Elle est beaucoup trop négative et consiste trop à opérer des rejets : rejet à l'égard de la verbalisation, à l'égard de la société ambiante et de ses règles, et même à l'égard de la Dynamique de groupe classique. Les participants ne peuvent que s'installer dans une paralysie, qui « signifie » leurs attitudes de rejet, et se montrent incapables d'une expression corporelle véritable pour laquelle ils ont aussi beaucoup de résistances. L'inertie à la fois verbale et corporelle s'installe dans le groupe et il ne réussit à en sortir que lentement, laborieusement. Il n'y arrivera complètement qu'à la fin, au cours d'un marathon qui le clôturera.

Dans les deux cas précédents, le poids négatif qui va peser sur toute la vie du groupe résulte d'événements purement conjoncturaux et imprévisibles. Il n'empêche pas radicalement l'évolution positive de se produire. Mais il la rend très difficile. La seule façon de « parer » à de tels événements est, de la part de l'animateur, de faire des offres nouvelles qui vont permettre d'opérer une rupture et peut-être de repartir de zéro : offre d'une dissolution du groupe, d'un marathon, d'une poursuite du groupe au-delà des limites prévues, etc. Il est important aussi que l'animateur soit capable d'accepter l'agressivité et la frustration, de manière à ne pas introduire plus d'anxiété qu'il n'en existe déjà.

Les exemples qui vont dans le sens de l'autre extrême, quand la structuration initiale est nettement positive, fourmillent. Dans mon expérience, ils représentent bien 90 % des cas. Le groupe évolue alors très rapidement dans le sens de la communication et d'un attachement très fort des participants au groupe, aux autres participants et à l'expérience elle-même. Les participants se déclarent non seulement satisfaits mais souvent bouleversés, « retournés », enthousiastes. Ils ont l'impression de vivre un tournant dans leur vie, de découvrir des valeurs nouvelles. Ils ne s'en trouvent pas davantage attachés à l'animateur, bien au contraire. Leur satisfaction se manifeste par un désir, qu'ils expriment nettement, de poursuivre ce genre d'expérience, même après la fin du groupe.

Ce dernier genre de désir a été constaté dans une recherche que j'ai effectuée au C. E. S. I. (Centre d'Études Supérieures Industrielles) avec une équipe de chercheurs en 1972-1973. Nous avions la possibilité de comparer les effets d'expériences de groupe identiques du point de vue de la composition des groupes et des conditions de fonctionnement mais différents du point de vue des animateurs et de leurs méthodes. Nous avons constaté un désir plus grand de continuer les expériences de groupe chez les participants des groupes plus non-directifs et plus flexibles et un désir moins grand chez les participants des groupes menés d'une manière plus directive et plus provocatrice.

Tout ce qui a été dit précédemment nous montre l'importance de cet « acte de naissance » du groupe qui détermine fortement son évolution postérieure. Comme cet acte de naissance dépend en grande partie de l'animateur à travers son offre institutionnelle, on peut se demander s'il ne doit pas réfléchir longuement à celle-ci et lui attacher une particulière attention.

Cela est incontestable, mais reste un peu vague. A notre avis, la meilleure façon de procéder de la part de l'animateur n'est pas de se demander quel genre de groupe — quelle composition, quelle taille? — permettra le plus de changements chez les participants. Encore une fois, l'animateur ne doit pas se préoccuper des « changements » qui ne regardent que les participants et leur volonté profonde. Par contre, il doit se préoccuper beaucoup du plaisir qu'il aura à animer le groupe et des satisfactions que celui-ci lui apportera. Cela en effet le regarde directement.

Il doit en particulier éviter à tout prix une formule de groupe qui ne lui apportera que de l'ennui. Les deux groupes dont j'ai parlé plus haut étaient mortellement ennuyeux.

Pour arriver à ce but, il peut peut-être faire des offres assez personnalisées au niveau de ses désirs. C'est le seul moment où il pourra les exprimer clairement et il faut qu'il en profite. Ces désirs ne sont d'ailleurs pas coupés de ceux des participants, car un groupe stimulant pour lui sera un groupe stimulant pour les participants. Il est donc important qu'il fasse des offres institutionnelles qui « accrochent », qui suscitent l'intérêt, qui éveillent la curiosité.

Les groupes non-directifs centrés sur une tâche.

Je n'ai considéré jusqu'ici que les groupes centrés sur eux-mêmes, ou ce qu'on appelle dans le jargon psycho-sociologique, les « T-Group », « Groupes de base », « Groupes de diagnostic », etc.

Naturellement, tous les groupes de formation ne rentrent pas dans cette catégorie. Beaucoup d'entre eux sont des groupes centrés sur une tâche, sur un apprentissage précis, sur l'acquisition d'un savoir, sur un thème de réflexion, sur une recherche, etc.

J'ai déjà abordé le problème de ce type de groupes et j'ai dit les échecs, les désillusions, l'inefficacité auxquels ils aboutissent la plupart du temps. La presque totalité des groupes qu'on trouve dans les écoles — les classes et cours — sont de ce genre, et il est inutile d'insister longuement sur le bilan presque entièrement négatif qu'il faut faire à leur sujet. Non seulement on n'y apprend pas grand-chose à long terme et on n'y fait que de la mémorisation à court terme qui ne sert à rien, mais de plus on y multiplie les interdits et les répressions qui détournent les élèves de leurs vrais intérêts et de leurs désirs à tous les niveaux. L'influence sur la personnalité est aussi nocive que l'influence sur l'esprit est faible.

Ce bilan négatif se retrouve dans les expériences qu'on multiplie actuellement de « Groupes de travail », « équipes de recherche », « séminaires de réflexion », « colloques », etc. La plupart du temps, la production effectuée est décevante et tout à fait disproportionnée avec le temps passé, l'énergie investie, les moyens matériels mis en jeu. On aboutit très vite à des blocages, qui viennent soit du fait qu'on n'a pas voulu ou pu poser les problèmes des individus et du groupe, soit au contraire qu'on n'a pas cessé de les poser d'une manière biaisée et indirecte, sans jamais les traiter explicitement.

Cela est très probablement dû au fait que ces groupes ne sont pas centrés au départ sur les intérêts, désirs, demandes

des participants et ne proposent rien d'autre que la réalisation d'un programme conçu par d'autres ou d'un thème
choisi par l'animateur. On se donne bonne conscience en
constituant des « petits groupes », en laissant travailler seuls
les participants, en adoptant une conduite non-directive. Cela
évidemment ne suffit pas. La non-directivité qui ne se branche
pas sur les intérêts réels et sur des désirs n'aboutit qu'au
désordre et à la stérilité.

L'expérience prouve que les groupes de travail qui veulent
être productifs doivent répondre au moins à trois conditions.

1. La première condition est que l'offre qui est faite par l'institution réponde à une demande potentielle des participants.
Par « demande potentielle », je n'entends pas une demande
biaisée et formelle qui provient elle-même d'une contrainte
de l'institution, par exemple de l'existence d'un examen, mais
l'expression d'un désir authentique, qui peut être lui-même
soit tout à fait désintéressé — apprendre pour apprendre,
chercher pour chercher —, soit branché sur un but utilitaire,
de caractère professionnel ou autre.

2. La seconde condition est que la finalité explicite du
groupe, même admise au départ par les participants et même
spécifiée dans un contrat, puisse être sans cesse remise en
question. Il n'y a rien de plus artificiel en effet que d'exiger
des participants qu'ils restent fidèles à leur demande initiale,
alors que précisément ils évoluent en fonction de la Dynamique
du groupe. C'est une manière subtile et manipulatoire de
prendre les participants à leur propre jeu, qui devient un
piège.

3. La condition la plus importante est que l'animateur
ne soit pas angoissé par l'idée que le groupe risque de se
transformer en « Dynamique de groupe », comme on dit, et
ne refuse pas de se laisser entraîner dans cette voie. Il est
capital en effet qu'un groupe, même centré explicitement
sur un travail, puisse se constituer comme groupe, puisse
permettre aux participants de se connaître, puisse traiter les
conflits qui surgissent en son sein. Si cela ne peut avoir lieu,
el groupe se transforme très vite en faux « Groupe de base »,
dans lequel on traite les problèmes relationnels par des voies
détournées et purement symboliques, d'une manière allusive
et non explicite, ce qui prend énormément de temps. On y fait

tout sauf du travail et la finalité n'est évidemment pas atteinte.

Étant donné la tendance générale actuelle de tous les individus à se détourner de tout travail, de toute production, de toute tâche structurée, à cause des conditionnements acquis dans la vie sociale, il est urgent de multiplier non pas les « groupes de tâche » de caractère non-directifs, mais les « groupes sans tâche », soit verbaux, soit non verbaux. L'éducation dont les individus ont besoin actuellement est en effet une rééducation qui leur apprenne à rentrer en contact avec autrui, ce qui aura une influence à long terme sur leurs intérêts et sur leurs aspirations. C'est d'ailleurs ce qu'ils réclament à cor et à cri, et c'est pourquoi ils ont tendance à transformer tous les « groupes de tâche », même dans la vie professionnelle, en « groupes sans tâche », dans lesquels ils discutent, bavardent, échangent librement, tant qu'une autorité supérieure ne vient pas les en empêcher.

Les groupes non-directifs dans la vie sociale.

Venons-en pour terminer au problème des groupes qui ne sont pas spécifiquement des groupes de formation, qui sont tous les groupes de la vie sociale, quand ils sont menés d'une manière non-directive et objets d'animation.

J'ai déjà parlé de ces groupes dits « naturels » au début du chapitre et j'ai montré leur valeur éminente pour assurer le progrès de l'humanité.

Il ne faut cependant pas en rester là et il faut montrer les problèmes qu'ils posent à notre époque, auxquels sont confrontés quotidiennement les animateurs.

Le principal de ces problèmes résulte d'un double phénomène. Le premier phénomène est le fait que ces groupes sont centrés explicitement sur une production et que cette production a un caractère vital. On ne peut la sacrifier d'aucune manière, sans courir le risque de conséquences graves pour la survie et la sécurité des individus. On ne peut en aucune façon la mettre en question. Le second phénomène est le fait que la plupart des individus aujourd'hui ont tendance, je viens de le dire, à se détourner du travail, de la production et de l'effort difficile, donc à sacrifier d'une certaine manière les exigences de la sécurité, ce qui semble justifier l'existence d'autorités fortes et contraignantes.

Il faut donc, de toute nécessité, recourir à la contrainte pour obliger les individus à rester dans les normes imposées par les objectifs. Ces contraintes, il faut le remarquer, ne s'adressent pas uniquement aux subordonnés et aux exécutants. Elles s'adressent autant aux chefs et aux responsables qui, dans un monde capitaliste et ailleurs, ont tendance à servir davantage leurs propres intérêts et leur égoïsme personnel que la collectivité.

Comment peut-on concilier l'existence de ces contraintes avec la non-directivité elle-même, qui est indispensable à la créativité et au progrès du groupe et des individus ?

La solution ne peut venir que du recours non pas seulement à la non-directivité, mais à un fonctionnement démocratique.

La démocratie en effet est un système inventé depuis longtemps pour mettre la contrainte au service de tous et non pas seulement au service des catégories dominantes. C'est un système qui permet une défense efficace de la collectivité, puisqu'elle s'exprime elle-même et prend en mains ses propres affaires. Il faut d'ailleurs remarquer que la démocratie ne se réduit pas aux mécanismes classiques de caractère représentatif. Elle peut aussi bien se traduire par une lutte active de certaines catégories, par exemple les minorités, pour faire reconnaître leur droit et leur existence. Le syndicalisme par exemple est aujourd'hui une des formes privilégiées de la démocratie.

La création d'une démocratie authentique dans une collectivité, soit par voie représentative, soit par une autre voie, ne résoud pas tous les problèmes. Il peut surgir des conflits entre la démocratie et la non-directivité. Si par exemple la collectivité réclame une autorité forte et despotique qui la dirige entièrement et qui prend toutes les décisions, elle se nie elle-même et va contre la non-directivité. Celle-ci ne peut alors être rétablie que par une affirmation forte des attitudes non-directives de la part de ceux qui en sont capables et qui ont des responsabilités. Nous tendons alors vers l'auto-gestion qui n'est rien d'autre qu'une combinaison de démocratie et de non-directivité. Dans l'auto-gestion, non seulement la collectivité exprime ses besoins et défend ses intérêts, mais les responsables nommés par cette collectivité refusent délibérément d'adopter certains comportements et en particulier d'utiliser la contrainte au-delà de certaines limites, dans le but de laisser la collectivité assurer sa propre existence.

Cela aboutit à un système dans lequel les responsables appliquent les décisions de la collectivité quand celles-ci sont explicites et refusent de la contraindre davantage de leur propre initiative, même si elle leur demande. Ils se soumettent donc à la collectivité mais restent autonomes par rapport à elle, dans le but de sauvegarder son autonomie. Ils ne sont pas les esclaves de la collectivité mais à son service. La contrainte qu'ils exercent est donc minimale puisqu'elle se réduit aux exigences explicites de la collectivité. Ils n'en rajoutent pas eux-mêmes, avec le souci d'avoir un autre type de rapport avec tous.

Qu'est-ce que tout cela signifie concrètement pour un animateur de collectivité qui se trouve dans une position donnée à l'intérieur de son institution ?

Tout d'abord, il doit, comme animateur, éclairer, informer, aider les individus dont il a la charge afin qu'ils puissent mieux réaliser leurs buts et leurs objectifs. Tout dépend du rôle qui lui est assigné par la collectivité et qui correspond, ou ne correspond pas, à celui qui lui est assigné par la hiérarchie. Ce rôle varie selon qu'il est animateur culturel, animateur de loisirs, commercial, politique, travailleur social, etc. Les fonctions qu'il assume dans ces différents cas ne sont pas les mêmes. La seule chose qui reste identique est l'animation du groupe en tant que tel, que j'appellerai volontiers l' « animation de base », qui consiste à faire le travail que fait un animateur de « groupe de base », mais d'une manière plus diffuse, moins explicite. Ce travail vise à permettre au groupe de se constituer, à aider à la résolution des conflits, à permettre une meilleure connaissance des membres les uns par les autres.

Cet animateur doit aussi faire pression sur la collectivité et la contrôler par des méthodes qui relèvent de la contrainte. Il ne peut y échapper pour les raisons que j'ai déjà dites. C'est ici que les difficultés commencent, car on risque le rétablissement du rapport autoritaire classique.

La seule manière, pour l'animateur, d'y échapper est de se placer dans une attitude démocratique et de demander à la collectivité d'établir elle-même ses lois et ses règlements, soit directement, soit par l'intermédiaire de ses représentants. L'animateur n'est plus, dans cette optique, que l'exécutant de la collectivité. Il ne décide rien qu'elle ne décide elle-même.

S'il n'existe pas, dans la collectivité dont il fait partie, de système démocratique clairement établi, l'animateur peut toujours en référer à la collectivité à chaque fois qu'il doit prendre une décision qui présente un caractère répressif : « mettre à la porte » quelqu'un, sanctionner une conduite délictueuse, fixer des normes de travail et de présence, etc. Ce recours à la collectivité n'est pas toujours facile. Il est cependant nécessaire pour que l'animateur reste un animateur et ne se transforme pas en policier ou en adjudant.

Dans beaucoup de collectivités actuelles — la grande majorité — il n'existe ni animateur, ni animation. Ou, s'il en existe, l'animation ne résulte pas d'une transformation du rapport hiérarchique et ne concerne pas ceux qui détiennent le pouvoir. Elle se juxtapose seulement à la hiérarchie et n'intéresse que certains secteurs marginaux secondaires : accueil, information, etc.

Il y a cependant dans ces collectivités des problèmes de groupe, de relations entre les personnes, de structures, d'organisation, des conflits à tous les niveaux. Il y en a même d'autant plus que le système est plus rigide et moins permissif. La ridigité crée des difficultés supplémentaires qui s'ajoutent aux difficultés inhérentes aux groupes.

C'est pourquoi on fait souvent appel à des intervenants extérieurs qui font ce qu'on appelle des « interventions », qui ont pour but d'aider la collectivité à résoudre ses problèmes. Ces intervenants peuvent être de deux sortes, à savoir soit des psycho-sociologues qui essaient de susciter des changements et des transformations plus ou moins radicaux, soit des spécialistes par exemple « de l'organisation » qui vont dans le sens voulu par la hiérarchie et qui l'aident seulement à réaliser ses objectifs.

Les premiers jouent un peu le même rôle que des animateurs, à cette différence près qu'ils viennent de l'extérieur et y restent.

On a beaucoup critiqué ces interventions qui auraient pour but, dit-on, de faire mieux fonctionner « le système » et qui seraient donc à son service.

Cela naturellement peut arriver, mais n'a rien de nécessaire. Le fait que les changements visés et obtenus soient minimaux, c'est-à-dire limités, ne leur enlève pas leur valeur, bien au contraire. Ils contribuent à leur manière au changement général qui ne peut être que la résultante globale de milliers de changements minimaux.

L'idée fort répandue selon laquelle le changement général est présupposé à tout changement partiel, pour que celui-ci ait une signification, résulte de ce que j'ai appelé le « révolutionnarisme », en lequel je vois une manifestation particulièrement caractéristique de la contre-dépendance institutionnelle.

Cette contre-dépendance consiste à attribuer à « l'idéologie dominante », comme on dit, une telle puissance qu'on ne la conçoit que triomphante ou détruite. Il n'y aurait pas de milieu entre ces deux extrêmes. Cette vue simpliste procède en réalité d'un manichéisme qui fait de la société une simple machine dans laquelle la catégorie dominante représenterait le démon. J'ai essayé de montrer déjà la fausseté de cette vue et son caractère régressif.

La seule chose qui reste vraie est que l'action d'animation exige de temps en temps qu'on s'attaque à certains nœuds institutionnels — que j'ai appelés aussi des verrous — qui présentent un caractère général et macroscopique, par exemple une loi, une institution sociale, un principe constitutionnel, etc. Quand on le fait, on n'agit plus exactement comme animateur mais comme militant. La militance, je l'ai dit, ouvre la voie à l'animation.

Conclusion.

En conclusion de ce chapitre, on peut dire que les groupes sont des organismes vivants qui doivent pouvoir se transformer, progresser et se développer. La non-directivité, au sens où je l'ai définie, est un des moyens qui leur permettent de le faire. C'est pourquoi ils connaissent un surcroît de dynamisme et de vie quand elle s'introduit en eux. Ils manifestent alors

ce qu'ils sont fondamentalement, et les lois qu'on peut observer alors sont applicables à tous les groupes avec seulement
certaines modifications mineures. La dynamique des groupes
non-directifs nous révèle et explique la dynamique des
groupes directifs, de tous les groupes de la vie sociale.

POSTFACE

Quelques années se sont passées depuis que ce livre a été écrit, années décisives pour la destinée des groupes. Durant ces années, en effet, a déferlé littéralement sur l'Europe, venu d'Amérique, le mouvement du Potentiel Humain, suivi de près par des mouvements parents, centrés sur l'énergétique mentale ou sur les rapports transpersonnels.

Difficile de définir ce mouvement, issu de Reich à travers Lowen, de Perls, de Berne et de quelques autres. On pourrait dire qu'il est centré sur l'actuation, terme que je préfère à celui de « passage à l'acte », c'est-à-dire sur la mise en œuvre externe, visible et manipulable de nos projets, sentiments et états intérieurs divers. C'est la Décharge dans le « potentiel humain », la Transaction dans l'analyse transactionnelle, le Cri Primal, etc., toutes réalités qui se caractérisent plus par leur structure externe perceptible que par les états intérieurs qui les accompagnent, dont on ne sait pas la plupart du temps ce qu'ils sont réellement et sur lesquels on peut faire les hypothèses les plus fantaisistes.

Personnellement, je me suis intéressé à ce mouvement, et j'ai appris à travers eux l'importance du corps, c'est-à-dire de l'inscription dans un concret évident et constatable des états qui nous habitent et dont la parole ne suffit pas à rendre compte. Cela m'a amené aussi à infléchir ma pratique dans le sens du « corporel », comme on dit aujourd'hui, c'est-à-dire dans le sens de l'actuation, au sens que je définissais plus haut. Cela a abouti à donner plus d'importance aux « propositions » dans l'animation de groupe, au détriment de l'analyse, et m'a amené à insister sur une certaine conception de la non-directivité sur laquelle je vais revenir immédiatement.

Pourtant, ce mouvement n'a pas eu que du positif et il a entraîné avec lui toute une critique souvent malveillante et hostile de la non-directivité, à laquelle nous avons dû répondre. La non-directivité, nous a-t-on dit, c'est dépassé, c'est fini. Rogers est un ancêtre qui n'a plus guère d'importance. On fait maintenant des groupes efficaces, nettement dirigés et orientés, dans lesquels la manipulation fleurit avec bonheur. Cela permet de traiter des masses de gens et accroît le prestige des animateurs qui se livrent à ces pratiques.

On peut répondre dans un premier temps que l'ancienneté d'un mouvement ne lui donne ni plus ni moins de valeur, à moins qu'on accorde à la mode une signification quasiment axiologique. Le fascisme est ancien et n'en est pas moins nocif. L'idée démocratique est aussi ancienne et cela ne la rend en aucune manière caduque.

Mais plus profondément, cette critique révèle quelque chose de très inquiétant, à savoir la facilité avec laquelle on est prêt à faire fi, même dans des mouvements dits psychologiques, de la liberté de l'autre, du respect qui lui est dû, de son autonomie, et de son initiative. On est prêt à travailler « à la chaîne », comme on fait des automobiles et j'ai vu des groupes de bio-énergie, entre autres, dans lesquels l'animateur appuyait littéralement sur des boutons pour provoquer les bonnes « décharges » spectaculaires et bienfaisantes. Et que dire du « rebirth » qui fait fureur actuellement, dans lequel on prétend vous changer profondément par de simples techniques d'hyperventilation.

Et la théorie elle-même s'en est mêlée, mettant en avant des argumentations très contestables tirées de la tradition freudienne. C'est ainsi qu'on a vu Janov [1] nous dire qu'il fallait absolument faire resurgir l'angoisse ori-

[1] JANOV, A., Le cri primal, Flammarion, 1975.

ginelle, refoulée et oubliée par nous, et que c'était ce resurgissement qui était curatif. Comme si on ne pouvait pas faire l'hypothèse, tout aussi vraisemblable, que le fameux cri est une découverte de l'affirmation de soi-même, de l'expression forcenée, de la sortie de soi à tout prix, sources de plaisir et de satisfaction profonde. De la même manière, on a vu Eric Berne (¹), dans ses différents écrits, essayer de nous persuader que le seul moyen de nous guérir est de casser notre vieux « scénario », issu de notre petite enfance, en prenant de bonnes résolutions. « Cesse ton cinéma, mon vieux », c'est ce que le père autoritaire dit à son fils, et tout le monde sait que cela n'a jamais guéri personne, bien au contraire.

L'évolution actuelle de la thérapie et de l'animation de groupe vers des formules autoritaires, manipulatoires voire violentes, est nette. La psychanalyse elle-même ne fait pas exception, qui proclame de plus en plus la nécessité de la castration dans les rapports entre analyste et client, même si celui-ci renonce de plus en plus à jouer un rôle d'interprétateur.

Les thérapeutes et les animateurs se prennent de plus en plus au sérieux et veulent qu'on voie en eux des figures d'autorité, après avoir accepté de n'être que de modestes chercheurs dans les premières générations.

C'est dire que l'idée de non-directivité est plus actuelle que jamais. Bien loin d'être une notion dépassée, c'est une notion dont nos modernes thérapeutes et animateurs ont particulièrement besoin. Elle est seule capable de fournir cette inspiration profonde, faite de respect et d'amour de l'être humain, sans laquelle il n'y a que manipulation et truquage plus ou moins subtils. Je ne vois pas du tout comment on pourrait s'en passer, sans tomber dans les plus affreuses caricatures de l' « action psychologique ».

L'idée de non-directivité peut aussi permettre de comprendre mieux ce qui se passe réellement dans les groupes très dirigés dans lesquels on utilise aveuglément certaines techniques. Qu'est-ce qui se passe en fait pour les participants? Si on les laisse s'exprimer, on s'aperçoit que

(¹) BERNE, E., *Que dites-vous après avoir dit bonjour?*, Tchou, 1977.

souvent ils ont vécu comme des affirmations de leur pouvoir et de leur créativité ce qui apparaît extérieurement comme des « décharges » mécaniques d'angoisse ou comme des schémas préétablis. Ils ont crié certes, et ils ont pleuré, mais c'était au terme d'un long effort et en vertu d'un choix qui leur a permis de toucher leurs capacités créatives. Ils ont communiqué ainsi, alors qu'on croyait qu'ils étaient seulement possédés par une pulsion irrésistible. La bio-énergie prétend faire resurgir l'angoisse, mais ne fait-elle pas en réalité autre chose? La Selbst-Darstellung [1] l'a bien compris, qui délibérément adopte une voie beaucoup plus théâtrale où chacun mime, exagère, caricature, dramatise ses sentiments et son histoire personnelle.

Bien sûr, la notion de non-directivité doit aussi évoluer, en partie à travers la confrontation avec les techniques nouvelles d'actuation ou pour pouvoir jouer un rôle dans la pratique quotidienne de l'enseignement.

La non-directivité telle que la définissait Kurt Lewin [2], qu'on pourrait appeler prétéritive, qui consiste pour l'animateur à se mettre en marge et à respecter aveuglément la volonté du groupe, n'est pas suffisante. De la même manière, n'est pas suffisante la non-directivité à la manière de Rogers [3], qu'on pourrait appeler empathique, qui consiste à affirmer sans cesse qu'on accepte et qu'on comprend, par des méthodes de miroir et de reformulation. Il faut aller plus loin, et l'animateur ne peut pas se permettre de ne pas intervenir s'il veut avoir une action et une influence.

Tout le problème est de définir des modes d'interventions qui restent incontestablement non-directives, qui respectent totalement les individus et leurs aspirations. Personnellement, je pense qu'on peut s'en tirer par des propositions, des offres et des apports qui se cantonnent

[1] Représentation de soi-même. Méthode utilisée dans les A.A.O. pour jouer les problèmes et le vécu quotidiens du groupe.

[2] LEWIN, K., *Psychologie Dynamique*, P.U.F.

[3] ROGERS, C. et KINGET, M., *Psychothérapie et Relation humaine*, Éd. Nauwelaerts.

entièrement dans le champ des désirs explicites des participants, sans aller ni au-delà, ni en deçà. Cela pose des problèmes pratiques considérables. Par exemple, cela pose le problème de faire émerger les vrais désirs qui sont souvent loin des demandes formelles émises par les participants. Cela pose aussi le problème de ne pas être obéi à cause des projections qu'on fait sur vous, mais seulement parce qu'on trouve bon ce que vous proposez. Par rapport à ce second problème, la solution se trouve sans doute dans des propositions ouvertes qui permettent à chacun d'aller dans le sens qui lui convient. Cela pose aussi le problème de la nature des propositions et des apports qui supposent une connaissance approfondie de la réalité en jeu et une compétence technique à toute épreuve.

Cette nouvelle définition de la non-directivité peut seule à mon avis être opératoire, c'est-à-dire permettre à chacun de trouver sa place sans se sentir brimé ou plus ou moins censuré. Cela est important si on veut que cette idée se répande et devienne un véritable ferment dans la vie sociale, ce que personnellement, je souhaite.

Paris, le 23 novembre 1978.

Si vous appréciez les volumes de cette collection et si vous désirez être tenu au courant des publications des Éditions PAYOT, PARIS, découpez ce bulletin et adressez-le à :

ÉDITIONS PAYOT, PARIS
106, Bd Saint-Germain
75006 Paris

NOM ....

PRÉNOM ....

PROFESSION ....

ADRESSE ....

· ·

Je m'intéresse aux disciplines suivantes :

ACTUALITÉ, MONDE MODERNE ☐
ARTS ET LITTÉRATURE ☐
ETHNOGRAPHIE, CIVILISATIONS ☐
HISTOIRE ET GÉOGRAPHIE ☐
PHILOSOPHIE, RELIGION ☐
PSYCHOLOGIE, PSYCHANALYSE ☐
SCIENCES (Naturelles, Physiques) ☐
SOCIOLOGIE, DROIT, ÉCONOMIE ☐

(Marquer d'une croix les carrés correspondant aux matières qui vous intéressent.)

Suggestions :

· ·

· ·

· ·

353

A découper ici

Imprimerie BUSSIÈRE à Saint-Amand (Cher), France — 2-1979
Dépôt légal : 1er trimestre 1979.   *N° d'imp. :* 2167
IMPRIMÉ EN FRANCE